ro
ro
ro

Zu diesem Buch

Mit bissigem Humor berichten zwei Insider über Naivität und Dummheit in der modernen Wissenschaft und über deren Konsequenzen für unseren Alltag. Sie stellen ausführlich dar, wie mit der Wahrheit gelogen wird, wie Irrtümer entstehen und wie sie sich bisweilen trotz klarer Widerlegungen zu anerkannten Schulweisheiten auswachsen.

«Die Forschung ist gegenwärtig eher darauf angelegt, Quantität zu produzieren», schreiben die Autoren. «Qualität in Form von soliden Ergebnissen ist nicht gefragt. Eine unüberschaubare Flut von Desinformation begräbt die tatsächlich neuen Erkenntnisse unter sich und behindert den wissenschaftlichen Fortschritt. Wir wollen dazu beitragen, dass dies nicht so bleibt.»

Privatdozent Dr. Hans-Hermann Dubben und Prof. Dr. Hans-Peter Beck-Bornholdt, bekannt durch ihre vergnüglichen und tiefgründigen Umdenkbücher *Der Schein der Weisen* (science 61450) und *Mit an Wahrscheinlichkeit grenzender Sicherheit* (science 61902), lehren und forschen am Universitätsklinikum Hamburg-Eppendorf (Institut für Allgemeinmedizin/Institut für Rechtsmedizin). Beide sind von Haus aus Physiker. Sie haben diverse akademische Preise erhalten, unter anderem den Fischer-Appelt-Preis der Universität Hamburg für hervorragende Lehrleistungen.

Hans-Hermann Dubben
Hans-Peter Beck-Bornholdt

Der Hund, der Eier legt

Erkennen von Fehlinformation
durch Querdenken

Rowohlt Taschenbuch Verlag

rororo science

Vollständig überarbeitete und erweiterte Neuausgabe
November 2006

5. Auflage April 2010

Originalausgabe
Veröffentlicht im Rowohlt Taschenbuch Verlag
Reinbek bei Hamburg, Dezember 1997
Copyright © 1997, 2001, 2006 by Rowohlt Verlag GmbH,
Reinbek bei Hamburg
Umschlaggestaltung any.way, Barbara Hanke/Cordula Schmidt
(Images.com/CORBIS)
Illustrationen Hans-Hermann Dubben
Satz Sabon und Futura PostScript (PageOne)
Gesamtherstellung CPI – Clausen & Bosse, Leck
Printed in Germany
ISBN 978 3 499 62196 3

Inhalt

Vorwort 15

Ohne Panik positiv 17
Aussagekraft von Früherkennungsuntersuchungen

Wir backen uns eine Schlagzeile 29
Zufällige und echte Häufung

Statistik für Kuchenesser 30
Wie sieht eine zufällige Verteilung aus?

Über Zufälle und Ursachen: ein Leukämieszenario 31

Ein Unglück kommt selten allein 42
Zeitliche Häufungen

Zufall oder Zustand 45
Fehler erster Art

Mehr oder weniger Alkohol am Steuer 45
Was heißt «statistisch signifikant»?

Eine heilige Kuh 46
Die Bedeutung der Signifikanz

Herausforderung zum Schussfolgern 47
Das Signifikanzniveau, der p-Wert und die Nullhypothese

Quadratisch, praktisch, gut 52
Der einfache und nützliche Vierfeldertest

Neue Besen kehren gut! – Oder? 56
Ein Beispiel für den Vierfeldertest aus der Medizin

Unsinn mit Niveau 57
Die Konvention eines fünfprozentigen Signifikanzniveaus

Mit der Schrotflinte in den Porzellanladen 61
Mehrfachtests

Die unerträgliche Leichtigkeit der Signifikanz 61
Das Prinzip von Mehrfachtests

«Ergebnisse» wie Sand am Meer 64
Die Problematik von Mehrfachtests

Kompost oder Komposition 72
Zusammengesetzte Endpunkte

Reiseroulette mit alten Autos 77
Mehrfachrisiken

Von Spekulanten und Scharfschützen 78
Mehrfachtests

Ein Spiel mit gezinkten Würfeln 81
Reproduzierbarkeit

Heute mal ganz ausgelassen 85
Unterschlagung von Informationen

Reden ist Silber, Schweigen ist Gold 85
Verschweigen von Daten

Heiße Luft? 87
Globale Erwärmung

Hitzefrei 90
Der heißeste 8. Juni der letzten hundert Jahre

Land in Sicht! 91
Steigende Meeresspiegel?

Was ich nicht weiß, macht mich nicht heiß 93
Verschweigen von Daten in der Krebsforschung

Not macht erfinderisch 98
Betrug durch Hinzudichten von Ergebnissen

Wo bleibt das Negative? 101
Unausgewogene Berichterstattung in der Wissenschaft – publication bias

Auf Spurensuche 103
Wie entsteht *publication bias*?

Modeerscheinungen in der Wissenschaft 111
Durch Pausen unterbrochene Strahlentherapie von Tumoren

Das Negative des Positiven 113
Folgen unausgewogener Berichterstattung in der Wissenschaft

… es wäre doch so einfach! 115
Registrierung klinischer Studien

Fußball, Zufall, Sensationen 118
Permutationen, Kombinationen, Binomialstatistik

Kerzen, Kabel, Kaffeekränzchen 118
Permutationen

Das Fußballstadion als Rouletteschüssel 121
Interpretation eines Spielergebnisses

Tischfußball 123
Kombinationen

Die Bundesliga 127
Vierfeldertest im Fußball

Den Letzten beißen die Hunde 132
Binomialverteilung light

Der zarteste Versuch, seit es Schokolade gibt 135
Binomialverteilung heavy

Keine Schwalbe macht noch keinen Herbst 138
Statistik seltener Ereignisse

Im Nebel nach Überseh 140
Der Fehler zweiter Art

Der Übersehfehler 142
Fehler zweiter Art

Jubiläum eines beliebten Irrtums 144
Verbreitung und Resistenz des Fehlers zweiter Art
in der medizinischen Literatur

Die Sichtverderber 145
Wovon der Fehler zweiter Art abhängt

Wer suchet, der findet 150
Der minimale relevante Unterschied

Die Qual vor der Wahl 152
Wahlprognosen

(Un)heimliche Verluste 155
Die weit reichenden Konsequenzen des Fehlers zweiter Art

Mit der Wahrheit lügen 161
Manipulationsmöglichkeiten bei der Darstellung
von Ergebnissen

Daten auf der Streckbank 162
Manipulierte Koordinatenachsen

… es wirkt 165
Effekte der Ergebnispräsentation

Sehhilfe 167
Manipulative Führung des Auges

Do it yourself 170
Wer selbst manipuliert, fällt nicht mehr so leicht
darauf herein

Die Ursache aus Anlass des Grundes 172
Kausalität und Korrelation

Kein Rauch ohne Feuer 174
A ist die Ursache von B

Der Sonne Bahn lenkt der Hahn 175
B ist die Ursache von A

Zu viel des Guten? 176
A und B haben eine gemeinsame Ursache

Der Segen der globalen Erwärmung 178
Nicht-kausale zeitliche Beziehungen

Von Schnäbeln und Vögeln 182
Systematische Fehler: Inhomogenitätskorrelation

Der Hutskandal 184
Der ökologische Fehlschluss

Babylonische Sprachverwirrung 188
Interpretations- und Übertragungsfehler

Keiner versteht mich 188
Interpretation von Sprache

Vom Original zum Lehrsatz: das Stille-Post-Prinzip 195
Fehlerhafte Informationsübertragung

Computermärchen 202
Computersimulationen und Rechenmodelle

Das Genuesische Zepter 202
Naturkonstanten auf einem prähistorischen Fund

Lady Dis Baseballkappe 211
Über wissenschaftliche Spekulationen

Wahlkreistango, kriminelle Vereinigungen und krebsresistente Linkshänder 214
Datenschiebereien und Paradoxa

Der Hund, der Eier legt 214
Verwechslung von Anzahl und Anteil

Kriminelle Vereinigung 222
Unzulässiges Gruppieren von Daten

Schwimmen wie ein Fisch ... 227
Unfaire Vergleiche

Zweimal verloren und doch gewonnen 229
Simpsons Paradoxon

Alles wird besser, obwohl sich nichts verändert 234
Das Will-Rogers-Phänomen und stage migration

Hurra: Gesunde gesünder als Kranke 238
Intention-to-treat-Analyse

Rotwein und tot sein 241
Verzerrung durch Selektion

Gleichheit durch blinden Zufall 245
Randomisierung und Verblindung, Cluster-Randomisierung

Warten statt starten 248
Surrogatmarker als Endpunkte

Viel Blech ist noch lange kein Auto 250
Der so genannte *impact factor*

Mit Sicherheit daneben 256
Objektivität der Wissenschaft und subjektive Interessen –
Falsifizierbarkeit

Das Orakel von Elphi 257
Beharrungsvermögen falscher Vorstellungen

Ratte beim Tango 260
Vermeintliche Gesetzmäßigkeiten im Chaos

Aufruf zum Kaffeekränzchen 265
Vorschläge zum kritischen Lesen von klinischen Studien

Nur jeder zweite Mann ein Mensch? 268
Interpretation statistischer Signifikanztests
beruht auf Trugschluss

Mit Logik keine Panik 269
Täuschung bei der Früherkennung

Alles egal, oder? 270
Die Nullhypothese

Irren ist menschlich 271
Interpretation eines statistisch signifikanten Ergebnisses

Schwamm ist ein vorzügliches Material ... 276
Vom Wesen der Wissenschaft

Dank 280

Anhang 282
Für diejenigen, die alles ganz genau wissen wollen

I. Wie viele Zufallsergebnisse kann man erwarten? 282
Anzahl der zufällig signifikanten Ergebnisse bei Mehrfachtests

II. Maximale Inzidenzen 284
Maximale Häufigkeit seltener Ereignisse

III. Medianwert und 95-Prozent-Vertrauensbereich 285

IV. Prüfgröße und Fehler erster Art (p-Wert) 293

V. Auflösung der Manipulationsaufgaben
von Seite 170 295

VI. Auflösung des Kartenspiels 297

Literatur 299

Register 311

Eigentlich weiß man nur, wenn man wenig weiß;
mit dem Wissen wächst der Zweifel.
Johann Wolfgang von Goethe

Vorwort

Die Wahrheit triumphiert nie,
ihre Gegner sterben nur aus.
Max Planck

Irren ist menschlich. Durch Versuch und Irrtum erkennen wir unsere Welt. Einige Irrtümer allerdings schaffen trotz klarer Widerlegungen den Sprung ins Lehrbuch. Einmal in Büchern oder Köpfen angelangt, können sie kaum noch korrigiert werden.

Unser Buch beschreibt eine Auswahl dieser Irrtümer, ihre Entstehung, ihre Resistenz gegen Widerlegungen und ihre Ausbreitungsmechanismen. Die Forschung ist gegenwärtig eher darauf angelegt, Quantität zu produzieren. Allein in den biomedizinischen Fachzeitschriften werden jährlich mehrere Millionen Artikel veröffentlicht, von denen die meisten wertlos sind. Qualität in Form von soliden Ergebnissen ist nicht gefragt. Eine unüberschaubare Flut von Desinformation begräbt die tatsächlich neuen Erkenntnisse unter sich und behindert den wissenschaftlichen Fortschritt. Wir wollen dazu beitragen, dass dies nicht so bleibt.

Zusammengerechnet blicken wir auf 60 Berufsjahre in der biomedizinischen Forschung zurück. Zeit genug, um reichlich eigene Fehler zu begehen und auf eigene Trugschlüsse hereinzufallen. Die meisten der in diesem Buch dargestellten Fehler haben wir vom Prinzip her selbst irgendwann begangen. Da aber unsere Forschungsergebnisse nicht so bedeutend sind, sind unsere Irrtümer zu belanglos, um hier ausgebreitet zu werden. Bedeutendere Wissenschaftler haben da ganz einfach Bedeutenderes geleistet. Deshalb berichten wir im Wesentlichen über die viel wichtigeren, weil einflussreicheren Trugschlüsse anderer Wissenschaftler. Außerdem ist es bekanntlich viel einfacher, vor der Tür anderer zu kehren, als sich an die eigene Nase zu fassen.

Dieses Buch ist unvollständig, denn die Vielfalt der Irrtümer ist grenzenlos. Viele der hier aufgeschriebenen Gedanken haben andere bereits vor uns gedacht, doch sind sie nur selten beherzigt worden. Wir sind dennoch überzeugt, dass diese Einführung in die Zwickmühlen der Forschung brisant und unterhaltsam ist. Brisant vor allem deshalb, weil die Grenze zwischen Irrtum und Wissenschaftsbetrug nicht immer eindeutig verläuft.

Der Text hat Risiken und Nebenwirkungen. Wir weisen auch dann auf Probleme hin, wenn wir keine Lösung anbieten können. Trotz vordergründig vergnüglicher Darreichungsform birgt dieses Buch die Gefahr nachhaltiger Verunsicherung, steigert allerdings gleichzeitig die Kritikfähigkeit.

Der Hund, der Eier legt entstand aus dem Skriptum unserer Vorlesung «Vom Irrtum zum Lehrsatz», die wir am Fachbereich Medizin der Universität Hamburg gehalten haben und die 1996 mit dem «Fischer-Appelt-Preis für hervorragende Leistungen in der akademischen Lehre» ausgezeichnet wurde.

Hamburg, im April 1997

Wir danken unseren Lesern für die vielen wertvollen Hinweise. Auch weiterhin sind wir an Kritik und Anregungen sehr interessiert (E-Mail: dubben@uke.uni-hamburg.de oder bebo@uke.uni-hamburg.de; Postadresse: Universitätsklinikum Hamburg-Eppendorf, Martinistraße 52, 20246 Hamburg).

Dem Rowohlt Verlag danken wir für die Gelegenheit, unser Buch für diese Neuauflage zu ergänzen, zu aktualisieren und zu korrigieren.

Hamburg, im Juli 2006

Ohne Panik positiv
Aussagekraft von Früherkennungs-untersuchungen

> Gesundheit bezeichnet den Zustand eines Menschen,
> der nicht häufig genug untersucht wurde.
> *Dirk Maxeiner und Michael Miersch*

Trugschlüsse und Irrtümer sind ansteckend wie Windpocken, und wie ansteckende Krankheiten breiten sie sich aus. Wer eine Infektion überstanden hat, ist danach häufig immun gegen erneuten Befall, und wer einen Trugschluss erst einmal erkannt hat, fällt auf ihn nicht mehr so leicht herein. Mit diesem Buch möchten wir Ihre Widerstandskraft gegen Irrtümer und Trugschlüsse stärken.

Sie sind soeben aus einem herrlichen Urlaub in einem fernen exotischen Land zurückgekehrt. Es ist touristisch noch fast unerschlossen und Sie haben sich prächtig erholt. Während Ihres Aufenthalts haben Sie erfahren, dass es dort eine seltene Erkrankung gibt, die Canine Ovorhoe, auch Bellsucht genannt. Die Ansteckungsgefahr für Touristen ist zwar gering, dennoch entschließen Sie sich, bei Ihrem Arzt einen Test durchführen zu lassen, da die Heilungschancen bei einer Früherkennung deutlich besser sind als nach dem Ausbruch der Krankheit. Ein paar Tage nach der Untersuchung ruft Ihr Arzt Sie an und offenbart Ihnen, dass Ihr Test positiv ist. Es sind also Hinweise auf eine Canine Ovorhoe gefunden worden. Ihr Arzt gibt Ihnen zusätzlich folgende Informationen:

1. Zur Zuverlässigkeit des Tests sagt er Ihnen, dass durch ihn die Bellsucht bei 99 von 100 Menschen, die von ihr infiziert sind, erkannt wird – nur einer wird übersehen. In 99 Prozent der Untersuchungen Erkrankter liefert der Test also ein positives und richtiges Ergebnis, in 1 Prozent der Fälle ein negatives und falsches. Andererseits werden von 100 Nichtinfizierten 98 auch als gesund erkannt. Nur zwei geraten fälschlich in den Verdacht, krank zu sein (und zu denen möchten Sie gehören). Der Test liefert also in

98 Prozent der Untersuchungen Gesunder ein negatives und richtiges Ergebnis, in 2 Prozent ein positives und falsches.

2. Über die Bellsucht erfahren Sie, dass sie nur etwa bei jedem tausendsten Touristen, der in dem exotischen Land war, auftritt, sich aber zunächst durch keine Symptome zu erkennen gibt.

3. Da Ihr Testergebnis positiv war, ist zur weiteren Abklärung ein kleiner chirurgischer Eingriff unter Narkose erforderlich, verbunden mit einem dreitägigen Klinikaufenthalt.

Der Test identifiziert mit 99-prozentiger Sicherheit die Erkrankten und mit 98-prozentiger Sicherheit die Gesunden. Er ist also sehr zuverlässig. Und er ist bei Ihnen positiv ausgefallen. Besteht Grund, sich ernsthafte Sorgen zu machen? Sie setzen sich in den Sessel, erholen sich vom ersten Schock und überlegen sich das Ganze in Ruhe. Wie groß ist die Wahrscheinlichkeit, dass Sie an Caniner Ovorhoe leiden? Bitte kreuzen Sie an:

Da mein Testergebnis positiv ist, bin ich mit folgender Wahrscheinlichkeit (in Prozent) bellsüchtig:

☐ 99
☐ 98
☐ etwa 95
☐ etwa 50
☐ etwa 5
☐ 2
☐ 1

Sie werden hoffentlich nicht in Panik geraten und, bevor Sie eine Operation überhaupt in Erwägung ziehen, auf einer Wiederholung des Tests bestehen. Hier die Überlegungen dazu (da man bei vielen Zahlen leicht durcheinander gerät, haben wir die Tabelle 1 – siehe Seite 19 – erstellt):

Nehmen wir an, dass sich 100 100 Menschen, aus dem exotischen Land zurückgekehrt, diesem Test unterziehen. Da sich nur jeder Tausendste angesteckt hat, sind unter den Getesteten ungefähr 100 Kranke und 100 000 Gesunde zu erwarten. Bei 99 der 100 Bellsüchtigen wird die Infektion durch den Test korrekt festgestellt und bei einem fälschlich übersehen (99-prozentige Sicherheit, die Erkrankten zu erkennen). Von den 100 000 Nichtinfizierten stuft der Test 98 000 richtig als gesund ein (98-prozentige Sicherheit, die Gesunden zu erkennen), den Rest, das heißt 2000 gesunde Menschen, irrtümlicherweise als krank. Insgesamt wurden 99 + 2000 = 2099 Menschen mit einem positiven Testergebnis erschreckt. Die Wahrscheinlichkeit, dass Sie mit Ihrem positiven Test zu den 99 tatsächlich Bellsüchtigen gehören, beträgt 99/2099 = 0,0472 beziehungsweise 4,72 Prozent oder etwa 5 Prozent. Diese Zahl ist die Lösung in unserem Wahrscheinlichkeitsquiz. In der Regel wird ein wesentlich höheres Risiko erwartet. Sollten auch Sie falsch getippt haben, dann befinden Sie sich in guter Gesellschaft. Wir haben auf Tagungen und Seminaren dieselbe Frage gestellt und anonym beantworten lassen. Egal ob wir Apotheker, niedergelassene Ärzte, Medizinstudenten, Patientenberater oder medizinische Laien befragten: Das Antwortspektrum war immer sehr ähnlich. Nur etwa jeder zehnte Befragte gab die richtige Antwort. Weit über die Hälfte schätzte die Erkrankungswahrscheinlichkeit viel zu hoch (über 90 Prozent) ein. Vermutlich lassen sich die meisten durch die hohe Zuverlässigkeit des Tests (99 Prozent und 98 Prozent) beirren, während die geringe Ansteckungswahrscheinlichkeit übersehen wird. Erschütternd ist dabei, dass dies für Wissenschaftler, die zum Teil als Spezialisten für prädiktive Tests angesehen werden, genauso gilt wie für Laien.

Sie lassen den Test nach einiger Zeit wiederholen.[1] Jeder gute Mediziner hätte Ihnen das ohnehin vorgeschlagen. Mit Bedauern teilt Ihnen der Arzt mit, das Ergebnis sei wieder positiv. Was nun?

---

1 Ein zweiter Test ist nur dann sinnvoll, wenn er unabhängig vom ersten erfolgt. Dies ist nicht immer möglich. Bei der Mammographie beispielsweise wird eine nach wenigen Tagen durchgeführte zweite Untersuchung praktisch dasselbe Bild ergeben wie die erste. Bei der im weiteren Text folgenden Berechnung unterstellen wir außerdem, dass kein systematischer Fehler vorliegt. Dies könnte beispielsweise bei einer Blutuntersuchung der Fall sein, die zu einem positiven Befund geführt hat, weil der Patient nicht nüchtern war, als ihm Blut abgenommen wurde. Wenn er auch bei der zweiten Blutabnahme nicht nüchtern ist, wird sich wieder das gleiche falsche Ergebnis einstellen.

Tabelle 1: Übersichtstabelle zur Bestimmung der Erkrankungswahrscheinlichkeit bei positivem Test auf Bellsucht

	Personen	Test positiv	Test negativ
Krank	100	99	1 **
Gesund	100 000	2000 *	98 000
Summe	100 100	2099	98 001

* Hier stehen die Gesunden mit dem falsch positiven Ergebnis: 2 Prozent von
100 000 = 2000.
** Hier stehen die Kranken mit dem falsch negativen Ergebnis: 1 Prozent von 100 = 1.
Alle weiteren Zahlen ergeben sich durch Addition beziehungsweise Subtraktion in den
Zeilen und Spalten.

Die Überlegungen dazu sind dieselben wie oben, nur mit anderen
Zahlen. Wir erstellen wieder eine Tabelle, die Tabelle 2: Nehmen
wir an, dass sich alle 2099 Personen mit positivem Ergebnis im ersten Test, genauso besorgt wie Sie, erneut untersuchen lassen. Da
der Test auch in der zweiten Runde bei Kranken mit 99-prozenti-
ger Sicherheit ein positives Ergebnis liefert, können wir davon ausgehen, dass er von den 99 Bellsüchtigen 98 als infiziert und einen
wieder fälschlich als gesund einstuft. Von den 2000 gesunden Menschen werden jetzt 1960 (= 98 Prozent) richtig für gesund befun-
den. Beim Rest, 2000−1960 = 40 Gesunden, besteht auch nach
diesem zweiten Test Bellsuchtverdacht, weil ihr Ergebnis fälschlich
positiv ausfällt. Diesmal erhalten insgesamt 98+40 = 138 der Untersuchten ein positives Testergebnis. Die Wahrscheinlichkeit, zu
den 98 tatsächlich Erkrankten zu gehören, beträgt jetzt 98/138 =
0,71 oder 71 Prozent. Das ist schon eher ein Grund zur Unruhe,
aber es bestehen immer noch gute Chancen (29 Prozent), dass Sie
in Wirklichkeit gesund sind.

Die Wahrscheinlichkeit, bei positivem Ergebnis tatsächlich erkrankt zu sein, schätzen die meisten intuitiv viel zu hoch ein. Dies
liegt vermutlich daran, dass im Allgemeinen nur die Genauigkeit
des Tests berücksichtigt wird, aber nicht die Häufigkeit der Krankheit. In unserem Beispiel beträgt sie 1 von 1000.

Tabelle 2: Übersichtstabelle zur Bestimmung der Erkrankungswahrscheinlichkeit, wenn auch der zweite Test auf Bellsucht positiv ausfällt

	Personen mit erstem Test positiv	Zweiter Test positiv	Zweiter Test negativ
Krank	99	98	1**
Gesund	2000	40*	1960
Summe	2099	138	1961

* Hier stehen die Gesunden mit dem falsch positiven Ergebnis: 2 Prozent von 2000 = 40.
** Hier stehen die Kranken mit dem falsch negativen Ergebnis: 1 Prozent von 99 ≈ 1.
Alle weiteren Zahlen ergeben sich durch Addition beziehungsweise Subtraktion in den Zeilen und Spalten.

Es gibt nur wenige Tests, die so genau sind wie der in unserem ausgedachten Beispiel. In der Regel besteht nach einem positiven Resultat noch viel weniger Grund zur Panik, wie wir anhand aktueller Zahlen aus der Brust- und Darmkrebsvorsorge gleich sehen werden.

Die Häufigkeit, mit der eine Erkrankung auftritt, wird auf zwei unterschiedliche Weisen gemessen: mit der Prävalenz und mit der Inzidenz. Die Prävalenz einer Erkrankung folgt aus einer Art Momentaufnahme. Man schaut nach, wie viele Personen an einem bestimmten Tag die Erkrankung haben. Wenn von 80 000 Einwohnern unseres fernen exotischen Landes 3200 an Bellsucht erkrankt sind, dann beträgt die Prävalenz 3200/80 000 = 0,04 oder 4 Prozent.

Bei der Inzidenz kommt der Faktor Zeit mit ins Spiel. Man schaut nach, wie viele Personen beispielsweise innerhalb eines Jahres neu erkrankt sind. Nehmen wir an, in unserem Urlaubsland treten jährlich 800 Neuerkrankungen auf. Dann beträgt die Inzidenz 800/80 000 pro Jahr = 0,01 pro Jahr oder 1 Prozent pro Jahr. Meistens wird die Inzidenz pro 100 000 und Jahr angegeben. Hier sind es dann 1000 pro 100 000 Personen und Jahr. In der Hauptstadt mit 15 000 Einwohnern gibt es also jedes Jahr rund 150 Neuerkrankungen.

Inzidenz und Prävalenz hängen bei vielen Erkrankungen vom Alter ab. So nimmt beispielsweise die Häufigkeit von Krebs- und Herz-Kreislauf-Erkrankungen mit dem Lebensalter deutlich zu. Wenn eine 53-jährige Frau erstmalig zur Mammographie geht, so wird man für die Einschätzung der Aussagekraft eines positiven Befundes eher die Prävalenz heranziehen. Wenn sie hingegen nach zwei Jahren zu einer Folgeuntersuchung kommt, muss die Inzidenz für zwei Jahre zugrunde gelegt werden.

Bei der Mammographie (Maßnahme zur Brustkrebs-Früherkennung) kommen falsch positive Befunde bei etwa 4 Prozent der Gesunden vor. Falsch negativ sind etwa 20 Prozent der Ergebnisse, das heißt, jeder fünfte Fall von Brustkrebs wird bei der Mammographie übersehen. Für Frauen zwischen 50 und 69 Jahren wird in Deutschland die Mammographie empfohlen. Für eine Frau aus dieser Altersgruppe, die zuvor noch nie zur Mammographie war und bei der kein Knoten in der Brust getastet werden kann, beträgt die Brustkrebshäufigkeit (Prävalenz) etwa 0,8 Prozent[2]. Damit ergibt sich Tabelle 3.

Insgesamt erhalten 4608 Frauen eine positive Diagnose. Diese ist jedoch nur bei 640 richtig. Bei 3968 Frauen (entsprechend 3968/4608 = 86 Prozent) ist der Befund falsch positiv. Diesen Frauen werden zur weiteren Abklärung in aller Regel Biopsien entnommen, obwohl sie gesund sind. Dies zeigt deutlich, wie wichtig es ist, dass erfahrene Ärzte die Untersuchung durchführen. Selbst eine scheinbar geringfügige Erhöhung der falsch positiven Befunde führt zu einer beachtlichen Zunahme der Frauen, bei denen der Eingriff ohne Grund vorgenommen wird.

95 392 Frauen haben ein negatives Testergebnis. Davon sind aber 160 trotzdem erkrankt. Man hat den Tumor übersehen. Der Befund ist also falsch negativ. Bei 95 232 Frauen ist die negative Diagnose richtig. Die Wahrscheinlichkeit, bei negativer Diagnose tatsächlich gesund zu sein, beträgt somit 95 232/95 392 = 99,83 Prozent. Vor der Mammographie waren es 99,2 Prozent. Frau kann sich mit dieser Diagnose also ein bisschen sicherer fühlen.

2 Zahlenangaben nach: Mühlhauser & Höldke (2002).

Tabelle 3: Übersichtstabelle zur Bestimmung der Wahrscheinlichkeit einer tatsächlichen Brustkrebserkrankung bei positivem Mammographiebefund ohne weitere Symptome. Diese Tabelle gilt für Frauen zwischen 50 und 69 Jahren, die erstmals zur Mammographie gehen.

	Personen	Test positiv	Test negativ
Brustkrebs	800	640	160**
Gesund	99 200	3968*	95 232
Summe	100 000	4608	95 392
Diagnose richtig bei		640/4608 ≅ 0,14 oder 14 %	95 232/95 392 ≅ 0,9983 oder 99,83 %
Diagnose falsch bei		3968/4608 ≅ 0,86 oder 86 %	160/95 392 ≅ 0,0017 oder 0,17 %

* Hier stehen die Gesunden mit dem falsch positiven Ergebnis.
** Hier stehen die Kranken mit dem falsch negativen Ergebnis.

Inzidenz und Prävalenz hängen über die Dauer der Erkrankung zusammen:

$$\text{Prävalenz} = \text{mittlere Dauer der Erkrankung} \times \text{Inzidenz}$$

Bei gleicher Inzidenz wird eine Erkrankung von sehr kurzer Dauer auf der Momentaufnahme seltener dabei sein als eine langwierige Krankheit. Mit Hilfe dieser Gleichung lässt sich auch die mittlere Dauer der Erkrankung bestimmen. In unserem Beispiel mit der Bellsucht dauert die Erkrankung 0,04/0,01 pro Jahr = 4 Jahre.

Es können aber auch erstaunliche Dinge auftreten. Das liegt daran, dass das Ende einer Erkrankung sowohl durch die ersehnte Heilung, aber leider auch durch den Tod eintreten kann. In unserer exotischen Ferienheimat hat das Gesundheitsministerium viel Geld für die Behandlung der Bellsucht ausgegeben, an der man bekanntlich auch versterben kann. Die Inzidenz blieb daraufhin konstant und die Prävalenz stieg an. Ein Schuss, der nach hinten losging? Keineswegs. Denn die bessere Behandlung der Erkrankten hat dazu geführt, dass die Bellsüchtigen jetzt deutlich länger leben. Dadurch wird die mittlere Dauer der Erkrankung länger und, bei konstanter Inzidenz, erhöht sich somit die Prävalenz. Und eine Verringerung der Prävalenz? Ist das dann nicht eine Katastrophe? Nicht unbedingt. Es hängt davon ab, ob die Abnahme der mittleren Dauer der Erkrankung durch früheres Versterben oder durch frühere Heilung bedingt ist.

Ein anderes Beispiel aus der Krebsfrüherkennung bezieht sich auf das Rektumkarzinom (Mastdarmkrebs). Die Wahrscheinlichkeit, dass ein siebzigjähriger Mann ohne spezifische Symptome an Mastdarmkrebs leidet, liegt in Deutschland bei etwa 0,3 Prozent. Das entspricht 300 Kranken unter 100 000 Menschen. Bei einem gebräuchlichen Test, der über den Nachweis von Blut im Stuhl für die Frühdiagnose des Rektumkarzinoms eingesetzt wird, beträgt die Wahrscheinlichkeit für falsch positive Testergebnisse 3 Prozent und für falsch negative sogar 50 Prozent[3]. Fällt der Test positiv aus, dann beträgt die Wahrscheinlichkeit, tatsächlich an Mastdarmkrebs erkrankt zu sein, 150/3141 = 0,0478, also etwa 5 Prozent (vergleiche Tabelle 4).

Demnach erhalten 2991 Menschen ein falsch positives Testergebnis, das heißt, bei ihnen sind die zum Teil unangenehmen anschließenden und nicht risikolosen Untersuchungen (Rektoskopie, Röntgenkontrast, Koloskopie) praktisch unnötig. Allerdings wird durch diese das Karzinom bei einem von zwanzig insgesamt Untersuchten (150/3141 ≈ 1/20) früher entdeckt, was dazu führt, dass er eine bessere Heilungschance hat. Für den großen Vorteil, den die Früherkennung diesem einen Erkrankten bringt, müssen also viele Gesunde Nachteile (Unannehmlichkeiten, eventuell Nebenwirkungen) in Kauf nehmen. Außerdem besteht ein, wenn auch nur geringes, Risiko für schwerwiegende Komplikationen bei der Vorberei-

3 Die Angabe einer Prävalenz von 0,3 Prozent (Thomas 1992) ist natürlich ein Durchschnittswert. Da die Wahrscheinlichkeit, an Enddarmkrebs zu erkranken, mit dem Alter zunimmt, ist die Prävalenz bei jungen Menschen deutlich geringer und bei älteren deutlich höher. Bei jungen Menschen ist dieser Test nicht sinnvoll, weil es zu viele falsch positive und kaum richtig positive Ergebnisse gibt. In unserem Buch «Der Schein der Weisen» finden Sie weitere Hinweise zu Nutzen und Risiken des Haemokkult-Tests.

Tabelle 4: Übersichtstabelle zur Bestimmung der Wahrscheinlichkeit einer tatsächlichen Mastdarmkrebserkrankung bei positivem Testergebnis

	Personen	Test positiv	Test negativ
Mastdarmkrebs	300	150	150 **
Gesund	99 700	2991 *	96 709
Summe	100 000	3141	96 859

* Hier stehen die Gesunden mit dem falsch positiven Ergebnis: 3 Prozent von 99 700 = 2991.
** Hier stehen die Kranken mit dem falsch negativen Ergebnis: 50 Prozent von 300 = 150. Alle weiteren Zahlen ergeben sich durch Addition beziehungsweise Subtraktion in den Zeilen und Spalten.

tung der Koloskopie (Elektrolytentgleisung), der eventuellen Narkose und bei der eigentlichen Untersuchung, bis hin zu schweren Verletzungen (Perforation) und Tod.

Die Wahrscheinlichkeit, dass sich Untersuchte mit einem negativen Ergebnis in falscher Sicherheit wiegen und doch ein unerkanntes Rektumkarzinom haben, beträgt 150/96 859 = 0,00155 beziehungsweise 0,155 Prozent. Die Prävalenz der Nichtgetesteten betrug, wie erwähnt, 0,3 Prozent. Mit einem negativen Testergebnis können Sie es sich jetzt leisten, Ihre Unsicherheit hinsichtlich Mastdarmkrebses um die Hälfte zu reduzieren (0,155/0,3 ≈ 1/2). An Sicherheitsgewinn bringt der Test Ihnen allerdings nur 0,3 − 0,155 = 0,145 Prozent.

Ein weiteres Beispiel betrifft Aids, das heißt den HIV-Test[4]. Er ist einer der zuverlässigsten Tests, die jemals entwickelt wurden. Falsch negative Ergebnisse kommen praktisch nicht vor. Und wenn doch einmal wie 1997 mit dem Test eines bestimmten Herstellers europaweit vier Fälle übersehen werden, dann berichtet darüber die Tagespresse. Zu beachten ist allerdings, dass sich das HIV erst vier bis acht Wochen nach der Ansteckung nachweisen

4 Für die Informationen zum HIV-Test danken wir Frau Dr. Knödler von der Blutbank sowie Herrn Helfer und Frau Dr. Polywka vom Institut für Medizinische Mikrobiologie und Immunologie der Universität Hamburg.

lässt. Wenn innerhalb dieses Zeitraums der Test trotz Infektion ein negatives Ergebnis liefert, dann wird das selbstverständlich nicht als falsch negativ gewertet. Falsch positive Ergebnisse sind ebenfalls außerordentlich selten, sie liegen bei etwa 0,2 Prozent.

Überraschenderweise hängt die Wahrscheinlichkeit, dass ein Test-Positiver tatsächlich HIV-infiziert ist, auch davon ab, *wo* er untersucht wurde, selbst wenn die durchgeführten Tests überall die gleichen sind. Um dies zu verdeutlichen, zeigen wir Ihnen die Daten von zwei Institutionen mit sehr unterschiedlicher Klientel.

Unter den insgesamt etwa 20 000 Blutspendern eines großen deutschen Krankenhauses gab es in den letzten zehn Jahren nur einen einzigen Ansteckungsfall. Mit dieser Häufigkeit ergibt sich folgende Tabelle:

Tabelle 5: Übersichtstabelle zur Bestimmung der Wahrscheinlichkeit einer HIV-Infektion bei Blutspendern mit positivem Testergebnis (ELISA)

	Personen	Test positiv	Test negativ
HIV-infiziert	1	1	0 **
Gesund	19 999	40 *	19 959
Summe	20 000	41	19 959

* Hier stehen die Gesunden mit dem falsch positiven Ergebnis: 0,2 Prozent von 19 999 ≈ 40.
** Beim HIV-Test gibt es praktisch keine falsch negativen Ergebnisse.
Alle weiteren Zahlen ergeben sich durch Addition beziehungsweise Subtraktion in den Zeilen und Spalten.

Nur einer von 41 Blutspendern mit positivem Testergebnis war tatsächlich mit dem Aidsvirus infiziert. Die Wahrscheinlichkeit, sich angesteckt zu haben, betrug bei ihnen also lediglich 1 / 41 = 2,4 Prozent.

In einem norddeutschen diagnostischen Labor hingegen liegt die Prävalenz mit 1,5 Prozent wesentlich höher, was darauf zurückzuführen ist, dass hier die Proben zum großen Teil von Personen stammen, die Anlass haben, sich einem HIV-Test zu unterziehen, während bei der Blutbank aus Sicherheitsgründen das Blut *aller* Spender untersucht wird. Mit der höheren Prävalenz ergibt sich Tabelle 6.

Tabelle 6: Übersichtstabelle zur Bestimmung der Wahrscheinlichkeit einer HIV-Infektion bei ELISA-Test-Positiven, deren Blut in einem diagnostischen Labor untersucht wurde

	Personen	Test positiv	Test negativ
HIV-infiziert	300	300	0 **
Gesund	19 700	39 *	19 661
Summe	20 000	339	19 661

* Hier stehen die Gesunden mit falsch positivem Ergebnis: 0,2 Prozent von 19 700 ≈ 39.
** Beim HIV-Test gibt es praktisch keine falsch negativen Ergebnisse.
Alle weiteren Zahlen ergeben sich durch Addition beziehungsweise Subtraktion in den Zeilen und Spalten.

Die Wahrscheinlichkeit, dass bei einem positiven Testergebnis tatsächlich eine HIV-Infektion vorliegt, ist hier deutlich größer. Sie beträgt 300/339 = 0,885 oder 88,5 Prozent. Diese enorm unterschiedlichen Wahrscheinlichkeiten kommen dadurch zustande, dass die beiden Populationen verschiedene Risikogruppen repräsentieren. Die eben berechneten Wahrscheinlichkeiten sind ein Maß für die Zuverlässigkeit des Tests in einer bestimmten Umgebung, also unter Berücksichtigung der Klientel der Institution, die die Untersuchungen durchführt. Bei einem positiven Testergebnis führt sie mit der ursprünglich gewonnenen Blutprobe einen zweiten Test durch, den so genannten Immunoblot, der eine deutlich geringere Rate an falsch positiven Resultaten hat, aber auch erheblich teurer und aufwendiger ist. Mit ihm können praktisch alle Fehldiagnosen ausgeschaltet werden. Bei den dann immer noch positiven Patienten wird so rasch wie möglich ein zweites Mal Blut abgenommen und der Test wiederholt. Dies ist auch deshalb notwendig, weil sich eine Verwechslung von Blutproben nie ganz ausschließen lässt. Auch Verfahrensfehler sind möglich, werden allerdings weitgehend durch Kontrollproben vermieden. Erst wenn das Ergebnis des zweiten Tests wiederum positiv ist, wird der Patient informiert, und zwar umgehend.

Zum Schluss sei angemerkt, dass es einem Menschen mit einer eventuellen HIV-Infektion nichts nützt, ein Untersuchungslabor mit möglichst kleiner Prävalenz aufzusuchen. Die Wahrscheinlich-

keit, dass er sich angesteckt hat, hängt nicht von der nachträg-
lichen Entscheidung ab, wo er sich untersuchen lässt.

Wir backen uns eine Schlagzeile
Zufällige und echte Häufung

> Immer wenn man die Meinung der Mehrheit teilt,
> ist es Zeit, sich zu besinnen.
> *Mark Twain*

Jahrelang keinen Platten am Fahrrad und jetzt gleich zwei innerhalb eines Monats! Ist das Zufall? Sabotage? Oder brauche ich neue Reifen? – Zurzeit werden viele Zwillinge geboren: bei uns gegenüber im ersten Stock und bei der besten Freundin meiner Cousine auch. Ist das Zufall oder auf die Wirkung von Hormonen im Trinkwasser zurückzuführen? – Ein kleiner Ort in Oberbayern hat 2873 Einwohner. Vier davon sind über hundert Jahre alt. Ist das Zufall? Liegt es an der Landluft? Oder an gesunder Lebensführung? – In der Samtgemeinde Elbmarsch nahe dem Kernkraftwerk Krümmel bei Hamburg erkrankten zwischen Februar 1990 und Mai 1991 fünf Kinder an Leukämie. Kann das Zufall sein?

Von der Statistik erhoffen wir uns Hilfe bei der Unterscheidung von zufälligen und systematischen Ereignissen. Das hört sich verdächtig nach Mathematik an, die nicht jedermanns Sache ist. Deshalb haben wir sie in die Fußnoten und in den Anhang verbannt. Wer es nicht so genau wissen will, kann das Kleingedruckte getrost auslassen. Um Sie mit der für Fragen wie die oben gestellten zuständigen Statistik-Spezialität anzufreunden, schlagen wir Ihnen eine Aufwärmübung am Backofen vor.

Statistik für Kuchenesser
Wie sieht eine zufällige Verteilung aus?

Als Lehrende an der Universität Hamburg machen wir regelmäßig die Erfahrung, dass falsche Vorstellungen darüber bestehen, wie etwas aussieht, das zufällig entstanden ist. Wir möchten Ihnen daher ein einfaches praktisches Beispiel vorführen.

Sie backen einen Kuchen. In Abwandlung des Originalrezepts geben Sie zwanzig Kaffeebohnen in den fertigen Teig. Bitte gründlich umrühren. Nach dem Backen soll der Kuchen in zwanzig gleich große Stücke zerschnitten werden. Während er im Ofen ist, haben wir Zeit, darüber nachzudenken, wie viele Bohnen Sie in den einzelnen Kuchenstücken erwarten können.

Im Mittel befindet sich in jedem Stück eine Bohne. Wenn das aber tatsächlich der Fall ist, dann liegt der Verdacht nahe, dass der Bäcker nicht einfach gerührt, sondern den Kuchen sorgsam garniert hat. Man kann ausrechnen[1], dass alle Bürger der Bundesrepublik Deutschland einen Kuchen backen müssen, damit zufällig etwa zwei Kuchen mit gleichmäßig verteilten Kaffeebohnen entstehen. Am unwahrscheinlichsten ist es, dass alle zwanzig Bohnen zufällig in einem einzigen Stück landen. Da können Sie jede Wette eingehen, dass der Bäcker nicht richtig gerührt oder ganz unzufäl-

---

1 Um die Wahrscheinlichkeit für diese ganz gleichmäßige Verteilung der Kaffeebohnen zu berechnen, stellen Sie sich vor, dass sie nacheinander in den Kuchen gelangen. Die erste Bohne hat die freie Auswahl. Die zweite darf sich nur nicht das Stück aussuchen, in dem sich bereits die erste befindet. Sie hat daher nur noch neunzehn der zwanzig Wahlmöglichkeiten. Bohne Nummer drei darf weder in das Stück der ersten noch in das der zweiten gelangen, sie hat nur noch achtzehn von zwanzig Optionen. So geht es weiter bis zur letzten Bohne. Sie hat überhaupt keine Alternative mehr, sie muss das übrig gebliebene zwanzigste Stück nehmen. Hieraus ergibt sich folgende Formel: $20/20 \times 19/20 \times 18/20 \times ... \times 1/20 = 0,000000023$ oder $1:43099804$. (Allgemein gilt $n!/n^n$, was wir später genauer erklären werden.) Bei etwa $80\,000\,000$ backenden Bundesbürgern sind also im Mittel etwa zwei Kuchen mit gleichmäßiger Bohnenverteilung zu erwarten.

lig nachgeholfen hat.[2] Wir können viel eher Kuchenstücke mit zwei, drei oder mehr Kaffeebohnen und entsprechend viele ohne Bohne erwarten. Am wahrscheinlichsten ist es, dass wir sieben Stücke ohne, sieben mit einer, fünf mit zwei und ein Stück mit drei Kaffeebohnen vorfinden.

Mit derartigen Häufungen sind wir bei dem Stoff, aus dem Schlagzeilen gebacken werden, und bei dem Problem, Zufälle und Ursachen auseinander zu halten. Ist schlampig gerührt worden, wenn wir einmal sechs Bohnen in einem Kuchenstück finden? Oder kann das noch Zufall sein? Wenn in einer Kleinstadt innerhalb von fünfzehn Monaten fünf Fälle einer Leukämie im Kindesalter auftreten: Kann das Zufall sein, oder ist es ein Beweis für eine Gefährdung, deren Ursache und Verursacher unverzüglich gefunden werden müssen?

Über Zufälle und Ursachen: ein Leukämieszenario

Im folgenden simulierten Szenario werden Sie erfahren, wie etwas Zufälliges entsteht und wie es aussieht.

Als Versuchsfeld benötigen wir ein großes Quadrat mit $6 \times 6 = 36$ Feldern (Abbildung 1) und zwei unterscheidbare Würfel, zum Beispiel einen schwarzen und einen weißen. Jedes Feld ist, wie beim Spiel «Schiffe versenken», durch zwei Zahlen ge-

---

2 Um die Wahrscheinlichkeit für diesen Fall zu berechnen, stellen Sie sich erneut vor, dass die Kaffeebohnen nacheinander in den Kuchen gelangen. Die erste hat wieder die freie Auswahl unter allen zwanzig Stücken. Alle folgenden Bohnen müssen dann aber in genau dasselbe Stück geraten, was für jede mit einer Wahrscheinlichkeit von 1/20 geschieht. Dass dies bei allen neunzehn folgenden Bohnen der Fall ist, hat eine Wahrscheinlichkeit von $(1/20)^{19} = 0{,}00000000000000000000000000191$. Wenn alle sechs Milliarden Menschen auf der Erde ununterbrochen jede Sekunde einen solchen Kuchen backen, dann tritt dieses Ereignis im Schnitt alle 28 Millionen Jahre einmal zufällig auf.

kennzeichnet. Der weiße Würfel gibt die Zeile und der schwarze die Spalte an. Nach dem Werfen zum Beispiel einer weißen Zwei und einer schwarzen Vier wird das Feld in der zweiten Zeile und der vierten Spalte mit einem senkrechten Strich markiert. Wird ein Feld mehrmals getroffen, erhält es jedes Mal einen weiteren Strich.

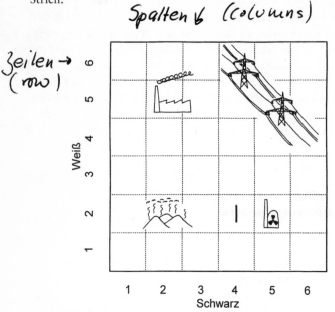

Abbildung 1: Versuchsfeld für ein simuliertes Leukämieszenario mit einem Kernkraftwerk, einer Chemiefabrik, einer Mülldeponie und einer Hochspannungsleitung. Der erste simulierte Leukämiefall trat im Feld 2–4 auf (senkrechter Strich).

Um unserem Versuchsfeld einen realistischen Bezug zu geben, haben wir daraus eine Landkarte gemacht und sie mit Merkmalen einer Industrielandschaft versehen: einem Kernkraftwerk, einer Chemiefabrik, einer Hochspannungsleitung und einer Mülldeponie. Jeder gewürfelte Strich entspricht einem Fall einer seltenen Erkrankung, beispielsweise einer Leukämie im Kindesalter.

Wir beginnen jetzt mit dem Versuch, indem wir die Würfel werfen und den ersten Treffer eintragen (Abbildung 1). In unserem Beispiel trat der erste Fall im Feld 2–4 auf. Die durchschnittliche Leukämierate auf dem gesamten Versuchsfeld ist jetzt 1/36, denn wir haben einen Treffer auf sechsunddreißig Kästchen. Im markierten Feld beträgt die Leukämierate 1. Sie liegt um den Faktor 36 über dem Durchschnitt. Das ist zwar zweifellos eine richtige Feststellung, aber ohne Relevanz, denn irgendwo musste der Treffer ja schließlich landen.

Die nächste Abbildung zeigt unser Versuchsfeld nach zehn Würfen. Der letzte Treffer ist im Feld 6–1, also links oben in der Ecke, gelandet. Dort befinden sich jetzt zwei Striche. Vor dem zehnten Wurf gab es neun Felder mit jeweils einem Treffer. Die

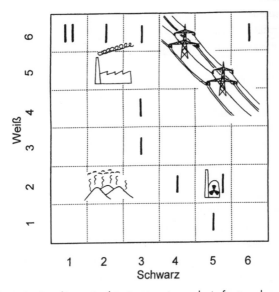

Abbildung 2: Simuliertes Leukämieszenario nach Auftreten des zehnten simulierten Leukämiefalls. Die Leukämierate ist im Feld 6–1 mit zwei Fällen gegenüber dem Durchschnitt siebenfach überhöht.

Wahrscheinlichkeit, dass der zehnte zu einem bereits markierten Quadrat führen würde, betrug $9/36 = 0,25 = 25$ Prozent. Im Mittel haben wir jetzt $10/36 = 0,28$ Leukämien pro Feld. Im Quadrat links oben traten jedoch zwei Fälle auf. Das Risiko ist dort siebenfach überhöht ($2/0,28 = 7,1$), während es in den Kästchen mit einem Fall um das Drei- bis Vierfache über dem Mittelwert liegt ($1/0,28 = 3,6$).

Pressemeldungen über horrende Risikoerhöhungen beruhen häufig auf ähnlich unsinnigen Berechnungen. So erschien ein Bericht in der Zeitschrift *Fortschritte der Medizin* mit dem Titel «Erhöhtes Leukämierisiko in der Region um La Hague». La Hague ist eine Wiederaufbereitungsanlage für Kernbrennstoffe in Frankreich. Bei der beschriebenen Untersuchung, die die in der Umgebung der Anlage aufgetretenen Leukämiefälle der letzten fünfzehn Jahre berücksichtigt, wurden «vier Leukämiefälle anstelle der zu erwartenden 1,4 Fälle ermittelt. Hier erscheint das Leukämierisiko demnach um den Faktor 3 erhöht.» Dieser Bericht erinnert sehr stark an unser Würfelexperiment. Das Problem bei seltenen Erkrankungen sind die sehr geringen Fallzahlen, die es nicht erlauben, zufällige Häufungen von systematischen zu unterscheiden.

Nach insgesamt 36 Würfen, also im Durchschnitt einem Treffer pro Feld, ergab sich bei uns (Abbildung 3) eine deutliche Leukämiehäufung in der Nähe des Kernkraftwerkes und um die Chemiefabrik herum. Es gehört nicht viel Phantasie dazu, sich die entsprechenden Schlagzeilen in der Regionalpresse vorzustellen.

Unser Beispiel könnte manipuliert sein. Dies lässt sich am besten überprüfen, indem Sie den Versuch selbst wiederholen. Zeichnen Sie Ihre eigene Industrielandschaft in Abbildung 4 ein, und würfeln Sie 36-mal. Bei der späteren Beurteilung der Sachlage auf Ihrem Spielfeld und der anschließenden Suche nach einem Schuldigen werden Sie immer einen Weg finden, die Risikoerhöhung Ihrem Lieblingsverursacher in die Schuhe zu schieben.

In der Realität treten neben räumlichen auch zeitliche Häufungen auf. Dies ist einfach zu verstehen. Sie müssen sich dazu nur die 36 Felder unseres Szenarios als aufeinander folgende Tage, Wo-

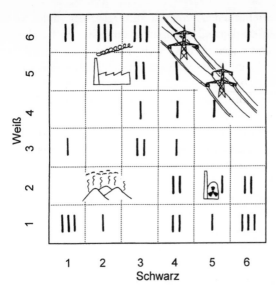

Abbildung 3: Simuliertes Leukämieszenario nach Auftreten von 36 «Fällen». Sie sind gewürfelte Zufallstreffer mit im Durchschnitt einem Fall pro Feld. Es ergaben sich deutliche Häufungen in der Umgebung des Kernkraftwerks und der Chemiefabrik.

chen, Monate usw. vorstellen. Schon erhalten Sie Zeitabschnitte, in denen sich seltene Ereignisse plötzlich häufen. Wir werden später in diesem Kapitel darauf zurückkommen.

Es gibt statistische Verfahren, mit denen Vorhersagen für das 6×6-Feld berechnet werden können.[3] Um unsere und Ihre eigenen

3 Der französische Mathematiker Simon-Denis Poisson (1781–1840) entwickelte eine nach ihm benannte Statistik, mit der man unter anderem das Bohnenproblem behandeln kann. Die Formel der Poisson-Verteilung sieht folgendermaßen aus:

$$P(x,m) = \frac{m^x e^{-m}}{x!}$$

Das Ausrufezeichen ist Absicht und kein Druckfehler. «x!» spricht man «x-Fakultät» aus. Leser, die diesen Ausdruck noch nicht kennen, bitten

Ergebnisse mit dieser Prognose zu vergleichen, zählen Sie bitte die Kästchen, die keinen, einen, zwei, drei usw. Treffer abbekommen haben, und tragen Sie das jeweilige Ergebnis in Tabelle 7 ein. Zur Probe addieren Sie die Zahlen und überprüfen, ob auch genau 36 herauskommt.

Statistisch erwartet man im Durchschnitt etwa dreizehn Kästchen ohne Treffer und dieselbe Anzahl mit einem Treffer. Bei unserem Versuch waren es vierzehn und zwölf. Auch die anderen Resultate stimmen ganz gut damit überein, aber perfekte Übereinstimmung darf man nicht erwarten, da ja stets der Zufall mit im Spiel ist.

Betrachten wir die Vorhersage nochmals genauer. Der Durchschnittswert nach 36 Würfen ist genau ein Treffer pro Kästchen. Statistisch ist ein vierfach getroffenes Feld in ungefähr jeder zweiten Simulation ($1/0,54 = 1,85 \approx 2$), ein Fünffachtreffer in jeder neunten ($1/0,11 = 9,09 \approx 9$) zu erwarten.

Würfeln Sie jetzt so lange weiter, bis auch das letzte Kästchen einen Strich bekommen hat. Das ist zwar etwas langwierig, aber man kann dabei einiges an «Gefühl» für Statistik erwerben. Wir benötigten insgesamt 117 Würfe (Abbildung 5), bis das letzte Feld getroffen war. Und da hatten wir noch Glück, denn in 50 Prozent

wir um etwas Geduld. Wir werden im Kapitel «Fußball, Zufall, Sensationen» ausführlich erläutern, was dahinter steckt. Der Buchstabe m bezeichnet die mittlere Anzahl Treffer pro Feld. Bei uns ist m=1, denn wir haben 36 Treffer und 36 Felder. Wenn wir wissen wollen, wie wahrscheinlich es ist, dass in einem Feld drei Treffer landen, dann müssen wir x=3 einsetzen. P(x=3, m=1) ist dann die gesuchte Wahrscheinlichkeit. Sie beträgt 0,061, entsprechend 6,1 Prozent oder etwa 1:15 in der Zockernotierung. Für zehn Treffer liegt sie schon bei 1:9 860 000. Wenn wir uns lediglich dafür interessieren, wie groß die Wahrscheinlichkeit für Felder *ohne* Treffer ist, so vereinfacht sich die Poisson-Verteilung zu der Gleichung: $P(0,m) = e^{-m}$. Für m=1 ist dann $P(0,1) = e^{-1} = 0,37 = 37$ Prozent. Dabei ist es erstaunlicherweise egal, ob wir 36 Treffer auf 36 Felder oder 1000 Treffer auf 1000 Felder verteilen. Wichtig ist nur, dass m=36/36=1000/1000=1 ist. Für eine Gleichverteilung mit genau einem Treffer in jedem Feld brauchen Sie viel Geduld. Die Wahrscheinlichkeit dafür beträgt $36!/(36^{36}) = 1:285\,992\,600\,000\,000$.

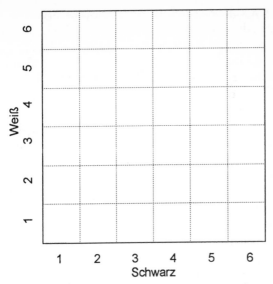

Abbildung 4: Versuchsfeld für Ihr eigenes Szenario. Zeichnen Sie eine Landschaft Ihrer Wahl ein, und würfeln Sie 36-mal.

der Fälle sind dafür mehr als 143 Versuche erforderlich.[4] Das am häufigsten gewürfelte Kästchen erhielt neun Striche. Die Verteilung der Treffer ist alles andere als gleichmäßig.

Mit diesem Versuch lässt sich natürlich nicht beweisen, dass die Leukämiehäufungen in der Umgebung von Krümmel *nicht* auf das Kernkraftwerk zurückzuführen sind. Er zeigt lediglich, dass Häufungen zufällig sein *können*, auch wenn sie den Durchschnittswert um ein Vielfaches übersteigen.

4 Um dies zu berechnen, kommen wir auf die vereinfachte Form der Poisson-Gleichung zurück, die am Ende der Fußnote 3 steht. Die Frage lautet: Für welches m gilt $[1-P(0,m)]^{36}=0,5$? Es folgt: $1-P(0,m)=0,5^{1/36}$; $P(0,m) = 1-0,5^{1/36} = e^{-m}$; $-m = \ln(1-0,5^{1/36}) = \ln(0,019) = -3,96$. Daraus folgt $m=3,96$, das heißt, alle Kästchen müssen im Mittel 3,96-mal getroffen werden, damit mit 50 Prozent Wahrscheinlichkeit jedes Feld mindestens einen Strich erhält. Insgesamt muss dann $36 \times 3,96 \approx 143$-mal gewürfelt werden.

Tabelle 7: Auswertungstabelle für das Leukämieszenario

Anzahl der Treffer pro Kästchen	Ihr Versuch	Unser Versuch	Statistische Vorhersage[5] Anzahl der Kästchen	Wahrscheinlichkeit
0	—	14	13,2	0,37
1	—	12	13,2	0,37
2	—	6	6,6	0,18
3	—	4	2,2	0,061
4	—	0	0,54	0,015
5	—	0	0,11	0,0031

Das oben beschriebene Szenario ist jedoch idealisiert. Jedes Kästchen hat genau dieselbe Chance, einen Treffer abzubekommen. In der Realität ist das anders. Die Bevölkerung in Deutschland ist ja keineswegs gleichmäßig verteilt. Auf einem Quadratkilometer Großstadt sind dadurch natürlich mehr Leukämiefälle zu erwarten als auf einem Quadratkilometer Heidelandschaft.

Um der Realität etwas näher zu kommen, haben wir in unserer Vorlesung mit Hilfe eines Zufallsverfahrens die Adressen von dreißig simulierten «Leukämiefällen» aus dem Hamburger Telefonbuch herausgesucht. Dies entspricht etwa der Anzahl von Leukämien bei Kindern, die in Hamburg innerhalb von drei Jahren auftreten. Für jeden einzelnen «Fall» legten wir zunächst durch Würfeln das jeweilige Telefonbuch (A–K oder L–Z) fest. Dann bestimmten wir mit einem zwölfseitigen und zwei zehnseitigen Würfeln die Seitenzahl, mit einem vierseitigen Würfel die Spalte und mit einem Dreißigerwürfel den Abstand der Adresse vom oberen Rand des Telefonbuches. Die auf diese Weise ermittelten «Fälle» wurden auf einem Stadtplan markiert.

Das Ergebnis einer derartigen Simulation zeigt Abbildung 6. Im Stadtteil Winterhude gab es eine deutliche Häufung der «Leuk-

---

5 Die Wahrscheinlichkeit multipliziert mit der Anzahl der Felder (= 36) ergibt die zu erwartende Anzahl der Felder mit null, einem, zwei usw. Treffern.

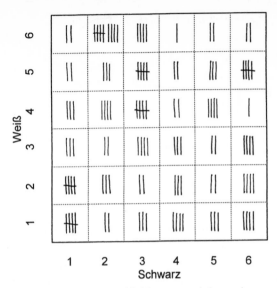

Abbildung 5: Das Szenario von Abbildung 3, nachdem so lange gewürfelt wurde, bis alle Felder mindestens einmal getroffen waren. In diesem Beispiel waren 117 Würfe erforderlich.

ämiefälle». Dort wurden vier Erkrankungen im Umkreis von nur achthundert Metern beobachtet (Pfeil). Versuchen Sie sich vorzustellen, welche Reaktionen Sie ernten würden, wenn Sie auf einer Veranstaltung einer Bürgerinitiative von Eltern leukämiekranker Kinder behaupteten, es handle sich möglicherweise um eine zufällige Häufung. Wahrscheinlich und verständlicherweise würde man Sie als menschenverachtenden Zyniker beschimpfen.

Wie bereits angedeutet, entstehen die Häufungen in diesem Versuch nicht nur *zufällig*, sondern auch *systematisch*, denn die Telefonanschlüsse sind nicht gleichmäßig über das Stadtgebiet verteilt. Bei der Interpretation von Häufungen müssen daher unbedingt die Bevölkerungs- und, wenn es um speziell im Kindesalter auftretende Erkrankungen geht, die Kinderdichte in den verglichenen Gebieten berücksichtigt werden.

Bei unserem Versuch haben wir nur *ein* bestimmtes zeitliches Fenster von drei Jahren ausgewählt. Ein «Wissenschaftler», der

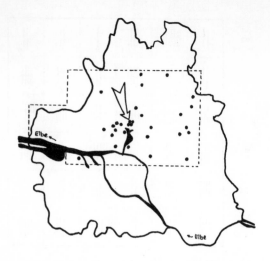

Abbildung 6: Ergebnis der Simulation eines Leukämieszenarios mit Hilfe des Hamburger Telefonbuches und Stadtplans sowie mehrerer Würfel. Die Punkte stellen die dreißig simulierten Fälle dar. Die gestrichelte Linie gibt die Grenze des verwendeten Stadtplans an. Erstellt in unserer Vorlesung im Wintersemester 1995/96.

gern in die Medien kommen und den Journalisten dafür eine Schlagzeile liefern möchte, kann den Zeitraum auch nachträglich festlegen. Dies entspricht der Möglichkeit, den oben geschilderten Versuch mehrfach zu wiederholen und dann das passendste Ergebnis auszusuchen. Auch können verschiedene Städte, Industriestandorte usw. betrachtet werden. Dies führt mit Sicherheit zu einer Aufsehen erregenden Meldung. Wenn nicht in Hamburg, dann in München oder Gorleben oder anderswo. Weshalb das mit Sicherheit funktioniert, erfahren Sie im Kapitel «Mit der Schrotflinte in den Porzellanladen». Wir haben den Stadtplan- und den zuvor beschriebenen 6×6-Versuch schon oft mit Studenten in der Vorlesung durchgeführt und sind noch nie in Verlegenheit geraten. Es gab immer «ungewöhnliche» Häufungen, und einen «Verursacher» haben wir auch jedes Mal gefunden.[6]

6 … bis auf eine einzige Ausnahme: Bei einem Versuch mit dem 6×6-Feld

Abbildung 7: Der texanische Scharfschütze schießt auf ein Tor, malt um das Einschussloch eine Zielscheibe und freut sich über den Volltreffer.

Dieses Herauspicken von Häufungen wird von Statistikern die Methode des texanischen Scharfschützen genannt[7]: Ohne lange zu zielen, schießt er auf ein riesiges Scheunentor, zeichnet nachträglich eine Zielscheibe um das Einschussloch und freut sich über seinen perfekten Treffer. Ein wirklicher Meisterschütze ist natürlich nur jemand, der ein *vorher* angegebenes Ziel zu einem *vorher* festgesetzten Zeitpunkt trifft.

fielen die ersten 22 Treffer auf freie Felder. Erst der 23. Treffer landete auf einem bereits besetzten Feld. Danach war es uns nicht mehr möglich, den betroffenen Studenten das Lernziel zu vermitteln.

7 Den Hinweis auf den texanischen Scharfschützen verdanken wir Herrn Prof. Dr. Jürgen Berger, dem ehemaligen Direktor des Instituts für Mathematik und Datenverarbeitung in der Medizin, Universität Hamburg.

Ein Unglück kommt selten allein
Zeitliche Häufungen

Die Beispiele mit den Kaffeebohnen und den Leukämiefällen illustrieren die Problematik zufälliger *räumlicher* Häufungen. Im Folgenden wollen wir die Problematik *zeitlicher* Häufungen mit einer kleinen praktischen Übung veranschaulichen. In Abbildung 8 sehen Sie einhundert kleine Quadrate in einer Schlangenlinie. Sie stellt die zeitliche Abfolge von Ereignissen dar. Beginnen Sie links oben, und werfen Sie, während Sie der Linie folgen, bei jedem Kästchen einmal eine Münze. Das erste Kästchen steht für das erste Ereignis, das letzte Kästchen für das letzte. Bei Kopf tragen Sie ein Kreuz ein, bei Zahl einen Kreis. Schneller geht es mit einem Würfel. An die Stelle von Kopf oder Zahl treten dann gerade und ungerade Zahlen.

Die Wahrscheinlichkeit, Kopf zu werfen, beträgt 0,5 oder 50 Prozent. Die Wahrscheinlichkeit, dass zweimal hintereinander Kopf fällt, beträgt 0,5×0,5 = 0,25 oder 25 Prozent. Die Wahrscheinlichkeit, fünfmal hintereinander Kopf zu werfen, beträgt $0,5 \times 0,5 \times 0,5 \times 0,5 \times 0,5 = 0,5^5 = 0,03125$ oder etwa 3 Prozent. Je länger eine Kopfserie ist, desto unwahrscheinlicher ist sie also. Dieselben Überlegungen gelten natürlich auch für «Zahl».

Nachdem alle Kästchen aufgefüllt sind, suchen Sie nach zeitlichen Häufungen. Ununterbrochene Folgen von fünf oder mehr Kreuzen beziehungsweise Kreisen sind statistisch gesehen auffällige Überhöhungen. Markieren Sie sie bitte.

Sie werden feststellen, dass sich eine oder sogar mehrere Überhöhungen ergeben haben; dass Sie keine bekommen, ist nicht ausgeschlossen, aber selten. Dies liegt daran, dass Sie insgesamt einhundertmal gewürfelt und nachträglich Häufungen gezählt haben. Unsere im vorletzten Absatz angestellte Berechnung gilt nämlich nur, wenn wir 1. *vor* dem ersten Münzwurf *festlegen*, ob wir Kopf oder Zahl sammeln wollen, und 2. *auf Anhieb* eine ununterbrochene Folge zustande bringen.

Diese relativ einfache Überlegung bleibt häufig unberücksichtigt. Oftmals werden klinische Studien durch das gehäufte Auftreten seltener Ereignisse überhaupt erst initiiert. Gelingt es etwa einem Ärzteteam, eine nur extrem selten zu heilende Krankheit in einem relativ kurzen Zeitraum mehrfach erfolgreich zu behandeln oder treten seltene Nebenwirkungen zeitlich gehäuft auf[8], so führt dies oft zu rückwirkenden Untersuchungen mit anschließender Veröffentlichung. Der dabei retrospektiv einbezogene Zeitraum ist willkürlich und häufig, bewusst oder unbewusst, dem gewünschten Ergebnis angepasst. Die richtige Vorgehensweise wäre es, den zu erfassenden Zeitraum vorher festzulegen. Die Ergebnisse solcher retrospektiven Studien erfordern vom wissenschaftlichen Standpunkt aus eine Wiederholung.

Unsere Beispiele zeigen, dass nicht jede unwahrscheinliche Häufung von Ereignissen statistisch bedeutsam ist. Ob eine Überhöhung unwahrscheinlich ist, hängt auch von der Anzahl der durchgeführten Tests ab. So beträgt beispielsweise die Wahrscheinlichkeit, beim Lotto sechs Richtige zu tippen, 1 zu 13 983 816 und ist somit äußerst gering. Wenn das Glück aber entsprechend extrem

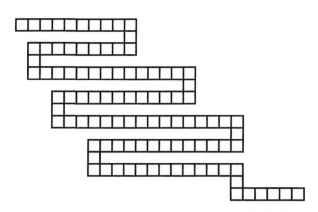

Abbildung 8: Versuchsfeld für die Simulation zeitlicher Häufungen

8 Ein Beispiel hierfür ist der Bericht über eine ungewöhnliche Häufung von Myelitiden in der CHART-Studie (Dische und Saunders 1989; Dische 1991).

häufig herausgefordert wird, kann man sich fast darauf verlassen, dass jede Woche jemand gewinnt. Die Wahrscheinlichkeit, dass unter 40 Millionen Tipps mindestens ein Sechser vorkommt, ist größer als 94 Prozent.[9]

9 Glücklicherweise recht selten ist auch der so genannte plötzliche Kindstod. Noch seltener ist es, dass zwei Kinder in einer Familie am plötzlichen Kindstod versterben. Wenn diese Familie aber, wie die Lottospieler, eine von mehreren Millionen ist, dann ist dieses tragische Doppelereignis nicht mehr so unwahrscheinlich, wie es auf den ersten Blick scheint. In unserem Buch «Mit an Wahrscheinlichkeit grenzender Sicherheit» (Rowohlt Taschenbuch, 2005) beschreiben und analysieren wir einen entsprechenden authentischen Fall, in dem ein Gutachter durch sein falsches Verständnis von Wahrscheinlichkeit ein Gerichtsurteil maßgeblich in die offenbar falsche Richtung beeinflusst hat.

Zufall oder Zustand
Fehler erster Art

> Gepriesen sei der Zufall,
> er ist wenigstens nicht ungerecht.
> *Ludwig Marcuse*

Im letzten Kapitel haben wir erfahren, wie wichtig und wie schwierig es ist, eine zufällige Häufung von einer gesetzmäßigen zu unterscheiden. Diese Unterscheidung ist ein grundsätzliches Problem der Wissenschaft, spielt aber auch in anderen Bereichen eine wichtige Rolle, zum Beispiel bei Qualitätskontrollen in der Produktion oder bei der Beurteilung von Sportereignissen. In diesem Kapitel wollen wir Ihnen zeigen, wie in der exakten Wissenschaft versucht wird, gesetzmäßige von zufälligen Häufungen zu unterschieden.

Mehr oder weniger Alkohol am Steuer
Was heißt «statistisch signifikant»?

Betrachten wir ein ausgedachtes Beispiel: Bei einer Verkehrskontrolle überprüft die Polizei in der Nacht zum Sonntag in einer deutschen Großstadt 600 Autofahrer. 84 müssen ins Röhrchen pusten und neun von ihnen zur Blutprobe. Sie haben über 0,8 Promille. Insgesamt haben also $9/600 = 0,015$ oder 1,5 Prozent der Autofahrer zu tief ins Glas geschaut. Nach einer aufwendigen Aufklärungskampagne stehen zwei Monate später bei einer erneuten Kontrolle im selben Stadtteil unter 400 kontrollierten Autofahrern nur noch zwei, das heißt 0,5 Prozent, unter Alkoholeinfluss. Diese Verringerung um den Faktor drei ($1,5/0,5 = 3$) wird als großer Erfolg gefeiert. – Nur zwei Querdenker stören den Frieden und weisen darauf hin, dass das Ergebnis mit einer beträchtlichen Wahrscheinlichkeit von immerhin 14 Prozent auch dann rein zufällig zustande gekommen wäre, wenn die Kampagne überhaupt nichts gebracht hat. Damit fällt die Annahme, die zweite Kontrolle habe zu einem besseren Ergebnis geführt als die erste, wie ein Kartenhaus in sich zusammen. Bei den Kontrollen ist ganz einfach der Zufall ins Spiel gekommen. Hätte die Großrazzia eine Stunde früher oder später begonnen, dann wären andere 400 Fahrzeuge kontrolliert worden. Und wenn zum Beispiel immer genau 1 Prozent *aller* Autofahrer in der Nacht zum Sonntag alkoholisiert ist, wird niemand erwarten, dass auch immer genau einer von 100 kontrollierten Fahrern zu viel getankt hat. Es können durchaus mal zwei oder mal keiner von 100 sein.

Eine heilige Kuh
Die Bedeutung der Signifikanz

> Je planmäßiger ein Mensch vorgeht,
> desto wirksamer vermag ihn der Zufall zu treffen.
> *Friedrich Dürrenmatt*

Im Allgemeinen werden die Ergebnisse zweier Alkoholkontrollen schon aufgrund zufälliger Schwankungen unterschiedlich ausfallen. Je größer jedoch ein solcher Unterschied ist, desto unwahrscheinlicher wird es, dass er auf Zufall beruht, und desto wahrscheinlicher, dass die Ergebnisse zweier Kontrollen tatsächlich divergieren. Der so genannte Vierfeldertest erlaubt es uns, zu berechnen, wie wahrscheinlich die Ergebnisse sind, wenn gar kein wahrer Unterschied vorhanden ist. Diesen Vierfeldertest stellen wir im folgenden Abschnitt vor. In der wissenschaftlichen Literatur gilt ein Ergebnis im Allgemeinen genau dann als «signifikant», wenn die Wahrscheinlichkeit, dass die Ungleichheit rein zufällig ist ohne einen wahren Unterschied, höchstens 5 Prozent beträgt, was mit dem Ausdruck «$p \leq 0{,}05$» angegeben wird. Dieses Fünfprozentniveau hat keinen tieferen Sinn. Es ist eine willkürlich festgelegte, aber allgemein und international akzeptierte Konvention.

In den letzten Jahrzehnten hat die «statistische Signifikanz» eine herausragende Rolle in der Wissenschaft bekommen und sich zur heiligen Kuh entwickelt. So ist das Hauptkriterium für die Annahme eines Manuskripts zur Veröffentlichung in einer Fachzeitschrift in sehr vielen Disziplinen ein «signifikantes» Ergebnis, was eine wahre Jagd nach Signifikanzen ausgelöst hat. In zahlreichen Disziplinen ist es daher praktisch unmöglich, Forschung zu betreiben, ohne sich mit statistischer Signifikanz auseinander zu setzen. Allerdings können auch Ergebnisse, die diese Bedingung erfüllen, falsch sein. Die Toleranz dafür wird aber auf 5 Prozent begrenzt, das heißt, ein fünfprozentiges Risiko für falsch positive Ergebnisse gilt als akzeptabel. Diesen möglichen Irrtum bezeichnet man als den Fehler erster Art. Er entspricht dem Irrtum eines automatischen Feuermelders, der Alarm schlägt, obwohl es nicht brennt.

Die große Bedeutung, die signifikante Ergebnisse und damit die Signifikanztests durch diese Veröffentlichungspolitik gewonnen haben, verstellt zum Teil den Blick auf andere wichtige Aspekte, zum Beispiel, ob das statistisch signifikante Ergebnis überhaupt irgendeine Frage von Relevanz beantwortet. Die forcierte Signifikanzjagd bildet darüber hinaus die Grundlage völlig neuartiger Irrtümer, von denen wir in den späteren Kapiteln noch ausführlich berichten werden.

Herausforderung zum Schussfolgern
Das Signifikanzniveau, der p-Wert und die Nullhypothese

> To be or not to be …
> *William Shakespeare*

Stellen Sie sich vor, Sie wären ein Cowboy – ein richtiger Cowboy mit allem, was dazugehört: Hut, Stiefel, Pferd, dazu passende O-Beine, eine Hand voll Dollars und natürlich ein Schießeisen. Sie sitzen im Saloon, Ihr Pferd musste leider draußen bleiben. Es ist Sonntagnachmittag, der Westen ist wild, und Ihre Arbeitswoche war hart. Heute Morgen waren Sie in der Kirche, und jetzt wollen

Sie es sich gut gehen lassen und gleichzeitig nebenbei etwas dazuverdienen. Sie gehen an den Spieltisch.

Wir beide, Sie und ich, spielen gegeneinander ein ziemlich simples Spiel. Wir würfeln beide je einmal. Wer eine Sechs würfelt, bekommt vom anderen 3 Dollar. Das ist kein Pappenstiel. Dafür müssen Sie einen ganzen Tag hart arbeiten. Das Spiel beginnt. Bei meinem ersten Wurf erziele ich eine Sechs. Sie haben eine Zwei und zahlen mir 3 Dollar. Wir würfeln ein zweites Mal: Sie eine Fünf und ich wieder eine Sechs. Unter innerlichem Murren zahlen Sie weitere 3 Dollar. Beim dritten Spiel würfle ich wieder eine Sechs. Vielleicht haben Sie auch eine Sechs und brauchen diesmal nichts zu bezahlen. Wir würfeln ein viertes Mal. Wieder habe ich eine Sechs. So könnte es immer weitergehen, aber möglicherweise haben Sie bereits die Geduld verloren, weil ich dauernd Sechser werfe.

Vielleicht würden Sie als höflicher Mensch irgendwann fragen wollen: «Darf ich Ihren Würfel mal untersuchen? Es macht mich doch etwas stutzig, dass Sie …» Sie unterstellen mir also, dass ich schummele?! Eine derartige Beleidigung kann ich unmöglich hinnehmen. Meine Cowboyehre verlangt, dass ich sofort den Colt ziehe. Wenn Sie also überzeugt sind, betrogen zu werden, dann sollten Sie nicht lange fragen, sondern lieber gleich schießen.

Jetzt kommt die entscheidende Frage. *Nach der wievielten Sechs glauben Sie nicht mehr an ein faires Spiel und schießen?* Denken Sie an Ihre Cowboyehre und Ihre Dollars, aber auch daran, dass ich vielleicht schneller bin als Sie! Einfach das Spiel beenden ist im Wilden Westen übrigens keine gute Idee. Feiglinge haben hier keine Freunde. Aufhören geht nur, wenn der letzte Dollar verspielt ist. Also: Wann ziehen Sie? Bitte machen Sie ein Kreuz an entsprechender Stelle in der Abbildung 9.

Vielleicht möchten Sie genauer wissen, wie häufig solche Sechserhäufungen normalerweise bei einem fairen Würfel vorkommen. Mit einem regulären sechsseitigen Würfel erzielt man im Durchschnitt in einem Sechstel der Würfe eine Sechs. Die Wahrscheinlichkeit für eine Sechs beträgt also $1/6 \cong 0,17$ oder 17 Prozent. Es ist nichts Besonderes, wenn jemand eine Sechs würfelt. Die Sechsen kommen nicht regelmäßig bei jedem sechsten Wurf, sondern sie

Noch mehr Sechsen in Folge ○

Abbildung 9: Bitte kreuzen Sie an. Erläuterungen siehe Text.

kommen irgendwann einmal. Manchmal würfelt man über lange Zeit überhaupt keine Sechs. Das haben die meisten schon beim Mensch-ärgere-dich-nicht-Spielen erlebt, wenn sie rausgeschmissen wurden und keine Spielfigur mehr auf dem Spielfeld hatten. Manchmal kommen aber auch gleich mehrere Sechsen kurz hintereinander. Die Wahrscheinlichkeit, auf Anhieb[1] zwei Sechsen in Folge zu würfeln, beträgt 1/6 × 1/6 = 1/36 = 0,028 oder 2,8 Prozent. Die Wahrscheinlichkeit, auf Anhieb drei Sechsen in Folge zu werfen, beträgt nur noch 1/6 × 1/6 × 1/6 = 0,0046 oder 0,46 Prozent. Vier Sechsen in Folge sind mit 0,00077 oder 0,077 Prozent noch seltener. Die Wahrscheinlichkeit wird immer kleiner, und irgendwann ist sie so klein, dass man nicht mehr glauben mag, was man am Anfang in die Berechnung hineingesteckt hat, nämlich dass das Spiel fair ist und eine Sechs wirklich mit 17 Prozent Wahrscheinlichkeit auftritt.

In Abbildung 10 sehen Sie ein typisches Beispiel dafür, wann die Teilnehmer eines unserer Seminare den Colt gezogen haben, weil sie nicht mehr an ein faires Spiel glaubten. Nach zwei Sechsen hat

---

1 Wohlgemerkt: «auf Anhieb». Dass man im Laufe eines Mensch-ärgere-dich-nicht-Spiels *irgendwann* einmal zwei Sechsen hintereinander würfelt, ist so gut wie sicher.

hier keiner geschossen. In anderen Seminaren kam das zwar vor, aber extrem selten. Nach vier Sechsen ist für die meisten das Maß voll. Die Wahrscheinlichkeit, mit einem normalen Würfel auf Anhieb vier Sechsen zu würfeln, beträgt 0,077 Prozent. Das bedeutet, unter 1296 Versuchen wird man im Mittel einmal vier Sechser auf Anhieb werfen. Unsere Erfahrung aus Vorlesungen und Seminaren zeigt, dass die meisten Menschen bei vier Sechsern in Folge nicht mehr an einen Zufall glauben und den Colt ziehen.

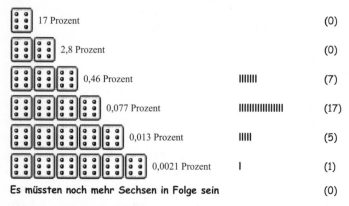

17 Prozent		(0)
2,8 Prozent		(0)
0,46 Prozent	llllll	(7)
0,077 Prozent	llllllllllllllll	(17)
0,013 Prozent	lllll	(5)
0,0021 Prozent	l	(1)
Es müssten noch mehr Sechsen in Folge sein		(0)

Abbildung 10: Ergebnis eines unserer Seminare. Nach vier Sechsen auf Anhieb in Folge glaubte die Mehrheit nicht mehr an ein faires Spiel und zog den Colt.

Den Gedankengang, der unsere Teilnehmer (und vielleicht auch Sie) zum Schießen gebracht hat, fassen wir noch mal zusammen. Der Spieler geht von der Annahme aus, dass die Sechs bei seinem und meinem Würfel mit der gleichen Wahrscheinlichkeit von 17 Prozent auftritt. Davon ausgehend lässt sich erahnen bzw. errechnen, wie wahrscheinlich das beobachtete Ergebnis mehrerer Sechser hintereinander ist. Je mehr Sechser, desto unwahrscheinlicher ist das Ergebnis, und desto größer wird der Zweifel daran, dass die anfängliche Annahme richtig ist. Irgendwann, und das individuell verschieden, wird die Annahme als falsch erachtet und der Colt gezogen.

Nach dem gleichen Muster wird bei einem statistischen Signifikanztest verfahren. Wir nehmen als Beispiel eine Studie, in der ein Medikament mit einem Placebo verglichen wird. Für den Signifikanztest geht man von der Annahme aus, dass Medikament und Placebo bei gleich vielen Patienten wirksam sind. Das tatsächlich beobachtete Ergebnis der Studie ist, dass mit dem Medikament z. B. 20 Prozent mehr Patienten erfolgreich behandelt wurden als mit Placebo. Die Wahrscheinlichkeit dieses Ergebnisses oder eines noch größeren Unterschieds zwischen Medikament und Placebo, unter der Bedingung, dass die anfängliche Annahme richtig ist, kann man ausrechnen (lassen). Diese Wahrscheinlichkeit hat den Namen «p-Wert». Je kleiner diese Wahrscheinlichkeit ist, desto größer ist dann der Zweifel an der anfänglichen Annahme. Irgendwann wird die Annahme dann als falsch erachtet und der Colt gezogen beziehungsweise das Medikament als tatsächlich wirksam akzeptiert.

Im Saloon darf sich jeder selbst überlegen, wann er schießt. In der Wissenschaft ist das durch das Signifikanzniveau von 5 Prozent geregelt. Wenn der p-Wert kleiner als 5 Prozent ist, darf man das Ergebnis «statistisch signifikant» nennen und die anfängliche Annahme verwerfen. Es ist kaum zu glauben, aber den Cowboys der so genannten *exakten Wissenschaft* genügt ein Signifikanzniveau von *fünf Prozent*! Im akademischen Saloon wird nach der zweiten Sechs geschossen!

In der Statistik heißen unsere anfänglichen Annahmen «Nullhypothese». In den obigen Beispielen lautet die Nullhypothese: «Die Wahrscheinlichkeiten, mit Ihrem oder mit meinem Würfel eine Sechs zu werfen, unterscheiden sich *nicht* (daher der Name *Nullhypothese*).» beziehungsweise «Die Wahrscheinlichkeiten mit dem Medikament oder mit dem Placebo einen Patienten erfolgreich zu behandeln, unterscheiden sich *nicht*.» Der Statistiker berechnet den p-Wert, indem er voraussetzt, dass die Nullhypothese richtig ist. Ist der p-Wert kleiner als 5 Prozent, wird die Nullhypothese verworfen.
Dies ist die offizielle Denkart eines statistischen Signifikanztests.

Das Tragische ist, dass die meisten Wissenschaftler glauben, damit sei *bewiesen*, dass das getestete Medikament besser ist als das Placebo.

Wenn man die Nullhypothese verwirft, sagt der Signifikanztest nicht, was man stattdessen glauben sollte. Ist der Gegner geschickt im Würfeln? Hat er psychokinetische Begabung? Ist der Würfel gezinkt? Hat das Medikament in der Studie statistisch signifikant mehr Patienten geheilt, weil es tatsächlich (und in Zukunft auch bei anderen Patienten) wirksamer ist? Liegt es daran, dass die Patientengruppen von vornherein unterschiedlich waren? Wurden gar Patienten mit unerwünschtem Therapieausgang ausgeschlossen? Über die Ursache des Ergebnisses erfahren wir *nichts*. Die berechneten Wahrscheinlichkeiten der Ergebnisse (p-Wert) sagen auch nichts darüber aus, mit welcher Wahrscheinlichkeit die Nullhypothese richtig oder falsch ist. Eigentlich sagt ein Signifikanztest nur sehr wenig aus. Darauf gehen wir später am Ende des Buches und noch viel intensiver in unserem Buch «Der Schein der Weisen» ein. Da Signifikanztests in der Wissenschaft eine große Rolle spielen, werden wir uns im Folgenden aber noch damit befassen.

Quadratisch, praktisch, gut
Der einfache und nützliche Vierfeldertest

Mit dem Vierfeldertest können Ergebnisse schnell und einfach auf Signifikanz überprüft werden. Wir möchten Sie daher ermutigen, die Berechnungen in diesem Abschnitt nachzuvollziehen. Sollte es Ihnen jedoch zu mathematisch werden, dann lassen Sie diesen und die folgenden Abschnitte bis zum Ende des Kapitels einfach aus. Zum Verständnis der weiteren Darstellung ist der Vierfeldertest zwar sehr nützlich, aber nicht unbedingt notwendig.

Mit einem Signifikanztest können wir abschätzen, mit welcher Wahrscheinlichkeit ein beobachteter Unterschied zufällig entsteht, ohne auf einer Gesetzmäßigkeit zu beruhen. Dies ist zwar recht salopp ausgedrückt, soll aber erst einmal als Annäherung genügen. Später werden wir noch eine genauere Definition vorstellen. Ein oft auftretendes Problem ist der Vergleich von Häufigkeiten, wie sie im obigen Beispiel genannt wurden. Sind 0,5 Prozent alkoholisierte Autofahrer tatsächlich weniger als 1,5 Prozent, oder handelt es sich um zufällige Schwankungen? Der dazugehörige Signifikanztest ist sehr einfach, nicht hingegen die Begründung, weshalb der Test so geht und nicht anders. Deshalb ersparen wir sie Ihnen und uns und verweisen auf Lehrbücher der Statistik. Den Test führen wir als Kochrezept vor und benutzen dazu das Beispiel der alkoholisierten Autofahrer aus dem letzten Abschnitt. Hierfür erstellen wir zunächst folgende Tabelle:

Tabelle 8: Vierfeldertest für die Alkoholkontrolle

	Alkoholisiert	Nüchtern	Summe
Erste Kontrolle	9	591	600
Zweite Kontrolle	2	398	400
Summe	11	989	1000

Insgesamt gab es bei den beiden Kontrollen elf alkoholisierte Autofahrer, bei der ersten Kontrolle neun und bei der zweiten zwei. Da bei der ersten Kontrolle 600 und bei der zweiten 400 Autofahrer untersucht wurden, waren von den 1000 insgesamt kontrollierten Autofahrern 989 nüchtern.

Die allgemeine Version des Vierfeldertests zeigt Tabelle 9.

Tabelle 9: Schema des Vierfeldertests

	Erfolg	Misserfolg	
Probe A	E_A	M_A	$E_A + M_A = N_A$
Probe B	E_B	M_B	$E_B + M_B = N_B$
	$E_A + E_B$	$M_A + M_B$	$E_A + E_B + M_A + M_B = N$

Die Gesamtzahl der in den Proben A und B enthaltenen Probanden ist

$$N = E_A + E_B + M_A + M_B$$

Zunächst muss eine Prüfgröße nach der Formel

$$\text{Prüfgröße} = \frac{(N - 1) \times (E_A \times M_B - E_B \times M_A)^2}{(E_A + E_B) \times (M_A + M_B) \times (E_A + M_A) \times (E_B + M_B)}$$

berechnet werden. Diese Formel darf nur angewandt werden, wenn in beiden Proben (zum Beispiel Patientengruppen) jeweils mindestens sechs Fälle enthalten sind, also $N_A \geq 6$ und $N_B \geq 6$ (Sachs 1978).

Der Name «Vierfeldertest» bezieht sich auf die vier Felder, in denen die Ergebnisse E_A, E_B, M_A und M_B eingetragen sind, in unserem Beispiel die 9, die 2, die 591 und die 398. Als Nächstes werden die Zahlen aus der Tabelle in die Formel für den Vierfeldertest eingesetzt, der in Tabelle 9 schematisch dargestellt ist:

$$\text{Prüfgröße} = \frac{(1000 - 1) \times (9 \times 398 - 2 \times 591)^2}{11 \times 989 \times 600 \times 400}$$

Über dem Bruchstrich trägt man zunächst die Gesamtzahl der kontrollierten Autos (im Beispiel die 1000) minus eins ein. Das nächste Glied entsteht aus den einzelnen Zahlen der «vier Felder», die kreuzweise multipliziert, anschließend voneinander subtrahiert und dann noch als Ganzes quadriert werden. Im Nenner stehen einfach die am Rand der vier Felder vermerkten Summen aller Autofahrer, die alkoholisiert (11) oder nüchtern (989) waren beziehungsweise zur ersten oder zweiten Kontrolle gehörten (600 und 400). Weiterrechnen ergibt:

$$\text{Prüfgröße} = \frac{999 \times (3582 - 1182)^2}{2610960000} = \frac{999 \times 5760000}{2610960000} = 2{,}2$$

Jetzt müssen wir nur noch feststellen, ob die Prüfgröße größer oder gleich 3,84 ist, denn genau dann darf man das Ergebnis «statistisch signifikant» nennen. Das liest sich wie Voodoozauber, aber diese krumme Zahl ist in der Statistik gut begründet. Da die Prüfgröße in unserem Beispiel 2,2 beträgt und somit kleiner als 3,84 ist, ist das Ergebnis nicht statistisch signifikant. Die folgende Tabelle zeigt, dass die Wahrscheinlichkeit, die zur Prüfgröße = 2,2 gehört, größer als 10 Prozent ist. Genauer geht es mit der Formel, der Tabelle oder der Grafik im Anhang IV. Sie liefern einen p-Wert von etwa 0,14, entsprechend 14 Prozent. Das bedeutet: Wenn der wahre Anteil der Alkoholsünder tatsächlich unverändert geblieben ist, dann tritt der beobachtete Unterschied (oder ein größerer) rein zufällig mit einer Wahrscheinlichkeit von 14 Prozent auf.

Tabelle 10: Prüfgröße und dazugehörige Wahrscheinlichkeiten

Prüfgröße	Wahrscheinlichkeit
2,71	10,0 %
3,84	5,0 %
6,64	1,0 %
10,83	0,1 %

Neue Besen kehren gut! – Oder?

Ein Beispiel für den Vierfeldertest aus der Medizin

Betrachten wir jetzt ein Beispiel aus der Medizin. Ein Ärzteteam hat eine neue Behandlungsmethode für eine bestimmte Erkrankung entwickelt, wendet sie bei dreißig Patienten an und vergleicht den Erfolg mit dem einer Standardtherapie. Mit der konventionellen Behandlung wurden elf von dreißig Patienten (37 Prozent) geheilt, mit der neuen Methode immerhin neunzehn von dreißig (63 Prozent). Kann dieses Ergebnis zufällig zustande gekommen sein, obwohl eigentlich beide Therapien gleich gut sind? Dazu befragen wir wieder den Vierfeldertest.

Tabelle 11: Vierfeldertest bei der Entwicklung eines neuen Medikaments

	Erfolg	Misserfolg	
Standardbehandlung	11	19	30
Neue Behandlung	19	11	30
Summe	30	30	60

$$\text{Prüfgröße} = \frac{(60-1) \times (11 \times 11 - 19 \times 19)^2}{30 \times 30 \times 30 \times 30} = \frac{59 \times 57600}{810000} = \frac{3398400}{810000} = 4,2$$

Da das Ergebnis größer als 3,84 ist, sind die beiden Behandlungen statistisch signifikant verschieden. Tabelle 10 zeigt, dass die Wahrscheinlichkeit für einen Fehler erster Art zwischen 1 und 5 Prozent beträgt. Der Tabelle 43 im Anhang IV (Seite 294) entnehmen wir, dass der Prüfgröße 4,2 ein Wahrscheinlichkeitswert von 0,0404 oder 4,04 Prozent entspricht. Dies ist die Wahrscheinlichkeit dafür, den beobachteten oder einen noch größeren Unterschied zu messen, wenn sich die beiden Behandlungen tatsächlich gar nicht unterscheiden. Mit dieser Information sind wir zwar schon ein Stück weiter, aber ob die neue Therapie *wirklich* besser ist, wissen wir damit noch nicht. Diese Ungewissheit taucht in wissenschaftlichen Untersuchungen aller Art auf. Um mit ihr leben zu können, gibt es, wie erwähnt, unter Wissenschaftlern eine Vereinbarung, die besagt, dass ein Ergebnis als «statistisch signifikant» bezeichnet wird, wenn die Wahrscheinlichkeit für einen Zufallsbefund kleiner oder gleich 5 Prozent ist. Da in unserem obigen Beispiel die Wahrscheinlichkeit für einen Zufallsbefund weniger als 5 Prozent beträgt, handelt es sich nach dieser üblichen Auffassung um ein signifikantes Ergebnis.

Unsinn mit Niveau
Die Konvention eines fünfprozentigen Signifikanzniveaus

> Wer über gewisse Dinge den Verstand nicht verliert,
> der hat keinen zu verlieren.
> *Gotthold Ephraim Lessing*

Doktor Sorglos war Abonnent und treuer Leser des *International Fleamarket*, einer Flohmarkt-Zeitschrift mit Niveau und brandheißen Sonderangeboten. Über die Bestellabteilung hat er sich einen Regenschirm gekauft. Hochmodern, billig und mit Qualitätsgarantie: Im Bedarfsfall lässt sich der Schirm mit 95-prozentiger Sicherheit öffnen. Nur in 5 Prozent der Fälle steht Doktor Sorglos im Regen. Was soll's! Der Schirm ist wirklich einmalig preiswert und das fünfprozentige Risiko wert.

Für einen befreundeten Patienten hatte Doktor Sorglos gleich noch einen Schirm mitbestellt. Ebenfalls todschick, preisgünstig und genauso sicher wie sein Regenschirm. Er geht mit 95-prozentiger Sicherheit auf, und nur in 5 Prozent der Fälle macht der Patient von Doktor Sorglos einen Abgang – dann allerdings für immer (siehe Abbildung 12). Man sollte sich nicht auf alles mit der gleichen Wahrscheinlichkeit einlassen. So sieht es jedenfalls der um seine Gesundheit besorgte Patient. Das Fünfprozentniveau ist eine Konvention. Es wurde willkürlich festgelegt und ist nicht immer sinnvoll, wie Doktor Sorglos gerade an sich und seinem Patienten gezeigt hat.

Abbildung 11: Doktor Sorglos nach dem Kauf eines nicht ganz zuverlässigen Regenschirms

Wenn die Wahrscheinlichkeit, den in einer Studie beobachteten oder einen noch extremeren Unterschied zwischen zwei Behandlungen zu erhalten, kleiner als 5 Prozent ist, dann gilt der Unterschied als «statistisch signifikant» und erhält das Gütesiegel «$p \leq 0,05$». Diese Wahrscheinlichkeit trägt in vielen Statistikbüchern den irreführenden Namen «Irrtumswahrscheinlichkeit»[2]. Treffender wäre nach unserer Auffassung ein anderer Name, wie beispielsweise

2 Die Wahrscheinlichkeit für einen Irrtum kann man nicht berechnen, weil hierzu entscheidende Informationen fehlen (vgl. Cohen (1994), der angibt, die Gedanken von Pollard und Richardson (1987) zu haben). Mit dieser Thematik beschäftigt sich unser Buch «Der Schein der Weisen».

«Bedingte Zufallswahrscheinlichkeit», denn bei seiner Berechung wird vorausgesetzt, dass die beiden Behandlungen gleichermaßen wirksam sind.

Das Signifikanzniveau sollte vernünftigerweise davon abhängen, welche Folgen eine etwaige Fehlinterpretation der Ergebnisse nach sich zieht. Es ist doch nicht dasselbe, ob man beim Vergleich zweier Hustensäfte oder zweier Krebstherapien einen Fehler macht.

Abbildung 12: Der Patient bei Verwendung des von Doktor Sorglos erstandenen ziemlich sicheren Fallschirms

Ein konstantes Signifikanzniveau ist unsinnig. Es gibt keine vernünftige Begründung dafür. Das Festhalten an den «magischen 5 Prozent» ist einfach nur bequem, und die Forscher haben sich an dieses Windei offenbar gut gewöhnt. Nur wenige denken jemals darüber nach.

Denken Sie gerade darüber nach, wie wahrscheinlich es ist, dass im letzten Abschnitt die neue Behandlung tatsächlich besser ist als die Standardbehandlung? – Diese Frage ist sehr wichtig, und die richtige Antwort ist für viele überraschend. Wir haben ihr ein Kapitel am Ende des Buches gewidmet.

Mit der Schrotflinte in den Porzellanladen
Mehrfachtests

In diesem Kapitel werden Sie erfahren, wie man zu belanglosen «statistisch signifikanten» Zufallsergebnissen kommt, wie eine Unzahl von Zufallstreffern die Wissenschaft bis zum Absaufen verwässert und was man dagegen unternehmen kann.

Die unerträgliche Leichtigkeit der Signifikanz
Das Prinzip von Mehrfachtests

Die Freude am Erfolg der im letzten Kapitel geschilderten Anti-Alkohol-am-Steuer-Kampagne währt nicht lange. Die Aussage der beiden Wissenschaftler, die nachgewiesen haben, dass das Ergebnis statistisch nicht signifikant ist, bekommt ein relativ großes Presseecho, da der für die Aktion verantwortliche amtierende Verkehrsdezernent ohnehin schon wegen verschiedener Skandälchen im Kreuzfeuer der Kritik steht. Es folgen unangenehme Pressemeldungen, der Sinn der Kampagne wird in Frage gestellt. Eine neue Untersuchung soll Klarheit schaffen und den Erfolg überprüfen.

Daraufhin werden aber nicht wieder nur einmalige Kontrollen durchgeführt, sondern wöchentlich jeweils 500 Autofahrer überprüft. Bei der ersten Kontrolle gehen der Polizei fünf alkoholisierte Fahrer ins Netz, bei der zweiten drei, bei der dritten sieben, dann vier, dann ist es endlich mal nur einer. So, den nehmen wir! Weg mit den anderen! Pressemitteilung: «Bei der letzten Verkehrskontrolle war nur einer von 500 Autofahrern (0,2 Prozent) alkoholisiert. Dies ist ein statistisch signifikant[1] geringerer Anteil an Alkoholsündern als vor drei Monaten, als es noch neun von 600 waren (1,5 Prozent).» Die nörgelnden Statistiker sind ausgetrickst. Kein Zweifel an der statistischen Signifikanz des Ergebnisses! Aber die Vorgehensweise stinkt zum Himmel. Es ist offensichtlich unfair, so lange zu kontrollieren, bis es zufällig zu einem genehmen Ergebnis kommt, das sich pressewirksam einsetzen lässt.

Man kann mit sehr einfachen Mitteln dafür sorgen, dass bei einer Untersuchung *immer* irgendetwas statistisch Signifikantes herauskommt. Legen Sie bitte für ein erklärendes Experiment acht Würfel bereit. Sie beginnen mit nur einem Würfel. Für jede Sechs wird in der ersten Zeile von Tabelle 12 ein Kreuz eingezeichnet, andernfalls ein Kreis. Nach zehn Würfen zählen Sie die Kreuze zusammen und schreiben das Ergebnis in das Feld ganz rechts.

Jetzt wiederholen Sie das Spiel mit zwei Würfeln. In der *zweiten* Zeile tragen Sie *ein* Kreuz ein, wenn *mindestens* eine Sechs gefallen ist. Auch bei zwei Sechsen notieren Sie nur *ein* Kreuz. Erzielen Sie mit keinem der beiden Würfel eine Sechs, kommt wieder ein Kreis ins Kästchen. Nach zehn Würfen mit beiden Würfeln zählen Sie wieder die Kreuze zusammen und tragen das Ergebnis in die rechte Spalte ein. Das Ganze wiederholen Sie noch mit vier und mit acht Würfeln.

Je mehr Würfel wir verwenden, umso wahrscheinlicher ist es, dass mindestens eine Sechs fällt. Das wird wohl kaum jemanden überrascht haben. Mit dieser wirklich nicht neuen Erkenntnis werden Sie nun zu einem Glücksspiel eingeladen, bei dem Sie jedes Mal, wenn eine Sechs dabei ist, 100 Euro gewinnen. Die Glücksfee stellt Sie vor die Wahl, ob Sie mit einem, zwei, vier oder acht Würfeln spielen möchten. Bei acht Würfeln gehört Ihnen der Hunderter

---

1 Mit dem Vierfeldertest erhalten wir eine Prüfgröße von 5,11 für den Vergleich von «1 von 500» mit «9 von 600». Das Ergebnis ist also statistisch signifikant. Aus der Tabelle 43 im Anhang IV entnehmen wir, dass der Prüfgröße 5,1 ein Wahrscheinlichkeitswert von etwa 0,024 = 2,4 Prozent entspricht. Dies ist die Wahrscheinlichkeit dafür, dass die eine Fahrzeugkontrolle zufällig so unterschiedlich ausgefallen ist, obwohl die Aufklärungskampagne wirkungslos war.

Tabelle 12: Spiel mit unterschiedlicher Anzahl von Würfeln. In die Kästchen wird ein Kreuz eingetragen, wenn mindestens eine Sechs gewürfelt wurde.

	Kreuz oder Kreis:	Anzahl der Kreuze
Ein Würfel:	☐☐☐☐☐☐☐☐☐☐	☐
Zwei Würfel:	☐☐☐☐☐☐☐☐☐☐	☐
Vier Würfel:	☐☐☐☐☐☐☐☐☐☐	☐
Acht Würfel:	☐☐☐☐☐☐☐☐☐☐	☐

mit 77, bei einem Würfel nur mit 17 Prozent Sicherheit.[2] Dumme Frage, was Sie wohl tun werden. Dieses Spiel ist so banal, dass es noch nicht mal das Fernsehen bringt.

Es ist aber nicht zu banal für die Forschung. Das allgemein akzeptierte Signifikanzniveau von 5 Prozent verleiht der Wissenschaft Glücksspielcharakter, denn damit wird beispielsweise hingenommen, dass ein tatsächlich wirkungsloses Medikament mit einer Wahrscheinlichkeit von 5 Prozent zufällig statistisch signifikante Wirkung zeigt. In der Forschung wird im Prinzip mit einem zwanzigseitigen Würfel gespielt. (Diese sind übrigens in jedem guten Spielwarengeschäft erhältlich.) Jeder geworfenen 20 entspricht eine wissenschaftliche Veröffentlichung, deren Ergebnis ein Zufallsprodukt ist. Und es kommt noch schlimmer, denn auch die Wissenschaftler haben mittlerweile herausgefunden, dass man ja

2 Die Wahrscheinlichkeit, mit einem Würfel eine Sechs zu würfeln, ist 1/6, also rund 17 Prozent. Die Wahrscheinlichkeit, mit einem Würfel *keine* Sechs zu würfeln, beträgt 5/6, und mit *zwei* Würfeln *keine* Sechs zu würfeln, $5/6 \times 5/6 = 25/36 =$ etwa 69 Prozent. Das heißt, in 69 Prozent der Würfe hat man keinen und in 31 Prozent einen oder zwei Sechser. Die Wahrscheinlichkeit für mindestens eine Sechs mit vier Würfeln beträgt 52 und mit acht 77 Prozent. Wir können also für unsere Tabelle folgende durchschnittliche Anzahl von Kreuzen erwarten: bei einem Würfel 1,7, bei zwei 3,1, bei vier 5,2 und bei acht 7,7.

mit mehreren Würfeln gleichzeitig spielen kann. Dies wollen wir im folgenden Abschnitt ausführlicher beschreiben und mit Beispielen aus der Fachliteratur belegen.

«Ergebnisse» wie Sand am Meer
Die Problematik von Mehrfachtests

> Wenn die Sonne der Kultur niedrig steht, werfen selbst Zwerge einen Schatten.
> *Karl Kraus*

Doktor Sorglos demonstriert uns in Abbildung 13, wie gefährlich es ist, sich auf mehrere Wahrscheinlichkeiten gleichzeitig zu verlassen. Dazu hat er sich aus vielen kleinen Stücken ein langes Bergsteigerseil zusammengeknotet. Die einzelnen Knoten sind ziemlich sicher, denn die Wahrscheinlichkeit, dass einer hält, beträgt jeweils 95 Prozent. Allerdings ist die Wahrscheinlichkeit, dass zwei Knoten gleichzeitig halten, geringer, nämlich nur noch etwa 90 Prozent[3], und bei zwanzig Knoten verringert sie sich auf 36 Prozent[4]. Die Wahrscheinlichkeit, mit einem zwanzigknotigen Seil abzustürzen, ist somit 100 − 36 = 64 Prozent[5]. Es ist zu befürchten, dass Doktor Sorglos bei einer seiner nächsten Klettertouren fliegen lernen muss.

Bei klinischen Studien hängt die Wahrscheinlichkeit, abzustürzen, das heißt zufallsbedingt «signifikante» Ergebnisse zu erhalten, von der Anzahl der untersuchten Parameter ab. Ein Parameter ist etwas, was man messen oder feststellen kann. In der Medizin gehören dazu beispielsweise das Alter und das Geschlecht des Patienten. Bei Krebserkrankungen etwa kommen die Tumorart, das

---

3 $0,95 \times 0,95 = 0,9025$ oder 90,25 Prozent.
4 $(0,95)^{20} = 0,36$ oder 36 Prozent.
5 Die Wahrscheinlichkeit dafür, dass n Knoten halten, ist $(1 − p)^n$. Die Gesamtabsturzwahrscheinlichkeit P mit solch einem Seil ist also gegeben durch $P = 1 − (1 − p)^n$.

Tumorstadium, die Ausbreitung auf andere Organe, der Allgemeinzustand des Patienten usw. hinzu. Wer fleißig ist und sich viele
Notizen macht, kann so auf eine beachtliche Anzahl von Parametern kommen. Mathematisch verhält es sich wie beim letzten
Würfelspiel oder beim Kletterseil des Doktor Sorglos. In einer Studie, in der mehrere unabhängige Parameter getestet werden, gilt für
jeden einzelnen Parameter das Fünfprozentrisiko einer zufälligen
Signifikanz. Die Wahrscheinlichkeit, dass von zwei getesteten
Parametern (= zwei Knoten) mindestens einer ein falsches Ergebnis liefert (einer von beiden Knoten hält nicht), steigt auf annähernd
10 Prozent.[6]

Wer vermeiden möchte, dass das Risiko eines falsch positiven
Ergebnisses für die *gesamte Studie* über 5 Prozent hinausgeht,
muss das Signifikanzniveau für die *einzelnen Parameter* an die Gesamtzahl der durchgeführten Tests anpassen. Für das Bergsteigerseil bedeutet dies, dass man die Versagerwahrscheinlichkeit der
einzelnen Knoten deutlich verringern muss, um die Absturzwahr-
scheinlichkeit des verknoteten Seils auf ein akzeptables Maß zu reduzieren. Das kann man ganz exakt berechnen[7] oder mit einer einfachen Formel (nach Bonferroni) abschätzen:

$$\text{Wahrscheinlichkeit, dass ein einzelner Knoten sich löst} = \frac{\text{Absturzwahrscheinlichkeit}}{\text{Anzahl der Knoten}}$$

6 Exakt ergibt sich: $1 - (1 - 0{,}05)^2 = 1 - (0{,}95)^2 = 1 - 0{,}9025 = 0{,}0975$ beziehungsweise 9,75 Prozent. Allgemein gilt bei Untersuchung von n unabhängigen Parametern beziehungsweise Durchführung von n statistischen
Tests für das kumulative Risiko: $1 - (0{,}95)^n$. Voraussetzung für die Anwendung dieses Verfahrens ist allerdings, dass die untersuchten Parameter *voneinander unabhängig* sind. Für abhängige Parameter gibt es weniger kon-
servative, aber auch weniger einfache Korrekturverfahren. Weiterführende
Literatur: Holm 1979, Hochberg 1988 sowie Parker und Rothenberg
1988.
7 $p_i = 1 - (1 - 0{,}05)^{1/n}$.

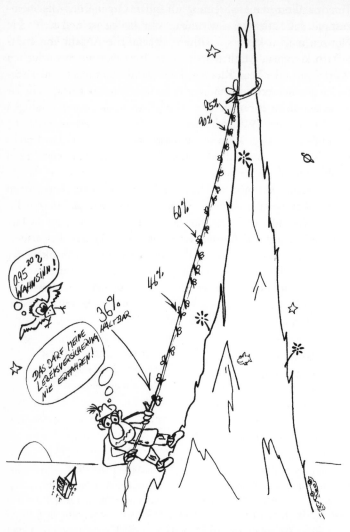

Abbildung 13: Doktor Sorglos bei Verwendung eines in der internationalen Fachliteratur empfohlenen Kletterseils mit zahlreichen ziemlich sicheren Knoten. Dies ist das letzte Bild von Doktor Sorglos. Er ist der naiven Vorstellung zum Opfer gefallen, man könne die Sicherheitskriterien der Wissenschaft auf das Bergsteigen anwenden.

Wenn die Gesamtabsturzwahrscheinlichkeit nicht größer als 5 Prozent sein soll, dann darf bei einem zwanzigknotigen Seil die Wahrscheinlichkeit, dass ein einzelner Knoten sich löst, nicht größer als 5 Prozent / 20 = 0,25 Prozent sein. Entsprechendes gilt natürlich für die Anzahl der untersuchten Parameter n in einer klinischen Studie und die Anforderungen an das angepasste Sicherheitsniveau p_i. Ganz analog lautet die Formel:

$$p_i = 5 \text{ Prozent} / n$$

Beispiel: Wenn die Gesamtwahrscheinlichkeit für Zufallsbefunde in einer Studie mit zehn Parametern nicht größer als 5 Prozent sein soll, dann muss man das einzelne Sicherheitsniveau auf 5 Prozent / 10 = 0,5 Prozent reduzieren.

Nichtkorrigierte Mehrfachtests haben verheerende Folgen für die klinische Forschung und deren Konsequenzen. Die hundert Quadrate in Abbildung 14A repräsentieren hundert Studien, die jeweils einen einzigen Parameter untersucht und getestet haben. Die schwarzen Quadrate stellen die Studien dar, in denen zufallsbedingt ein signifikantes Ergebnis gefunden wurde. Im Durchschnitt sind das fünf von hundert.

Untersuchungen mit einem Parameter sind außerordentlich selten. Abbildung 14B zeigt daher ein realistischeres Beispiel. Jedes Quadrat repräsentiert eine Studie, in der jeweils sechzehn Parameter (kleine Quadrate) analysiert wurden. Die schwarzen Quadrate stehen wieder für die falsch positiven Ergebnisse. Obwohl der Anteil der zufallsbedingt signifikanten Parameter wieder 5 Prozent beträgt (13 / 256), sind bei neun der sechzehn Studien (56 Prozent) falsch positive Resultate zu verzeichnen.[8] Abbildung 14C zeigt vier große Quadrate mit jeweils 81 kleinen Quadraten. Sie repräsentieren vier Studien, in denen jeweils 81 unabhängige Parameter untersucht wurden. Insgesamt ergaben sich sechzehn zufällig «signifikante» Befunde, was wiederum einer Rate von 5 Prozent

8 Die Verteilung der schwarzen Kästchen ist rein zufällig und entspricht der Poisson-Statistik, wie wir sie im Kapitel «Wir backen uns eine Schlagzeile» vorgestellt haben.

A: Hundert Studien, in denen jeweils nur ein Parameter getestet wurde.

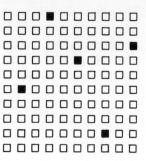

B: Sechzehn Studien mit je sechzehn Parametern.

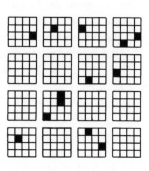

C: Vier Studien mit je 81 Parametern.

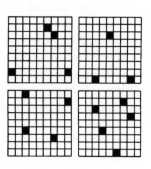

Abbildung 14: Das Risiko, auf zufällig «signifikante» Ergebnisse zu stoßen, nimmt mit wachsender Anzahl untersuchter Parameter (kleine Quadrate) zu. Die ausgefüllten kleinen Quadrate repräsentieren die Zufallsbefunde ($p \leq 0{,}05$).

entspricht. Bei so vielen Parametern ist die Wahrscheinlichkeit, ein falsch positives Ergebnis zu erhalten, sehr groß; sie beträgt 98,4 Prozent[9].

Aber es kommt noch schlimmer. In zahlreichen klinischen Studien werden nicht nur verschiedene Parameter untersucht, sondern auch verschiedene Endpunkte[10] beziehungsweise Subgruppen von Patienten. In diesem Fall wird die Anzahl der Parameter mit der entsprechenden Anzahl von Endpunkten beziehungsweise Subgruppen *multipliziert*. Die Anzahl der Tests wird verdoppelt, wenn man zwei Subgruppen, etwa Männer und Frauen, getrennt analysiert. Unterteilt man die Patienten in verschiedene Altersgruppen, zum Beispiel «bis 18», «18 bis 65» und «über 65», und untersucht diese getrennt, so hat man drei Subgruppen gebildet und verdreifacht damit die Anzahl der Tests.

Unfair und problematisch ist es, wenn bei der Analyse der Daten einer klinischen Studie zwar zahlreiche Parameter, Endpunkte und Subgruppen getestet, aber in der Veröffentlichung lediglich einige wenige – vorzugsweise «signifikante» – angegeben werden (Abbildung 15). Dadurch wird es unmöglich, die Aussagekraft der Arbeit einzuschätzen. Im Grunde ist diese auf den ersten Blick harmlos erscheinende Vorgehensweise betrügerisch. Häufig kann aber dem Text einer solchen Arbeit indirekt entnommen werden, dass mehr untersucht als publiziert wurde.

Es ist erstaunlich, wie wenige der Autoren klinischer Studien diese altbekannten methodischen Grundregeln beachten. Darauf angesprochen, reagieren die Kollegen häufig mit der Bemerkung: «Wer fleißig ist und viele Parameter untersucht, der wird eben auch mit mehr signifikanten Ergebnissen belohnt.» Das klingt bestechend logisch. Anstelle einer Erwiderung erinnern wir an das eingangs durchgeführte Würfelspiel und daran, dass jemand mit vielen Knoten im Kletterseil wahrscheinlich abstürzt. Würde man den

---

9 $1 - 0{,}95^{81} = 0{,}984$.

10 Endpunkte sind messbare Größen, mit denen die Wirkung einer Behandlung quantifiziert werden kann, wie zum Beispiel die Überlebenszeit der Patienten, die Heilungsrate, die Häufigkeit von Nebenwirkungen, die Dauer der Beschwerdefreiheit usw.

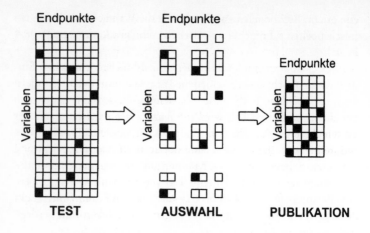

Abbildung 15: Das in der aktuellen klinischen Literatur leider weit verbreitete «Schneid und flick»-Verfahren

zurzeit in der medizinischen Wissenschaft verbreiteten Missbrauch statistischer Verfahren auf unübliche Parameter, zum Beispiel astrologische Konstellationen, anwenden, so könnte man leicht einen signifikanten Einfluss der Planetenkonstellation auf den Ausgang einer Krebsbehandlung nachweisen. Umgekehrt ist zu befürchten, dass viele «Erkenntnisse» der modernen Medizin wissenschaftlich nicht fundierter sind als die der Astrologie.

Gunter Sachs hat unseren schlechten Scherz in die Tat umgesetzt. In seinem Buch *Die Akte Astrologie* führt er «… Schritt für Schritt den Beweis: Astrologie ist kein Mythos. Sie beruht auf messbaren Grundlagen. Tabellen und Grafiken ermöglichen einen schnellen Überblick über alle Ergebnisse … Führende Wissenschaftler des Statistischen Bundesamtes bestätigen in einem unabhängigen Gutachten die Richtigkeit der Untersuchungen.» Man beachte: Mit demselben statistischen Hokuspokus, aus dem viele medizinische Forscher sich ein wissenschaftliches Mäntelchen stricken, kann man die Astrologie zur Wissenschaft erheben. Gunter Sachs bringt diese Absurdität gekonnt auf den Punkt und stellt damit, bewusst oder unbewusst, der heutigen Wissenschaft ein peinliches Armutszeugnis aus.

Von Januar 1993 bis August 1994 haben wir die in unserem früheren Fachgebiet führende europäische Zeitschrift *Radiotherapy and Oncology* im Hinblick auf Mehrfachtests untersucht. Etwa ein Drittel (!) der dort publizierten klinischen Arbeiten enthielt statistisch nicht haltbare Aussagen. Erfreulicherweise veröffentlichte das Blatt unseren dazu verfassten kritischen Artikel umgehend (Beck-Bornholdt und Dubben 1994). Drei Jahre später analysierten wir dieselbe Zeitschrift nochmals auf ebendieses Problem hin und stellten fest, dass sich nichts geändert hatte. Der Anteil der unkorrekten Arbeiten war sogar geringfügig gestiegen. Wieder verfassten wir einen Artikel, in dem wir auf insgesamt 38 unhaltbare Aussagen hinwiesen. Der neue Herausgeber von *Radiotherapy and Oncology* war jedoch nicht bereit, die Arbeit zur Veröffentlichung anzunehmen. Er lehnte sie ohne die sonst übliche Begutachtung durch andere Wissenschaftler, das so genannte *peer review*, mit der Begründung ab, sie erbringe keine neuen wissenschaftlichen Erkenntnisse. Wir widersprachen mit dem Einwand, die gerechtfertigte Richtigstellung einer nicht haltbaren Aussage sei mindestens ebenso wichtig wie die Aussage selbst[12], und die müsse ja wichtig sein, sonst hätte er sie nicht gedruckt. Der Herausgeber blieb bei seinem Standpunkt und teilte uns mit, dass unser Manuskript nicht genügend neue Informationen enthalte, um eine Veröffentlichung zu rechtfertigen.[13]

Unter den 38 unhaltbaren Aussagen befanden sich Meldungen mit eindeutig klinischem Bezug. Da die Zeitschrift als das bedeutendste Radioonkologie-Fachblatt Europas gilt, ist nicht auszuschließen, dass Sie eines Tages entsprechend dieser im «Losverfah-

12 «We believe that the justified correction of a message is as important as the message itself. If, however, the editorial policy is opposite to this view, i. e. if you consider that it is of no relevance to the readers when an untenable statement printed in *Radiotherapy and Oncology* remains uncorrected, then you will find that it is of no use to publish our manuscript.»
13 «I do regret to inform you that I do not consider your current manuscript to include sufficient new information to warrant publication and I must therefore inform you that the paper is unacceptable for publication in *Radiotherapy and Oncology*.»

ren» ermittelten und international publizierten Empfehlungen ärztlich behandelt werden.[14]

Ähnlich unwissenschaftlich wird in weiten Bereichen der Gesundheits- und Umweltepidemiologie verfahren. Die Publizisten Dirk Maxeiner und Michael Miersch (1996) beschreiben dies sehr treffend: «Wer einen Effekt findet, ist im Geschäft, wer keinen findet, ist draußen. In der Folge hat sich eine florierende Analyseindustrie entwickelt, die Gesundheitsverfahren und Umweltanklagen in Serie produziert. Eine beliebte Methode ist beispielsweise das ‹data dredging›, das Durchforsten von gewaltigen Datenbanken mit Hilfe der billigen Computerkapazität. Ein Beispiel: Wer lange genug bestimmte Lebensmittel durch bestimmte Krankengruppen rasen lässt, hat gute Chancen, irgendwann einen scheinbar auffälligen Zusammenhang zu finden. Sagen wir mal zwischen Milchkonsum und Frühgeburten, Rotkohl und grünem Star, Leberkäse und Hühneraugen.»

Kompost oder Komposition
Zusammengesetzte Endpunkte

Bei einer wissenschaftlichen Untersuchung, deren Ziel die Prüfung einer Hypothese ist, muss unbedingt vorab *(a priori)* der eine und einzige Endpunkt festgelegt werden. Das hat der letzte Abschnitt gezeigt. In manchen Fällen jedoch kann ein einzelner Endpunkt einen komplexen Sachverhalt nicht ausreichend beschreiben. Bei einer Krebsbehandlung kommt es beispielsweise nicht nur darauf

---

14 Allerdings hat hier einer von uns (HPBB) seine weiße Weste ordentlich bekleckert. Er war für sein Talent bekannt, aus den wildesten Daten wunderbare Grafiken zu zaubern – natürlich ohne zu schummeln (vgl. Kapitel «Mit der Wahrheit lügen»). Er trug die Daten auf die verschiedensten Arten auf, so lange, bis bei irgendeiner Variante eine wunderschöne Gerade entstand. Meist war es nicht schwer, das Ergebnis dann auch sinnvoll zu interpretieren. Dieses Vorgehen ist aber im Grunde nicht verschieden von den Mehrfachtests bei klinischen Studien.

an, dass der Patient vom Tumor befreit wird, sondern auch, dass der Patient keine schweren Komplikationen erleidet. Ist da die Verwendung zweier Endpunkte nicht unvermeidlich?

Für derartige Fälle bieten zusammengesetzte Endpunkte einen Ausweg. Man spricht in diesem Zusammenhang auch von kompositen Endpunkten. In dem oben beschriebenen Beispiel könnte ein Behandlungserfolg folgendermaßen definiert werden: Patienten, die tumorfrei sind *und* keine schweren Komplikationen erlitten haben. Ein Fehlschlag tritt demnach ein, wenn der Patient den Tumor nicht loswird oder schwere Komplikationen erleidet. Beides wird gleichermaßen in einem einzigen Endpunkt berücksichtigt. Die Situation ähnelt derjenigen auf der Trabrennbahn: Pferde, die galoppieren, werden disqualifiziert. Sieger ist, wer mit seinem Sulky als Erster über die Ziellinie fährt *und* dessen Pferd kein einziges Mal galoppiert hat.

Besondere Bedeutung haben in der Medizin lebensbedrohliche Erkrankungen, wie beispielsweise die koronare Herzerkrankung. Bei vielen klinischen Studien geht es daher darum, das Leben der Patienten zu retten. Der primäre Endpunkt dieser Studien sollte daher die Mortalität sein. Zählt man jedoch einzig die Mortalität als Endpunkt, dann wird die Nachbeobachtungsdauer im Allgemeinen sehr lang und die Studie daher sehr teuer. Bei einer Verkürzung der Beobachtungszeit bekommt man nur wenige Ereignisse. Nimmt man zur Mortalität nicht-letale Ereignisse, wie beispielsweise Herzinfarkte, hinzu, verkürzt sich die Beobachtungsdauer, man erfasst mehr Ereignisse, und unterm Strich benötigt man weniger Patienten. Es liegt auf der Hand, dass der zusammengesetzte Endpunkt (Tod oder Herzinfarkt) im Mittel häufiger bzw. früher eintritt als irgendeine seiner Komponenten. Sieht ganz so aus, als würde man mit kompositen Endpunkten menschliche und finanzielle Ressourcen schonen und schneller zu einem Ergebnis kommen.

Unser Schirm- und Kletterspezialist, Herr Doktor Sorglos, hat jüngst den Endpunkt «Tod oder Krankenhauseinweisung» ersonnen. Bei der konventionellen Vergleichsbehandlung beobachtete er 2 Prozent Todesfälle und 20 Prozent Einweisungen. Demgegenüber waren es bei der von ihm erfundenen neuen Rund-um-sorglos-Therapie 10 Prozent verstorbene und 5 Prozent Krankenhauseinweisungen. Die Rund-um-sorglos-Therapie ist mit 15 Prozent kompositen Ereignissen folglich erheblich besser als die konventionelle Behandlung mit 22 Prozent. Dies ist allerdings ein Äpfel-und-Birnen-Endpunkt. Hier werden zwei Komponenten zusammengestrickt, die alles andere als gleichwertig sind. Welcher Patient würde nicht doch lieber die konventionelle Therapie wählen, wegen des 5-fach niedrigeren Sterberisikos und trotz des doppelten Einweisungsrisikos? Zugegeben, dies ist ein banales Beispiel. Wir haben es uns auch nur getraut zu nehmen, weil es in der Realität tatsächlich genau so vorkommt. Und die Studie, die wir meinen, ist nicht in irgendeinem Provinzblättchen, sondern im hoch angesehenen Fachjournal *Lancet* erscheinen (TIME Investigators, 2001). In dieser Studie lautet der Endpunkt: Sterblichkeit, Herzinfarkt und Krankenhauseinweisung wegen eines akuten koronaren Syndroms[15]. In der Zusammenfassung berichten die Autoren stolz, dass es ihnen gelungen sei, die kardialen Ereignisse von 49 Prozent auf 19 Prozent abzusenken ($p < 0{,}0001$)[16]. Klarer Fall für den eiligen Leser: Die neue Therapie ist besser.

Der bedächtigere Leser erfährt auch etwas über die einzelnen Komponenten des zusammengesetzten Endpunkts. Die Ergebnisse sind in der Tabelle 13 zusammengefasst.

In der «besseren» invasiven Gruppe gibt es mehr als doppelt so viele Verstorbene wie in der anderen Gruppe. Die medikamentöse Gruppe schneidet im Wesentlichen wegen der häufigen Krankenhauseinweisungen so schlecht ab. Für welche Behandlung würden Sie sich entscheiden?

Die Studie weist noch eine weitere Fußangel auf: In der Zusammenfassung werden Anzahl und Anteil der *Patienten* mit Ereignis genannt. In der Tabelle werden die Anzahlen der *Ereignisse* verglichen. Es ist unschwer zu erkennen, dass ein Patient mehrere Ereignisse haben konnte und nicht immer nur das erste Ereignis gezählt

15 «*Mortality, non-fatal myocardial infarction, and hospital admission for acute coronary syndrome*»
16 «*Major adverse cardiac events occurred in 72 (49 %) of patients in the medical group and 29 (19 %) in the invasive group (p < 0,0001).*»

Tabelle 13: Endpunkte der TIME-Studie

Endpunkt	Optimale medikamentöse Behandlung (n = 148)	Invasive Behandlung (n = 153)
Tod	6	13
Nicht-letaler Herzinfarkt	17	12
Krankenhausein-weisung wegen akutem koronarem Syndrom	73	15
Zusammengesetzter Endpunkt	96	40

wurde. Ein Patient, der dreimal ins Krankenhaus eingeliefert wurde, aber noch lebt, bringt seiner Gruppe drei Negativpunkte ein. Ein Patient, dessen erstes und einziges Ereignis sein Ableben ist, bringt nur einen Negativpunkt ein.

Bei dem hier genannten zusammengesetzten Endpunkt werden lebenswichtige und weniger wichtige Komponenten vermischt. Das ist nicht sinnvoll und irreführend. Überdies wird das Ergebnis noch mehr dadurch verzerrt, dass der weniger bedeutsame Endpunkt von ein und demselben Patienten mehrmals erreicht werden kann, die sehr viel wichtigere Komponente Tod jedoch nicht. Man kann sich nur ein Bild vom tatsächlichen Geschehen machen, wenn man die Komponenten auch einzeln betrachtet. Dieses Beispiel zeigt darüber hinaus, dass es nicht genügt, den Abstract einer Publikation zu lesen.

Das obige Beispiel wird noch von einer Untersuchung (Schrader et al., 2005) übertroffen, in der der zusammengesetzte Endpunkt neben dem Tod auch undramatische Ereignisse erfasste wie eine so genannte TIA (Transitorisch Ischämische Attacke). Eine TIA ist eine vorübergehende Durchblutungsstörung des Gehirns, die sich unter anderem durch Gleichgewichtsstörungen, Schwindel, Seh- oder Hörstörungen bemerkbar macht. Dies sind natürlich wichtige Warnsymptome. Derartige Symptome sollte man nicht auf die leichte Schulter nehmen, nur weil sie nach kurzer Zeit wieder abklingen. Die Patienten der betreffenden Studie waren jedoch alle aufgrund vorheriger Störungen des Hirnblutflusses bereits gewarnt. Eine TIA ist für diese daher kein alarmierendes Ereignis mehr. Die TIA wurde aber in der Studie genauso gewichtet wie der Tod des Patienten. Der zusammengesetzte Endpunkt war für das angepriesene Medikament tatsächlich statistisch signifikant besser als für das Standardpräparat. Zieht man jedoch die TIA ab, dann verschwindet auch der Vorteil.

Freemantle und Mitarbeiter (2003) haben eine Übersicht über Arbeiten mit kompositen Endpunkten erstellt. Dabei zeigte sich, dass in über einem Drittel der Studien der komposite Endpunkt eine statistisch signifikante Wirkung aufwies, die Gesamtmortalität jedoch nicht.

Komposite Endpunkte sind nicht unbedingt stellvertretend für jede einzelne Komponente und können eine Wirkung auf eine relevante Komponente suggerieren, wo keine ist. Deshalb sollten nicht nur der komposite Endpunkt berichtet werden, sondern auch alle einzelnen Komponenten. Der Leser hat dann auch die Möglichkeit, die Komponenten individuell zu gewichten. Und wenn ehrlich über die Anzahl der getesteten Komponenten berichtet wird, kann der Leser auch die statistische Signifikanz der Ergebnisse unter Verwendung der Bonferroni-Korrektur einschätzen, sofern es die Autoren der Studie nicht schon selbst getan haben.

Um texanischen Scharfschützen das Handwerk zu erschweren, muss auch ein zusammengesetzter Endpunkt, wie alle anderen Endpunkte auch, *a priori* spezifiziert worden sein. Da es bedeutend mehr Kombinationsmöglichkeiten als Einzel-Endpunkte gibt, wäre sonst die Gefahr des multiplen Testens bei zusammengesetzten Endpunkten besonders groß.

Reiseroulette mit alten Autos
Mehrfachrisiken

Ein altes Auto halten wir aus gutem Grund für weniger zuverlässig als ein neues. Nehmen wir an, dass fünfzig funktionierende Komponenten (vier Zündkerzen, ein Verteiler, Benzinpumpe und deren Einzelteile, Wasserpumpe, Lichtmaschine, Keilriemen usw.) erforderlich sind, damit ein Auto fahrbereit ist. Bei Ihrem Neuwagen sind diese Komponenten auf den ersten zehntausend Kilometern mit 99,94-prozentiger Sicherheit funktionstüchtig. Die Wahrscheinlichkeit, sie pannenfrei zu überstehen, beträgt somit $0,9994^{50} = 0,97$ oder 97 Prozent. Bei den verbleibenden 3 Prozent der Neuwagen gibt es Probleme; das ist einer von 33. Mit der Zeit und den gefahrenen Kilometern nimmt die Zuverlässigkeit der Komponenten ab. Nach einigen Jahren ist sie auf 99,8 Prozent abgesackt. Das klingt zwar immer noch sehr sicher, ist es aber nicht: Die Pannenfreiheit ist auf nur noch $0,998^{50} = 0,9$ oder 90 Prozent reduziert. Mit zehnprozentiger Wahrscheinlichkeit bleibt der Wagen dann auf einer 10 000-Kilometer-Tour stehen, im Mittel also einer von zehn. Damit hat er sich als Fahrzeug eines teuren Außendienstmitarbeiters disqualifiziert. Nochmals Jahre später arbeiten die Einzelteile nur noch mit 99-prozentiger Sicherheit. Damit sinkt die Zuverlässigkeit des gesamten Wagens auf $0,99^{50} = 0,605$ oder 60,5 Prozent. Mit fast 40 Prozent Pannenwahrscheinlichkeit auf zehntausend Kilometer werden mit diesem Auto längere Reisen zum Glücksspiel.

Wenn Sie mit einem Auto die Wüste durchqueren wollen, dann steigen Ihre Überlebenschancen nicht nur mit der Zuverlässigkeit der Einzelkomponenten, sondern auch mit der Einfachheit des Fahrzeugs. Benötigt es fünfzig intakte Komponenten, um fahrbereit zu sein, so ist es deutlich anfälliger als ein Wagen, für dessen Einsatz nur zehn funktionsfähige Komponenten erforderlich sind: Bei einer Zuverlässigkeit der Einzelteile von 99,99 Prozent weist ein 50-Komponenten-Schlitten eine Sicherheit von 99,5 Prozent auf, während der spartanische 10-Komponenten-Jeep ($0,9999^{10} = 0,999$) zu 99,9 Prozent fahrbereit ist. Das Risiko, mit diesem Jeep in der Wüste eine Panne zu erleben, beträgt 1 − 0,999 = 0,001 = 0,1 Prozent. Einer von eintausend bleibt also auf der Strecke. Wenn Ihnen dieses Risiko zu hoch ist, dann fahren Sie besser im Konvoi mit beispielsweise zwei Autos, von denen zur Not ein einziges ausreicht, um die Wüste unbeschadet wieder zu verlassen. Die Wahrscheinlichkeit, dass beide Autos ausfallen, beträgt 0,001 × 0,001 = 0,000001, was bedeutet, dass nur eine von einer Million Expeditionen wegen defekter Fahrzeuge misslingen wird. Dies ist auch der Grund, weshalb nicht einzelne Kamelreiter, sondern stets Karawanen die Wüste durchqueren und bei Flug- wie Raumfahrzeugen lebenswichtige Komponenten immer mindestens doppelt vorhanden sind.[17]

Diese in der Technik längst selbstverständlichen Einsichten werden in der Wissenschaft kaum beherzigt. Sonst dürften beispielsweise in klinischen Studien nur wenige Parameter (= Komponenten) untersucht werden. Auch wäre es dann die Regel, Untersuchungen zu wiederholen. Die Forderung, dass eine Studie wenigstens einmal reproduziert werden muss, entspricht dem Vorschlag, die Wüste mit wenigstens zwei Fahrzeugen zu durchqueren.

Von Spekulanten und Scharfschützen
Mehrfachtests

> Sobald ein Optimist ein Licht erblickt, das es gar nicht gibt, findet sich ein Pessimist, der es wieder ausbläst.
> *Giovanni Guareschi*

Von einem selbstlosen Propheten erhalten Sie per Post nacheinander sechs Prognosen darüber, ob eine bestimmte Aktie in einem be-

---

17 Bei diesen Überlegungen haben wir nur Pannen durch Versagen des Autos selbst berücksichtigt. Im Grunde kommen noch äußere Faktoren dazu, wie beispielsweise verunreinigtes Benzin, die neue und alte Autos gleichermaßen betreffen.

stimmten Zeitraum steigen oder fallen wird.[18] Durch Vergleich mit den jeweils aktuellen Börsennachrichten stellen Sie fest, dass alle Prognosen richtig waren. Die Wahrscheinlichkeit, dass der Prophet einfach nur richtig geraten hat, ist sehr gering; sie beträgt etwa 1,6 Prozent.[19] Da sie kleiner als 5 Prozent ist, scheint die Treffsicherheit des Propheten statistisch signifikant zu sein. Nun erhalten Sie eine siebte Prognose zum Kauf angeboten. Der Preis ist gering im Verhältnis zum erwarteten Gewinn. Was tun Sie?

Sie werden diesem Bauernfänger hoffentlich nichts abkaufen. Wenn er tatsächlich die Kursentwicklung voraussagen könnte, dann würde er seine Zeit nicht damit verplempern, Ihnen Börsentipps anzubieten, sondern das Geschäft selber machen. Seine Strategie ist einfach und sicher: Man versende 32 000 Briefe, von denen 16 000 einen Kursanstieg und 16 000 einen Kursverfall ankündigen. Den 16 000 Adressaten mit dem richtigen Tipp schreibe man ein zweites Mal. Der einen Hälfte, also 8000, prognostiziere man wiederum steigende, der anderen sinkende Kurse, und so fahre man fort, bis 500 Personen übrig bleiben, die nacheinander sechs richtige Prognosen erhalten haben. Denen biete man den siebten Tipp gegen eine angemessene Gebühr an.

Für diese Art von Betrug sind keine hellseherischen Fähigkeiten erforderlich. Die Treffsicherheit des Börsenpropheten lässt sich aber nur dann richtig einschätzen, wenn man *alle* seine Versuche und nicht nur eine positive Auswahl kennt.

Entsprechend kann die Bedeutung eines Ergebnisses nur dann richtig beurteilt werden, wenn alle im Rahmen einer Untersuchung durchgeführten statistischen Tests bekannt sind. Dies ist jedoch in der «wissenschaftlichen» Literatur keineswegs der Fall. Häufig stellen Autoren die signifikanten Ergebnisse bevorzugt dar und verschweigen die zahlreichen erfolglosen Tests. Solchen Bauernfängern kaufen Sie hoffentlich auch nichts ab. Statistiker sprechen in diesem Zusammenhang von einer «fishing expedition». Dazu

18 Dieses Beispiel stammt von dem Mathematiker John Allen Paulos. Wir haben es in dem Buch *Das Ziegenproblem* von Gero von Randow gefunden.
19 $(0{,}5)^6 = 0{,}0156$ oder 1,6 Prozent.

nehme man einen Datensatz und untersuche so viele Parameter wie möglich. Kommt man zum Beispiel auf zwanzig, besteht bereits die reelle Chance von 64 Prozent (siehe unsere Tabelle «Wie viele Zufallsergebnisse kann man erwarten?» im Anhang I), mindestens einmal irgendetwas Signifikantes zu finden. Die Betonung liegt auf *irgend*etwas. Als ein derart «fleißiger» Forscher könnten Sie ebenso gut im Porzellanladen mit einer Schrotflinte auf ein mit Tassen gefülltes Regal schießen, dann auf die Scherben eines Mokkatässchens zeigen und behaupten, dass Sie genau diese Tasse treffen wollten.

Die Signifikanzjagd mit der Schrotflinte führt zu einer Flut nutzloser Publikationen, die wirklich wesentliche Arbeiten schwer auffindbar macht oder sogar ganz unter sich begräbt. Da Desinformation die Forschung erheblich behindert, muss aus wissenschaftlichen und im Falle klinischer Studien auch aus ethischen Gründen ein wesentlich höherer Maßstab an die Durchführung und Auswertung von Untersuchungen gelegt werden. Sollen unsere gegenwärtigen Forschungsbemühungen wirklich zu einem Fortschritt, zum Beispiel in der Medizin, führen, sodass spätere Generationen sie ernst nehmen können, dann muss der Unsinn aufhören, den Börsenpropheten und Amokläufer in Porzellanläden hervorbringen. Die konsequente und korrekte Anwendung statistischer Methoden kann dazu beitragen, diese alchemistische Ära, in der praktisch jeder Datensatz zu «signifikanten» Ergebnissen führt, zu beenden.

Übrigens wurde früher fast ausschließlich mit einem Signifikanzniveau von 0,27 Prozent, das heißt $p \leq 0{,}0027$, gearbeitet (Sachs 1978). Da stieß man nicht auf so viele «signifikante» Ergebnisse und musste entsprechend weniger publizieren. Für einen Wissenschaftler sind die gegenwärtig Monat für Monat erscheinenden «neuen Erkenntnisse» in der biomedizinischen Forschung selbst auf engen Spezialgebieten kaum noch zu bewältigen. Die Wissenschaftspolitik fördert heute nur die Informationsquantität, während Qualität kaum Beachtung findet, höchstens in dem Sinne, dass die «Qualität» einer Zeitschrift anhand der Quantität der Zitierungen bewertet wird. (Vergleichen Sie zum so genannten *impact factor* den Abschnitt «Viel Blech ist noch lange kein Auto».)

Wir sind der festen Überzeugung, dass es hier in absehbarer Zukunft zu einem Umdenken kommen muss und wird.[20] Masse allein nützt nichts. Wenn die guten Arbeiten in der Informationsflut versinken, dann haben wir es mit Desinformation zu tun. Was wir brauchen, ist nicht *mehr*, sondern *bessere* Forschung. Wenn wir weiter nach der Maxime *publish or perish* – veröffentliche oder geh vor die Hunde – verfahren, wird es die Wissenschaft sein, die vor die Hunde geht.

Ein Spiel mit gezinkten Würfeln
Reproduzierbarkeit

> Der Wissende weiß,
> dass er glauben muss.
> *Friedrich Dürrenmatt*

Was ist in dieser Situation zu tun? Wie können Irrtümer vermieden werden? Die Antwort auf diese Frage ist seit langem bekannt. In unserer Vorlesung haben wir die Studenten wieder mit einem Würfelspiel an das Problem und dessen Lösung herangeführt.

Durch das Beladen von Würfeln mit Blei wird erreicht, dass diese deutlich häufiger eine Sechs ergeben als ein normaler Würfel. In unserer Vorlesung gaben wir Gruppen von vier bis fünf Studenten jeweils eine Hand voll Würfel, unter denen sich bei einigen auch ein gezinkter Würfel befand. Die Aufgabe lautete, eine Methode zu entwickeln, wie man allein *durch Würfeln* – also nicht durch genauere Betrachtung oder Untersuchung der Würfel – herausfinden kann, ob sich unter den Würfeln gezinkte befinden und welche es sind. Des Rätsels Lösung ist, sich die Würfel nacheinander vorzunehmen, möglichst *oft* zu werfen und auf die Häufigkeit der Sechser zu achten. Das Ganze artet regelmäßig in Fleißarbeit aus.

---

20 Seit dem Erscheinen der Originalausgabe dieses Buches im Jahre 1997 ist es eigentlich nur schlimmer geworden. Dennoch haben wir die Hoffnung nicht aufgegeben.

Keine einzige Gruppe kam auf die unsinnige Idee, nur ein einziges Mal zu würfeln und zu behaupten, alle Würfel, die bei diesem einen Wurf eine Sechs zeigten, seien gezinkt. Genau so aber wird in der modernen medizinischen Forschung verfahren, ein Vorgehen, das völlig abwegig ist, denn 1. ist nicht jede Sechs Beweis für einen gezinkten Würfel, und 2. liefert ein gezinkter Würfel auch mal eine andere Zahl als die Sechs (bei unseren ist dies in etwa 20 Prozent der Würfe der Fall).

Der wissenschaftliche Begriff für wiederholtes Würfeln zur Erkennung der gezinkten Würfel heißt «Reproduzieren». Damit ein Ergebnis bestehen kann, muss es mehrfach wiederholt und bestätigt werden. Ein gezinkter Würfel ist wie eine Gesetzmäßigkeit. Die Tatsache, dass damit eine Sechs besonders häufig gewürfelt wird, ist nicht zufällig, sondern durch das Bleigewicht systematisch bedingt und deshalb reproduzierbar, was sich aber nur durch mehrfaches Würfeln feststellen lässt. Die Forderung nach der Reproduzierbarkeit von wissenschaftlichen Ergebnissen ist eine der Haupt-errungenschaften der Aufklärung.

Reproduzierbarkeit bedeutet Wiederholbarkeit an *jedem* Ort, zu *jeder* Zeit, durch *jeden* Forscher. Das funktioniert in der klassischen Physik und in der Technik wunderbar. Wenn ich Zweifel an der Erdanziehungskraft habe, dann lasse ich eine Münze oder einen Schlüssel fallen. Das lässt sich immer wieder und überall wiederholen. Will ich überprüfen, ob auch eine Vase immer und überall der Schwerkraft folgt, treten bereits die ersten Schwierigkeiten auf. Es fallen Kosten für Material (Vase) und Personal (einer muss die Scherben wegräumen) an, die die Häufigkeit des Reproduzierens limitieren. Wiederholte Experimente zur Frage «Gilt die Schwerkraft auch für gefüllte Rotweingläser über dem neuen hellen Teppich im Wohnzimmer der Nachbarn?» sind noch dazu sozial unverträglich.

Noch komplizierter wird es, wenn man sich auf das Gebiet der modernen Wissenschaft begibt. Wissenschaftler sind darauf trainiert, etwas Neues zu finden. In einer wissenschaftlichen Veröffentlichung ermahnt der Satz «Hiermit wurde *erstmals* gezeigt, dass …» den Leser nicht zur Vorsicht, sondern weist ihn bescheiden darauf hin, dass diese Arbeit eine Pioniertat ohnegleichen ist und ihren Autoren Lob und Anerkennung gebührt. Eigene Experimente zu wiederholen ist die mühsame und unspektakuläre Seite des Forschens und unterbleibt daher meistens. Es gilt der Wahlspruch: «Wiederhole nie ein erfolgreiches Experiment.» Noch langweiliger ist das Reproduzieren der Ergebnisse anderer Wissenschaftler. Wozu auch? Bekommt man dasselbe heraus wie der Entdecker, dann wird sich kaum eine Fachzeitschrift für das Ergebnis interessieren, weil es nicht neu ist. Etwas anderes herauszubekommen als der mittlerweile bekannte und hofierte Pionier ist nicht unbedingt förderlich für die Karriere. Und negative Ergebnisse werden nicht gerne genommen. Mit etwas Pech bekommt man sie mit der Bemerkung zurück, man habe wohl nicht sauber genug gearbeitet. Mit etwas Glück werden sie vielleicht doch irgendwann veröffentlicht, dann aber deutlich später als positive Ergebnisse. Da aber die Anzahl der Veröffentlichungen immer noch das zentrale Kriterium für den Erfolg wissenschaftlicher Arbeit ist, tut man sich mit der Wiederholung fremder Experimente keinen Gefallen.

Je teurer ein Experiment ist, desto unwahrscheinlicher ist es, dass es wiederholt wird. Das Vorhaben, die Experimente eines anderen Wissenschaftlers zu reproduzieren, klingt für potenzielle Geldgeber nicht gerade attraktiv. Patentierbare Resultate, die sich später bezahlt machen, wird man so schon gar nicht gewinnen. Hat man die Finanzierungshürde genommen und ist es nach mehrjähriger Arbeit gelungen, das ursprüngliche Ergebnis zu reproduzieren, kann man zwar sicherer sein, dass das Resultat stimmt – bewiesen ist mit der einmaligen Überprüfung aber noch lange nichts. Ob man aber zur weiteren Wiederholung und Absicherung der Daten die notwendigen Geldgeber auftreibt, ist mehr als fraglich. Irgendwo endet die Reproduzierbarkeit.

In der medizinischen Forschung kommen zu den finanziellen Problemen ethische hinzu. Bei Erkrankungen mit irreversiblen Folgen und wenn es um Menschenleben geht, ist der Preis für das Reproduzieren offenbar zu hoch. Klinische Studien dürfen nur durchgeführt werden, wenn die Chancen für die Patienten in den Versuchsarmen, nach Ausschöpfung aller verfügbaren Informationen, gleich sind. Nur wenn wirklich unklar ist, welche Behandlung die bessere ist, dürfen die Therapien in einer klinischen Studie miteinander verglichen werden. Etwas anderes würde keine Ethik-Kommission genehmigen. Hat eine Studie ein einziges Mal gezeigt, dass Therapie A besser als Therapie B ist, dann kann diese Studie aus ethischen Gründen eigentlich nicht wiederholt werden. Obwohl es nicht *sicher* ist, dass Therapie A wirklich die bessere ist, stehen die Chancen jetzt nicht mehr *gleich*. Ethik und Wissenschaftlichkeit erscheinen unvereinbar. Kann ethische Medizin überhaupt wissenschaftlich sein?

Wir können die Frage nicht beantworten, aber noch weiter verkomplizieren: Kann unwissenschaftliche Medizin ethisch sein? Mit der gegenwärtigen Praxis klinischer Studien besteht die Gefahr, dass mit wackeligen Ergebnissen Behandlungsmodalitäten für die Zukunft festgeschrieben werden, die für zukünftige Patienten nachteilig sind. Ethik und Wissenschaft stecken in einem Dilemma. Ethisch korrekte Behandlung der Patienten von heute verbietet Wissenschaftlichkeit. Damit wird eine Verbesserung der medizinischen Behandlung unterbunden, was ebenfalls ethisch unkorrekt ist, nämlich den zukünftigen Patienten gegenüber. Rigorose Wissenschaftlichkeit heute wäre ethisch korrekt den zukünftigen, aber nicht den gegenwärtigen Patienten gegenüber.

Heute mal ganz ausgelassen
Unterschlagung von Informationen

> Die hinterhältigste Lüge ist die Auslassung.
> *Simone de Beauvoir*

Im Reiseprospekt sah das ganz anders aus. Die Terrasse, der Garten, ein paar Bäume und Büsche, dahinter gleich der Sandstrand – die sechsspurige Straße dazwischen war auf dem Foto nicht zu erahnen. Und tatsächlich, von der Stelle aus, und nur von dort, wo der Fotograf gestanden haben muss, kann man die Straße nicht sehen – nur hören. Diese Art zu lügen, nämlich durch Auslassen und Verschweigen, ist in Reiseprospekten nicht erlaubt. Die Straße muss zumindest im Text erwähnt werden. In der Wissenschaft dagegen ist man in dieser Hinsicht sehr viel freizügiger.

Reden ist Silber, Schweigen ist Gold
Verschweigen von Daten

Bevor wir einige Beispiele aus verschiedenen Wissenschaftsbereichen erläutern, möchten wir Sie mit dieser Manipulationsmöglichkeit anhand eines ausgedachten einfachen Vorgangs vertraut machen. Abbildung 16 zeigt den Bestandsverlauf einer inzwischen seltenen Käferart im Harz. Offensichtlich ist sie vom Aussterben bedroht, hat sich aber in den letzten Jahren auf niedrigem Niveau halten können.

Abbildung 17 hingegen zeigt den Furcht erregenden Anstieg eines Schädlingsbestandes im Harz. Wir sehen, dass diese Schädlinge im Jahre 2004 praktisch noch nicht vorkamen. Seit 2005 verdoppelt sich ihre Anzahl jedoch jedes Jahr.

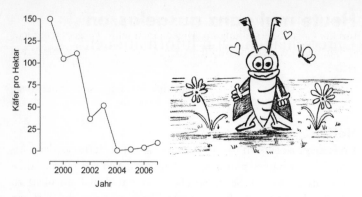

Abbildung 16: Bestand einer inzwischen seltenen, vom Aussterben bedrohten und völlig frei erfundenen Käferart im Harz

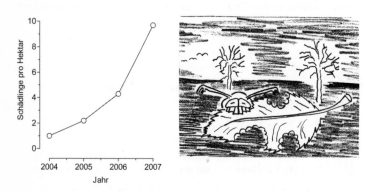

Abbildung 17: Rasante Entwicklung von Schädlingen im Harz

Beide Abbildungen beruhen auf denselben Daten. Die erste zeigt den gesamten Verlauf von 1999 bis 2007, während die zweite lediglich den Ausschnitt von 2004 bis 2007 darstellt, wobei die senkrechte Achse gestreckt ist. Wenn man wie hier die Möglichkeit hat, beide Abbildungen direkt miteinander zu vergleichen, fällt sofort auf, wie billig und trotzdem wirkungsvoll dieser Trick ist. In der

Realität sind derartige Manipulationen nicht so auffällig, weil die direkte Gegenüberstellung im Allgemeinen fehlt. Dass es trotzdem möglich ist, Auslassungssünden aufzudecken, zeigen die folgenden realen Fälle.

Heiße Luft?
Globale Erwärmung

> Prediction is very difficult, especially about the future.
> *Niels Bohr*

Eine gegenwärtig weit verbreitete Vorstellung ist, dass sich unser Planet mit katastrophalen Folgen für die Zukunft langsam, aber stetig erwärmt, weil wir Menschen die Atmosphäre verunreinigen. Diese Ansicht wird mit dem Temperaturverlauf der letzten 110 Jahre (Abbildung 18) untermauert, in denen tatsächlich ein Anstieg um etwa 0,7 Grad Celsius zu verzeichnen ist.

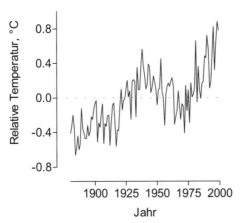

Abbildung 18: Globale Erwärmung in der nördlichen Hemisphäre seit 1880 (NASA 2000)

Diese Erwärmung lässt sich allerdings auch als längst fällige Erholung von einer vorhergehenden Kälteperiode einstufen.

Zusammen mit Ergebnissen der Analyse von Sedimenten in abgelegenen und damit ungestörten Alpenseen wurde im Mai 1997 in *Nature* (Sommaruga-Wögrath et al. 1997) der Verlauf der Lufttemperatur von 1778 bis 1991 veröffentlicht (Abbildung 19). Der aus Abbildung 18 bekannte Temperaturanstieg der letzten hundert Jahre wird damit bestätigt. Hinzu kommt, dass die Temperatur während der hundert Jahre davor um etwa denselben Wert abgenommen hat. Zu garantiert industrie- und autofreien Zeiten war es also schon einmal genauso warm wie heute. Uns ist dabei klar, dass die Angabe einer Durchschnittstemperatur für ein geographisch stark gegliedertes Land wie Österreich ein bedenkliches Unterfangen ist. Diese Bedenken treffen allerdings in weit größerem Maße auch auf die Temperaturangabe für die gesamte nördliche Hemisphäre zu. Theoretiker der globalen Erwärmung bevorzugen Ab-

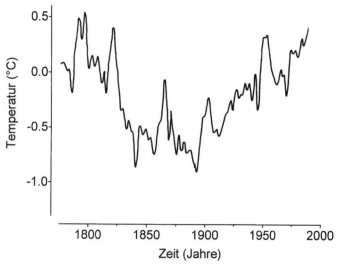

Abbildung 19: Mittlere Lufttemperatur in Österreich von 1778 bis 1991 (nach Sommaruga-Wögrath et al. 1997)

bildung 18, die bemerkenswerterweise genau zu dem Zeitpunkt beginnt, an dem die Temperatur der letzten zweihundert Jahre am niedrigsten war.

Schauen wir doch noch weiter zurück. Der Temperaturverlauf auf unserem Planeten kann durch Untersuchungen von Eisbohrkernen in der Antarktis und in Grönland rekonstruiert werden (Broecker 1996; Lamont-Doherty Earth Observatory, 1996). Abbildung 20 zeigt die Temperaturentwicklung über die letzten 110 000 Jahre. In dieser Zeitspanne schwankte die Temperatur um etwa 10 Grad Celsius. Die letzten Jahrtausende erscheinen eher als eine Zeit mit weitgehend konstanter Temperatur. Daneben fällt der «Besorgnis erregende» Temperaturanstieg der letzten 110 Jahre (Abbildung 18) derart gering aus, dass er in Abbildung 20 kaum noch erkennbar ist. Er befindet sich ganz rechts im letzten halben Millimeter der Kurve.

Es ist völlig normal, dass die mittlere Temperatur auf unserem Globus nicht nur über die Jahreszeiten schwankt, sondern auch in Perioden von Jahrhunderten und Jahrtausenden. Stellt man mit den Wassertemperaturdaten von Mai bis Juli Hochrechnungen an, dann lässt sich aus ihnen der Schluss ziehen, dass man gegen

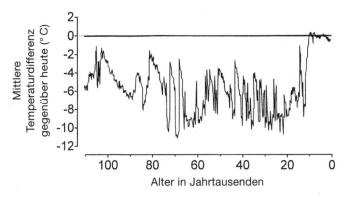

Abbildung 20: Globale Temperatur während der letzten 110 000 Jahre, ermittelt durch Messungen an Bohrkernen im grönländischen Eisschild (Broecker 1996)

Ostern des folgenden Jahres im Mittelmeer Eier kochen kann. Das ist Blödsinn, denn wir wissen, dass sich die Temperatur periodisch verändert und sich der Anstieg wieder umkehrt. Genauso unsinnig ist es, mit den Daten der letzten 110 Jahre Prognosen zur zukünftigen Klimaentwicklung vorzunehmen. Zwischen Eis- und Warmzeiten steigt die Temperatur kontinuierlich an und nimmt zur nächsten Eiszeit hin wieder ab. Dieser über zig Jahrtausende ablaufende Wechsel ist altbekannt. Es gab ihn, schon lange bevor die ersten Menschen auf der Erde auftauchten und lange bevor der erste Industrieschornstein rauchte. Wer Abbildung 20 betrachtet, könnte leicht auf den Gedanken kommen, dass sich möglicherweise demnächst eine der vielen schnellen Temperaturabnahmen vollziehen wird. Steht uns vielleicht sogar eine globale Erkältung bevor?

Hitzefrei
Der heißeste 8. Juni der letzten hundert Jahre

Während wir über diesen Zeilen schwitzten, hörten wir im Radio, dass der 8. Juni 1996 der heißeste 8. Juni der letzten einhundert Jahre gewesen sei. Ist dies wieder ein Beleg für globale Erwärmung? Keineswegs!

Das Jahr hat 365 Tage. Für jeden von ihnen gibt es ein Jahr in den letzten einhundert Jahren, in dem es an dem Tag im Vergleich zu allen anderen Tagen desselben Datums am heißesten war. Wenn keine zunehmende Erwärmung stattfindet, dann sind diese heißesten Tage gleichmäßig über die einhundert Jahre verteilt. In jedem Jahr gibt es dann im Mittel 365/100 = 3,65, also drei bis vier «heißeste Tage der letzten hundert Jahre». Entsprechend natürlich auch drei bis vier kälteste Tage, schwülste Nächte und so fort.

Persönlich bevorzugen wir Abbildung 18, weil wir es gern etwas wärmer hätten, können leider jedoch nicht ganz daran glauben. Wir wissen auch nicht, ob es anhaltend wärmer oder kälter werden wird oder ob die Temperaturen bleiben, wie sie sind. Aber wenn Sie durch unsere Ausführungen zum Thema «globale Erwärmung» etwas skeptisch geworden sind, dann haben wir schon viel erreicht. Zweifeln Sie an allem! Natürlich auch an dem, was Sie in diesem Buch finden. Als Fachleute für Biophysik und Strahlenbiologie haben wir nicht mehr Ahnung von Meteorologie als andere Laien. Andererseits muss man nicht unbedingt ein Fachmann für Amalgam, Rinderwahnsinn, Elektrosmog usw. sein, um in öffentlichen Diskussionen zur Debatte gestellte Argumente auf ihre Schlüssigkeit überprüfen zu können.

Land in Sicht!
Steigende Meeresspiegel?

> Je populärer eine Idee, desto weniger denkt man über sie nach, und desto wichtiger wird es also, ihre Grenzen zu untersuchen.
> *Paul Feyerabend*

Da wir schon einmal dabei sind, über globale Erwärmung zu schreiben, können wir es uns nicht verkneifen, an dieser Stelle vom eigentlichen Thema des Kapitels etwas abzuweichen und einige von keinerlei Fachkenntnis gebremste Zweifel an angeblich bevorstehenden Klimakatastrophen vorzubringen. Eine immer wiederkehrende Prophezeiung lautet: «Wenn sich die Temperatur kontinuierlich erhöht, dann schmelzen die Polkappen, und damit steigt dann auch der Meeresspiegel.» Sie hat unter anderem bereits dazu geführt, dass sich die kleinsten Inselstaaten zu einer Gemeinschaft zusammengeschlossen haben, um so ihre «existenziellen» Interessen am Klimaschutz effektiver vertreten zu können. Wir trauen der Geschichte nicht.

Beginnen wir mit dem Eismeer um den Nordpol und mit einem kleinen Experiment. Nehmen Sie ein Trinkglas, geben Sie eine große Portion Eiswürfel hinein, und füllen Sie es mit Wasser auf, sodass das Eis schwimmt. Stellen Sie es auf einen Tisch, und markieren Sie mit einem Filzstift den Wasserspiegel. Was geschieht mit ihm, wenn das Eis schmilzt? – Nichts! Warum? Eis ist leichter als Wasser, darum schwimmt es ja auch. Es verdrängt genau so viel Wasser, wie es seinem Gewicht entspricht. Das Volumen, mit dem es unter Wasser war, und das Volumen, das entsteht, wenn es schmilzt, sind identisch. Dasselbe gilt natürlich für Eisberge. Fast die gesamte nördliche Eiskappe schwimmt auf dem Meer. Selbst wenn sie vollständig abschmelzen sollte, würde sich der Meeresspiegel deswegen nicht ändern[1]. Diese Erkenntnis ist nicht neu. Sie geht auf den Griechen Archimedes (285 bis 212 vor unserer Zeitrechnung) zurück.

Am Südpol ist es anders, weil dort das Eis nicht schwimmt, sondern auf dem antarktischen Kontinent aufliegt. Die Temperaturen sind allerdings deutlich niedriger als am Nordpol. Sie betragen um minus 40 Grad Celsius. Nach einer «Erwärmung» um 5 Grad auf minus 35 Grad Celsius würde das Eis noch lange nicht schmelzen, allenfalls an den Rändern, aber die schwimmen auf dem Meer (weitere Argumentation siehe Nordpol). Doch das ist noch nicht alles. Woher kommt denn das Eis auf dem Südpol? Vom Schnee. Und woher kommt der Schnee? Aus der Atmosphäre. Und wie kommt er dorthin? Durch Verdunstung anderswo auf dem Planeten. Diese nimmt aber mit der Temperatur zu. Wenn es also «wärmer» wird, dann ist mehr Wasser in der Atmosphäre gelöst, und damit steigt auch die Niederschlagsmenge. Die jährliche Schneemenge ist in der Antarktis umso größer, je «wärmer» das Jahr ist, weil dann mehr Wasser mit der Luft transportiert wird. Bei einem Temperaturanstieg um einige Grad nimmt die Eisdecke in der Antarktis also zu! Die Folge müsste demnach ein *sinkender* Meeresspiegel sein.

Nun könnte man einwenden: «Das mag ja alles sein, aber die ganzen Gletscher in den Alpen, auf Grönland und im Himalaja und sonst wo, die werden wegschmelzen. Und dann steigt der Meeresspiegel.» Stimmt! Ob die geringe Menge aber ausreicht, um die

---

1 Diese Aussage stimmt nicht hundertprozentig. Wasser hat bei verschiedenen Temperaturen eine unterschiedliche Dichte und dehnt sich oberhalb von 4 Grad Celsius aus. Dieses Argument jedoch wird in der öffentlichen Diskussion über die steigenden Meeresspiegel nur selten verwendet.

zunehmende Eisdecke am Südpol auszugleichen, erscheint fraglich. Außerdem: Im Winter ist die nördliche Halbkugel mit ziemlich viel Schnee und Eis bedeckt. Im Frühjahr führt die Schneeschmelze regelmäßig zu Überflutungen an den Flussufern. Aber haben Sie schon einmal gehört, dass sie zu einem Anstieg des Meeresspiegels geführt hätte?

Es gibt noch viele andere Faktoren, die den Meeresspiegel bei steigender Temperatur beeinflussen können: Luftfeuchtigkeit und Niederschläge, Löslichkeit von Salzen, Bewegungen der Erdkruste, Temperaturausdehnung des Wassers usw. Wir, die Autoren dieses Buches, wissen wenig über sie. Wir können also auch nicht sagen, ob der Meeresspiegel steigen oder sinken wird, wenn die globale Temperatur um 5 Grad Celsius ansteigt. Die üblichen Argumente überzeugen uns jedoch nicht. Sie sind ebenso gut geeignet, ein Sinken des Meeresspiegels zu prophezeien.

Unsere Bemerkungen sollen keine Anstiftung zum Kauf von Grundstücken zwischen Helgoland und Sylt sein. Wir wünschen uns nur mehr Sachlichkeit und weniger Sensations- und Katastrophengeilheit in derartigen Diskussionen.

Was ich nicht weiß, macht mich nicht heiß
Verschweigen von Daten in der Krebsforschung

> Betrügen war schon immer eine Kunst.
> Seit einiger Zeit ist es auch eine Wissenschaft.
> *Federico Di Trocchio*

Um das nun folgende authentische Beispiel aus der Krebsforschung verstehen zu können, brauchen wir ein paar Erläuterungen. Ein fraglos wichtiges Kriterium für den Erfolg einer Krebstherapie ist die Verlängerung der Lebensdauer eines Patienten, der unbehandelt sehr bald sterben würde. Diese Wirkung wird als Überlebensrate angegeben, die Auskunft darüber gibt, wie viele Patienten zum Beispiel fünf Jahre nach der Behandlung noch leben. Wenn es gelingt, einen Tumor vollständig zu beseitigen und ein späteres Wiederaufwachsen zu verhindern, dann gilt der Patient als «lokal geheilt». Das Wort «lokal» bezieht sich dabei auf den Ort des Tumors beziehungsweise die Körperregion, die chirurgisch oder strahlentherapeutisch behandelt wurde. Die Qualität einer Therapie spiegelt sich also auch in der «lokalen Heilungsrate» wider, die angibt, bei wie vielen Patienten (wieder nach zum Beispiel fünf Jahren) der behandelte Tumor nicht nachgewachsen ist. Nun ist es jedoch möglich, dass ein Patient zwar erfolgreich behandelt wurde und lokal geheilt ist, aber dennoch an Tochtergeschwülsten, so genannten Metastasen, stirbt. Wir sehen, dass die beiden Qualitätskriterien Überlebensrate und lokale Heilungsrate keineswegs identisch sind.

Es gibt Tumoren, die auf eine Behandlung sehr schlecht ansprechen, mit denen man aber lange leben kann. Bei ihnen ist die lokale Heilungsrate gering, die Überlebensrate dagegen hoch. Im umgekehrten Fall ist der Tumor zwar lokal leicht zu heilen, die Überlebensrate aber wegen starker Metastasenbildung gering. Um die Behandlungsergebnisse möglichst vollständig darzustellen, ist es in der medizinischen Fachliteratur daher üblich, beide Erfolgskriterien anzugeben.

Nun zu unserem authentischen Fall. Es geht um die Bestrahlung von Tumoren im Kopf-Hals-Bereich. In einer britischen Studie wurden Krebspatienten mit zwei verschiedenen Therapien behandelt. Abbildung 21 zeigt die Ergebnisse, die wir der internationalen Fachliteratur entnommen haben (Saunders et al. 1991).

Im oberen Teil der Abbildung ist die lokale Heilungsrate gegen die Zeit aufgetragen. Die gestrichelte Kurve bezieht sich auf eine neue Behandlungsmethode, deren positiver Effekt mit Hilfe der Studie bestätigt werden sollte (Saunders et al. 1991). Die durchgezogene Kurve zeigt das Resultat einer Vergleichsgruppe von Patienten, die eine konventionelle Therapie erhielten. Bei einem Teil der Patienten konnte der Tumor nicht vollständig vernichtet werden; deswegen beginnen die Kurven am Anfang nicht bei 100 Prozent, sondern bei 90 beziehungsweise 60 Prozent. Im Laufe der Zeit zeigte sich, dass die Beseitigung des Tumors bei einem Teil der Patienten doch nicht von Dauer war – die Tumoren wuchsen wieder auf. Aus diesem Grund sinken die beiden Kurven mit der Zeit ab. Nach drei Jahren (36 Monaten) kam es jedoch zu keinen weiteren

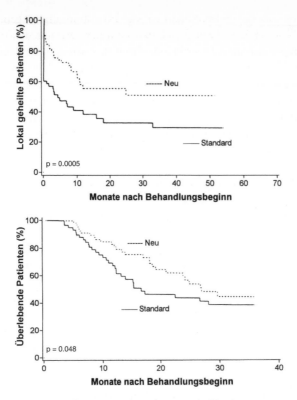

Abbildung 21: Ergebnisse einer Studie zur Strahlentherapie von Kopf-Hals-Tumoren (Saunders et al. 1991). Die obere Abbildung ist auch in Lehrbüchern zu finden (Joiner 1993).

Rückfällen mehr; die Kurven verlaufen jetzt waagerecht. Wer es bis dahin geschafft hatte, tumorfrei zu bleiben, war offenbar tatsächlich geheilt. Die gestrichelte Kurve liegt in der oberen Abbildung immer über der durchgezogenen. Die Behandlungsergebnisse der neuen Therapie führten offensichtlich zu einem höheren Prozentsatz geheilter Patienten. Sie war für die Erkrankten anscheinend deutlich günstiger.

Im unteren Teil der Abbildung ist die Überlebensrate (Prozentsatz der überlebenden Patienten) gegen die Zeit aufgetragen. Obwohl bei der Standardtherapie in 40 Prozent der Fälle der Tumor unter der Behandlung nicht verschwand, also lokal nicht geheilt wurde, lebten alle Patienten noch mehrere Monate lang (durchgezogene Kurve). Daher verläuft die Kurve zunächst horizontal und fällt erst später ab. Die Überlebenskurve der neuen Behandlungsmethode liegt höher als die der Standardtherapie. Es zeigt sich also auch in der unteren Grafik ein deutlicher Vorteil zugunsten der neuen Behandlung. Allerdings nur, weil geschummelt wurde.

Wenn man weiß, ob ein Patient geheilt wurde, dann ist auch bekannt, ob er noch lebt. Daher müssen beide Zeitachsen, die der lokalen Heilungsrate und die der Überlebensrate, gleich lang sein. Sind sie aber nicht. Die untere Zeitachse erstreckt sich über 36, die obere über etwa 53 Monate. Wir sehen nur einen Teil der Überlebenskurve. Offenbar gab es hier etwas zu verbergen! Damit der Schwindel nicht gleich ins Auge springt, wurde die Zeitachse der Überlebenskurve etwas gestreckt, bis sie genauso lang war wie die Zeitachse der Heilungen. Wir hatten den Verdacht, dass sich die Überlebenskurven nach mehr als drei Jahren überschneiden und sich die anfänglich vorteilhafte neue Therapie langfristig als die schlechtere entpuppen könnte. Solche Überschneidungen der Überlebenskurven sind durchaus möglich, auch wenn die lokalen Heilungskurven parallel verlaufen. Beispielsweise ist denkbar, dass die Patienten, bei denen eine lokale Heilung nicht gelungen ist, nach der konventionellen Therapie deutlich länger leben als nach der neuen. Auch könnten sich nach Einsatz des neuen Behandlungsverfahrens mehr Metastasen bilden als bei der Standardmethode.

Unmittelbar nach Erscheinen des Artikels haben wir diese Darstellungsweise in einem Leserbrief an die Herausgeber der Zeitschrift beanstandet (Beck-Bornholdt und Dubben 1992). Ein Leserbrief wird in der Fachpresse aber erst dann abgedruckt, wenn eine Stellungnahme der kritisierten Autoren vorliegt. Die hatten es jedoch überhaupt nicht eilig und ließen sich mit der Antwort ein Jahr (!) Zeit, was unserer Auffassung nach daran gelegen haben dürfte, dass zu diesem Zeitpunkt eine große internationale Studie zu ebenjener Therapie von ebenjenen Autoren initiiert wurde. Eine solche multizentrische Untersuchung lässt sich jedoch nur dann erfolgreich durchführen, wenn alle beteiligten Kliniken regelmäßig Patientendaten einbringen. In der Anlaufphase, bevor in den einzelnen Kliniken die Beteiligung zur Routine geworden ist, hätte eine öffentliche Infragestellung der Ergebnisse durch unseren Leserbrief das Projekt gefährden können, weil dann vielleicht einige Kliniken auf die Idee gekommen wären, die Zusammenarbeit aufzukündigen.

So erhielten wir die Antwort (Dische et al. 1992) erst viel später. Sie bestätigte unseren Verdacht: «Der Überlebensvorteil ... verschwindet nach fünf Jahren.» («The advantage in overall survival shown ... is lost by the fifth year.») Dabei hielten es die Autoren nicht für notwendig, in ihrer Stellungnahme das vollständige Ergebnis zu präsentieren. Sie zogen es vielmehr vor, die schlechten Resultate weiterhin zu verschweigen. Ob sich eventuell sogar ein Nachteil für die mit der neuen Therapie behandelten Patienten ergeben hat, ist nicht bekannt, da keine Aktualisierung der in Abbildung 21 gezeigten unvollständigen Resultate erschienen ist. Dennoch sind die Ergebnisse dieser Untersuchung zu einem festen Bestandteil einschlägiger Fortbildungsveranstaltungen und Lehrbücher (Joiner 1993) geworden. Die groß angelegte internationale Studie mit insgesamt über neunhundert Patienten ist mittlerweile abgeschlossen. Ein Vorteil der neuen Therapie gegenüber der alten hat sich dabei für die Patienten mit Tumoren im Hals-Kopf-Bereich nicht ergeben (Dische und Saunders 1996).

Wir haben gesehen, dass die Dauer der Nachbeobachtung entscheidend für die Einschätzung der Wirksamkeit einer Therapie sein kann. Bei der Lektüre der Literatur unseres Fachgebietes fällt uns immer wieder auf, dass es zahlreiche international bekannte und viel zitierte große Studien gibt, über die lediglich vorläufige Berichte veröffentlicht wurden, so genannte *preliminary* oder *interim reports*. Zum Teil sind die endgültigen Ergebnisse auch dann nicht erschienen, wenn die Arbeitsgruppe noch viele Jahre weiter auf demselben Gebiet geforscht und publiziert hat. Die Vermutung liegt nahe, dass den Autoren die endgültigen Ergebnisse nicht mehr genehm waren. Die zwangsläufig unvollständigen Ergebnisse eines *preliminary report* finden oft große Verbreitung[2], ohne dass sie jemals durch spätere *final reports* bestätigt werden. Diese Art der voreiligen Veröffentlichung wirft auch erhebliche statistische Probleme auf, sodass darauf *völlig* verzichtet werden sollte (Simon 1993). Nicht umsonst wird beim Pferderennen von vornherein festgelegt, über welche Distanz das Rennen geht. Dürfte der Zocker nachträglich festlegen, welche Strecke zu werten ist, würde es für einen Gewinn genügen, wenn das Pferd, auf das er gesetzt hat, zu *irgendeinem* Zeitpunkt des Rennens vorne lag. Diese einleuchtende Grundregel wird in der Wissenschaft häufig nicht eingehalten.

Not macht erfinderisch
Betrug durch Hinzudichten von Ergebnissen

> Corriger la fortune.
> *Gotthold Ephraim Lessing*

In seinem Buch *Der große Schwindel: Betrug und Fälschung in der Wissenschaft* beschreibt Federico Di Trocchio [1994] eine erschreckende Zunahme von Wissenschaftsfälschungen in den letzten Jahrzehnten[3]. Er zeigt, wie sich die Wissenschaft von einer Beru-

---

2 Marcial et al. (1987) ist ein viel zitiertes Beispiel auf dem Gebiet der Radioonkologie. Auch sehr häufig zitiert wird ein Abstract von Datta et al. (1989), das nie zur Publikation gelangte. Lobend hervorzuheben ist hingegen die Studie von Bogaert et al. (1986), von der neun Jahre später ein «Up-date» (Bogaert et al. 1995) erschien. Durch die längere Nachbeobachtungszeit manifestierten sich hoch signifikante schwerste Nebenwirkungen der neuen Therapie. Die katastrophalen Ergebnisse werden zwar ehrlich angegeben, sind aber im Text derart versteckt, dass sie der flüchtige Leser mit Sicherheit übersieht.
3 Einen Fall aus unserem ehemaligen Fachgebiet haben wir in einem Leserbrief aufgedeckt (Dubben und Beck-Bornholdt 1995). Er bezieht sich auf einen Artikel (Burnet et al. 1994), in dem die Autoren nach einigen Jahren die Stirn besaßen, die aus Opportunismus verschwiegenen Daten einer

fung zu einem Beruf wandelte, wie die gegenwärtigen Betrügereien mit dem System der Forschungsfinanzierung zusammenhängen und wie das System der «Big Science», die mit Millionen finanzierte Großforschung unserer Tage, zur Beute mittelmäßiger und betrügerischer Wissenschaftler wird.

Das Weglassen unliebsamer Messwerte ist wahrscheinlich eine der häufigsten Formen von Fälschung in der Wissenschaft. Es gibt aber auch das Gegenteil, das *Erfinden* von Messwerten.

Ein Beispiel aus der Krebsforschung ist die so genannte NSABP-Studie (Fisher et al. 1989). Sie ist Grundlage der brusterhaltenden Therapie des Mammakarzinoms. Zunächst konnte man nur im Internet, jetzt auch in gedruckter Form nachlesen (Fisher et al. 1995), dass ein Autor der Studie (nicht Fisher!) gefälschte Daten eingereicht hatte. Die Reihenfolge der Autorennamen im Titel dieser Studie, an der zahlreiche Kliniken beteiligt waren, sollte sich nach der Anzahl der eingebrachten Patienten richten. Anscheinend wollte der Fälscher gern weiter vorn in der Autorenliste stehen und hat einfach Patienten dazuerfunden.

Ein weiteres Beispiel für brisante Fälschungen in der Krebsforschung ist die Hochdosis-Chemotherapie beim Mammakarzinom. Bei dieser Therapieform werden den Patientinnen zunächst Stammzellen aus dem Knochenmark entnommen, dann werden ihnen extrem hohe Dosen von Chemotherapeutika verabreicht, und anschließend erhalten die Patientinnen ihre Blut bildenden Zellen wieder zurück. Mit dieser Methode sorgte Werner Bezwoda, Professor für Hämatologie und Onkologie an der Universität Witwatersrand in Johannesburg/Südafrika, 1995 für Aufsehen, da er über außergewöhnlich gute Ergebnisse berichtete. Die Behandlungsmethode wurde daraufhin überall in der Welt etabliert. Im Jahre 1999 bekam die Euphorie einen ersten Dämpfer. Eine skandinavische und zwei amerikanische Studien fanden keinerlei Vor-

früheren Untersuchung (Burnet et al. 1992) zu einem späteren Zeitpunkt doch noch zu veröffentlichen. Die ursprüngliche und unvollständige Fassung steht mittlerweile im Lehrbuch (Begg 1993). Die aufgeregte Antwort der Autoren auf unseren knappen Leserbrief findet man bei Burnet et al. (1995).

teile dieser radikalen Therapieform. Nur eine vierte Untersuchung bestätigte Bezwodas Ergebnisse von 1995. Der Schönheitsfehler war allerdings, dass der Autor dieser vierten Studie Bezwoda selbst war.

Ein US-Forscherteam suchte Bezwoda im Januar 2000 auf. Die Sichtung der Akten ergab eine ganze Reihe von Widersprüchen und Fälschungen. Anfang Februar legte Bezwoda ein Geständnis ab und zog seine Ergebnisse zurück. Die Ergebnisse der Überprüfung wurden im Frühjahr 2000 veröffentlicht (Farham & Bradbury 2000; Hagmann 2000).

Zum Thema Fälschungen schreibt Erwin Chargaff (1992): «In den letzten zweihundert Jahren war in den reinen Naturwissenschaften die Publikation gefälschter und erlogener Resultate etwas überaus Seltenes ... [Dies] beruhte darauf, dass angesichts der relativ geringen Zahl von Arbeiten die Wahrscheinlichkeit sehr groß war, dass jede halbwegs wichtige Beobachtung innerhalb von ein oder zwei Jahren widerlegt oder bestätigt worden wäre. Dies trifft nicht mehr zu, denn besonders auf den als biomedizinische Forschung bezeichneten Gebieten ist die Fülle der Arbeiten so überwältigend, die Versuchsanordnung so kompliziert und kostspielig und die experimentelle Beschreibung oft so ungenau und oberflächlich, dass eine Wiederholung viel zu schwierig und uneinladend ist. Trotzdem ist in den letzten Jahren eine überraschend große Menge von Schwindel und Gaunerei aufgedeckt worden, meistens als Folge von Denunziation und Berufsneid; und das ist wahrscheinlich nur die sprichwörtliche Spitze des Eisbergs.»

Wo bleibt das Negative?
Unausgewogene Berichterstattung in der
Wissenschaft – publication bias

«... auch negative Ergebnisse
müssen veröffentlicht oder der Öffentlichkeit
anderweitig zugänglich gemacht werden.»
Deklaration von Helsinki, Weltärztebund

Vom Beginn einer klinischen Studie über die Lektüre der Publikation bis zur Anwendung ihrer Ergebnisse sind zahlreiche Hürden zu nehmen, mit der Folge, dass nicht alle Resultate veröffentlicht werden. Diese Hürden sind häufig eher psychologischer und publizistischer als wissenschaftlicher Natur. Das, was die Endverbraucher wissenschaftlicher Information, also Wissenschaftler, Ärztinnen und Patienten, im Rahmen einer Literaturrecherche finden, ist häufig kein getreues Abbild dessen, was tatsächlich in Kliniken und Labors zu dem Thema erforscht worden ist. Man spricht von *publication bias*, wenn die veröffentlichten Forschungsergebnisse nicht repräsentativ für alle erzielten Resultate sind. *Bias* kommt aus dem Englischen und bedeutet systematische Abweichung, Verzerrung. *Publication bias* ist unausgewogene Berichterstattung in der Wissenschaft.

Der älteste uns bekannte Hinweis [1] auf dieses Phänomen geht auf den Philosophen und Atheisten Diagoras von der Insel Milos zurück. Diagoras wurde vor 2500 Jahren angesichts der Danktafeln (Abb. 22 links), die gerettete Schiffbrüchige in einem Tempel aufgestellt hatten, von einem Priester gefragt, ob dies nicht ausreichende Evidenz für die Existenz der Götter sei. Worauf Diagoras entgegnet haben soll: «*Und wo sind die Tafeln der Ertrunkenen?*»

Bei Diagoras' Schiffbrüchigen ist die positiv eingefärbte Berichterstattung offensichtlich. Kein einziger Ertrunkener hat nach

---

1 Gefunden bei Petticrew 1998.

Abbildung 22: In der Antike erreichten die Danksagungen geretteter Schiffbrüchiger die Tempel zuverlässiger als die Beschwerdebriefe der Ertrunkenen. Tempelbesucher erhielten dadurch ein übertrieben positives Bild von den göttlichen Aktivitäten auf hoher See. Positive und negative wissenschaftliche Ergebnisse der Gegenwart gelangen ebenfalls mit unterschiedlicher Zuverlässigkeit in die universitären und ärztlichen Lesetempel und lassen so ein verzerrtes Bild der Wissenschaft entstehen.

menschlichem Ermessen die Gelegenheit gehabt, sein Missfallen mit einer Tafel im Tempel kundzutun. Im Tempel werden zu 100 Prozent positive Ergebnisse gezeigt. In einer der führenden medizinischen Fachzeitschriften, dem *New England Journal of Medicine*, betrug der Anteil positiver Ergebnisse 88 Prozent. In psychologischen Fachzeitschriften betrug der Anteil sogar über 95 Prozent (Dickersin & Min 1993; Sterling 1959) und erinnert damit an «Wahlergebnisse» in totalitären Staaten. Derart hohe Anteile an positiven Ergebnissen lassen deutlich Zweifel aufkommen, ob diese Berichte repräsentativ für das sind, was tatsächlich alles erforscht wurde. In der Waschpulverreklame sind wir darauf gefasst, dass ein einseitiges Bild des angepriesenen Produkts gezeichnet wird. An die Wissenschaft haben wir höhere Ansprüche. Die Diagoras-Frage lautet also: *« Und wo sind die Veröffentlichungen der Studien mit negativem Ergebnis?»*

Auf Spurensuche

Wie entsteht *publication bias*?

Im Werdegang einer Studie und deren Publikation gibt es vier Stationen, die für die Untersuchung und den Nachweis von *publication bias* besonders interessant sind: 1.) Die etwaige Erfassung der Studien, auch derer, die später nicht publiziert werden. 2.) Die Autoren der Studien, die entscheiden, ob sie ihre Ergebnisse überhaupt publizieren wollen. 3.) Die wissenschaftlichen Fachzeitschriften beziehungsweise deren Herausgeber und Gutachter und schließlich 4.) der Verbraucher, also die Ärztin, der Patient, die Wissenschaftlerin, denn sie muss die Studie in der umfangreichen internationalen Fachliteratur unvoreingenommen suchen, finden und möglichst unvoreingenommen lesen, bewerten und verwerten. Diese vier Stationen werden im Folgenden näher beschrieben.

Für die Untersuchungen des *publication bias* ist zunächst eine Informationsquelle notwendig, die möglichst *alle* klinischen Studien unabhängig von ihrem Ergebnis erfasst. Dies wäre dann gewährleistet, wenn ein Forschungsvorhaben bei Initiierung oder

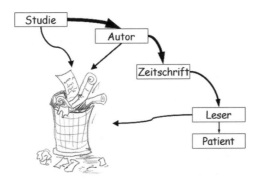

Abbildung 23: Längst nicht alle wissenschaftlichen Ergebnisse kommen dem Patienten zugute. Auf dem beschwerlichen Weg von der Studie bis zum Patienten bleibt ein großer Teil der Ergebnisse auf der Strecke und landet im Papierkorb.

zumindest zu einem Zeitpunkt, an dem noch keine Ergebnisse vorliegen, registriert wird. Mehrere Autoren[2] untersuchten das Schicksal von Forschungsprojekten, die von Ethikkommissionen genehmigt worden waren. Projekte mit statistisch signifikanten Ergebnissen hatten eine mehr als dreifach höhere Chance, publiziert zu werden als nicht-signifikante. Bei den methodisch anspruchsvolleren randomisierten kontrollierten Studien fanden Easterbrook und Mitarbeiter allerdings keinen Hinweis auf *publication bias*.

Wissenschaftliche Kongresse sind häufig das erste Forum, auf dem neue Forschungsergebnisse vorgestellt werden. Daher bieten sie eine interessante Gelegenheit zur Untersuchung von *publication bias*. Callaham und Mitarbeiter (1998) konnten zeigen, dass eingereichte Forschungsarbeiten mit einem positiven Ergebnis etwa doppelt so gute Chancen hatten, zum Kongress angenommen zu werden, als mit negativem Ergebnis. Scherer und Mitarbeiter (1994) untersuchten, ob und wann randomisierte kontrollierte Studien, die auf Ophthalmologenkongressen im Jahre 1988 und 1989 vorgestellt worden waren, später veröffentlicht wurden. Nur etwa die Hälfte der Studien wurde nachfolgend veröffentlicht, die meisten binnen zwei Jahren. Dabei zeigte sich eine leichte Bevorzugung signifikanter Ergebnisse.[3]

Forscher sind darauf aus, etwas Neues zu finden. Das ist auch die Erwartung der Gesellschaft an die Wissenschaft. Fremde Experimente und Studien zu wiederholen und damit zu überprüfen, wird folglich von Wissenschaftlern als langweilig empfunden und ist mit dem Verdacht verbunden, man habe keine eigenen erforschenswerten Ideen und koche aus diesem Grunde lediglich die Studien seiner wesentlich intelligenteren und kreativeren Kollegen nach. So finden kritische Überprüfungen der häufig bejubelten positiven Ergebnisse kaum statt – schon gar nicht, wenn sie arbeitsaufwendig sind. Aber auch bei der Erforschung neuer und auf eigenen Ideen beruhender Zusammenhänge möchte man lieber herausfinden, dass dieses oder jenes funktioniert, und nicht, dass es nicht

2 Easterbrook *et al.* (1991); Dickersin *et al.* (1992); Stern & Simes (1997).
3 Siehe auch: Hopewell & McDonald 2003; Klassen *et al.*, 2002; Timmer *et al.*, 2002.

funktioniert. Manche Autoren sind also enttäuscht und entmutigt, wenn sie negative Ergebnisse haben, und zögern, diese überhaupt zur Publikation einzureichen.

Ioannidis (1998) untersuchte den Verbleib aller 109 randomisierten Wirksamkeitsstudien, die im Zeitraum von 1986 bis 1996 von der *AIDS Clinical Trials Group* und von der *Terry Beirn Community Programs for Clinical Research on AIDS* durchgeführt wurden. Vom Studienbeginn bis zur Veröffentlichung verstrichen bei positiven Studien im Median 4,3 Jahre, bei «negativen» Studien waren es 6,5 Jahre (p < 0,001). Von den 6,5 − 4,3 = 2,2 Jahren Unterschied konnten etwa 1,4 Jahre auf das Zeitintervall zwischen Vollendung der Nachbeobachtung und der Veröffentlichung zurückgeführt werden. Diese beobachtete zeitliche Differenz ist vermutlich der Beitrag der Autoren und Herausgeber am *publication bias*. Zu weiteren Verzögerungen führt möglicherweise die Qualität, sprich Größe, der Studie. Ioannidis (1998) zeigte auch, dass die Studien mit negativem Ergebnis etwa doppelt so viele Patienten wie die positiven eingeschlossen hatten. Dies erfordert natürlich mehr Zeit für die Patientenrekrutierung, und entsprechend später liegen die Ergebnisse vor. Diese größeren Studien sind aussagekräftiger als die kleineren, aber ihre Vorbereitung durch beispielsweise das Anwerben von kooperierenden Kliniken benötigt nochmals mehr Zeit. Damit ist auch der Beginn der negativen Studien verzögert. Insgesamt erscheinen daher Studien mit negativem Ergebnis meist einige Jahre nach den positiven Studien zu derselben Fragestellung. In der Zwischenzeit gibt es übertriebene Vorstellungen über den Nutzen eines Medikamentes oder einer Therapie. Dieser initialen Welle der Euphorie folgt dann nicht selten eine Phase der allmählichen Ernüchterung.

Stern & Simes (1997) zeigten ebenfalls, dass negative Studien später veröffentlicht werden als positive *(time-lag bias)*. Die Abbildung 24 zeigt den Anteil der nicht-publizierten Arbeiten im Verlauf der Zeit nach Genehmigung durch eine Ethikkommission. Die Kurve für die Studien mit statistisch signifikanten Ergebnissen fällt früher ab, das heißt, dass diese Studien früher veröffentlicht werden als Studien mit nicht-signifikanten Ergebnissen, bei denen der Verlauf deutlich flacher ist. Nach etwa fünf Jahren war die Hälfte aller positiven Studien veröffentlicht. Bei den Studien mit negativen Ergebnissen dauerte es etwa drei Jahre länger. Nach 10 Jahren waren nur 15 Prozent der signifikanten Studien noch nicht publiziert. Bei den nicht-signifikanten Studien waren es demgegenüber fast die Hälfte. Am flachsten verläuft die Kurve für diejenigen Studien, die *fast* signifikant sind. Ob dies daran liegt, dass die Autoren der Studien hoffen, dass sich durch längeres Nachbeobachten doch noch ein signifikantes Resultat ergeben könnte?

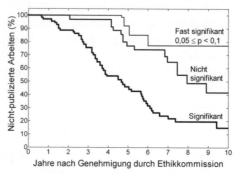

Abbildung 24: Anteil der nicht-publizierten Arbeiten im Verlauf der Zeit nach Genehmigung durch eine Ethikkommission. Studien mit statistisch signifikanten Ergebnissen werden häufiger und früher veröffentlicht als Studien mit nicht-signifikanten Ergebnissen (nach Stern & Simes, 1997).

Bei Befragung werden von Forschern unterschiedliche Gründe dafür angegeben, dass sie ihre Ergebnisse nicht veröffentlicht haben: Das Ergebnis sei nicht signifikant; der Sponsor halte die Daten zurück; Veröffentlichung sei nicht Ziel der Studie gewesen; keine Zeit oder kein Interesse mehr; «unwichtige» Ergebnisse; Ablehnung des Manuskriptes befürchtet; andere Publikation mit ähnlichen Ergebnissen zwischenzeitlich in der Literatur gefunden; Wechsel der Arbeitsstelle usw. Methodische Probleme oder eine tatsächliche Ablehnung des Manuskripts betreffen nur jeweils ca. 10 Prozent der nicht-publizierten Studien[4].

4 Dickersin *et al.* 1992, Dickersin & Min 1993, Easterbrook *et al.* 1991,

Lexchin und Mitarbeiter (2003) zeigten, dass von der Pharmaindustrie finanzierte Medikamentenstudien seltener zur Publikation gelangten als Studien mit anderen Finanzierungsquellen. Ferner gelangten industriefinanzierte Studien etwa viermal so häufig zu einem positiven Ergebnis als die anderen Studien. Lexchin und Mitarbeiter fanden keine offensichtlichen Hinweise auf Unterschiede in der methodischen Qualität zwischen pharma- und anderweitig gesponserten Studien und vermuten daher als Ursache *publication bias*, d. h., Pharma-Studien mit negativen Ergebnissen bleiben noch häufiger unter Verschluss. Als weitere mögliche Ursache führen sie inadäquate Vergleichsbehandlungen an, die beispielsweise darin bestehen können, dass man die Kontrollgruppe mit dem Konkurrenzpräparat behandelt – allerdings hoffnungslos unterdosiert. In einer Horde Maulesel ist eben ein mittelmäßiges Pferd bereits ein Champion.

Das Gegenstück zum Verschweigen unliebsamer Daten ist die mehrfache und selektive Veröffentlichung angenehmer, meist positiver Ergebnisse. Eine Form davon ist die Aufspaltung großer multizentrischer Studien in viele kleinere Berichte, bei denen so getan wird, als ob es sich jeweils um unterschiedliche Studien handeln würde. Da die Autoren es versäumen, auf diesen Umstand hinzuweisen, und sich in der Autorenschaft abwechseln, ist es sehr schwierig, derartige Mehrfachpublikationen zu erkennen (Gilbody & Song 2000). Es ist schon kriminalistische Hartnäckigkeit erforderlich, um Existenz und Wirkung verdeckter Mehrfachpublikationen aufzudecken.

Melander und Mitarbeiter (2003) verglichen 42 placebo-kontrollierte Studien über fünf verschiedene Antidepressiva, die zwischen 1983 und 1999 bei der *Swedish Drug Regulatory Authority* zur Genehmigung eingereicht worden waren, mit den tatsächlich daraus hervorgegangenen Publikationen. Von den insgesamt 42 Studien fielen 21 positiv aus. 19 der 21 positiven Studien wurden veröffentlicht, während von den 21 Studien mit negativen Ergebnissen lediglich 6 zu einer Publikation führten. Aus einem tatsäch-

Horton 1997, Misakian & Bero 1998, Weber *et al.* 1998, Timmer *et al.* 2002.

lichen 21:21 (also unentschieden) wird für den Leser der Fachliteratur ein 19:6 zugunsten der Studien mit signifikantem Ergebnis.

Huston und Moher (1996) fanden eine besondere Perle: eine Studie, die in derselben Zeitschrift innerhalb von fünf Jahren zweimal publiziert wurde. Weil sie so schön unverschämt ist, hier gleich die Zitate:

> McMillan, J. I.: Tolmetin sodium vs ibuprofen in rheumatoid arthritis patients previously untreated with either drug: a double blind cross-over study. *Curr. Ther. Res.* 22 (1977), S. 266–275.
> McMillan, J. I.: Rheumatoid arthritis: a double blind study comparing tolmetin sodium with ibuprofen in patients untreated with either drug previously. *Curr. Ther. Res.* 31 (1982), S. 813–820.

Die verdeckte mehrfache Veröffentlichung positiver Studien erweckt den Eindruck, dass sehr viel mehr Studien mit obendrein ähnlichen Ergebnissen durchgeführt wurden. Dies führt zu einer Überschätzung der Evidenz dieser Ergebnisse. Eine weitere Vermehrung der Publikationen findet durch zahlreiche Metaanalysen und Übersichtsartikel statt, die sich mehr oder weniger überschneiden. Auch hier kann inkorrektes Zitieren es schwierig bis unmöglich machen, die tatsächliche Evidenz richtig einzuschätzen. Es liegt auf der Hand, dass dies zum Schaden der Patienten ist, aber kommerziellen Interessen entgegenkommt – zumindest kurzfristig betrachtet.

Eine andere Art von Unausgewogenheit entsteht durch das selektive Berichten über bestimmte Arten der Auswertung (Melander *et al.* 2003). 41 von 42 der der *Swedish Drug Regulatory Authority* vorgelegten Studienberichte enthielten zwei oder mehr alternative Datenanalysen («*intention to treat*» und «*per protocol*»). Diese Berichte führten zu 28 Publikationen, in denen in nur zwei Fällen beide Analysen präsentiert wurden. Ansonsten wurde nur über das meist industriefreundlichere Ergebnis einer «*per protocol*»-Analyse berichtet, bei der nicht protokollkonform behandelte Patienten ausgeschlossen werden. Dies führt zu einer erheblichen Überschätzung des Nutzens der getesteten Medikamente (siehe auch Seite 240).

Nicht alle Autoren haben die Unverschämtheit und das Glück, mit ein und denselben Daten mehrfach Lorbeer zu ernten. Es kann auch schwierig sein, eine Arbeit überhaupt zu publizieren. Wenn ein Manuskript aber erst einmal geschrieben ist, wird es häufig so lange bei verschiedenen Zeitschriften eingereicht, bis es jemand annimmt. Wissenschaftler stehen unter Druck, möglichst viel und in möglichst hochrangigen Zeitschriften zu veröffentlichen. Bei der ersten Einreichung zielt der Autor im Allgemeinen auf das Journal mit dem höchsten Ansehen, das sein Manuskript nach eigener Einschätzung gerade noch nehmen müsste. In der Regel wird das ein internationales englischsprachiges Blatt sein. Wird die Arbeit vom Traumblatt abgelehnt, gibt ein erfahrener Autor nicht auf. Das Manuskript hat ja viel Mühe und Zeit gekostet, und der Autor kann seine Existenz nicht mit abgelehnten Arbeiten rechtfertigen. Das Manuskript landet also auf dem Schreibtisch des Herausgebers der Zeitschrift mit dem nächstniedrigen Rang. Mit der Anzahl der Versuche nimmt das Ansehen der gewählten Zeitschrift ab, damit meist auch der Verbreitungsgrad, und am Ende lauert ein nationales Blatt, das den Artikel in der Landessprache herausgibt. Wenn nun negative Ergebnisse mit höherer Wahrscheinlichkeit abgelehnt werden als positive, dann liegt es auf der Hand, dass erstere im Mittel eine längere Strecke auf dem Leidensweg in Richtung zum Bezirksblatt zurücklegen. Da am Anfang die Eigeneinschätzung der Autoren eine Rolle spielt und negative Ergebnisse auch von den Autoren gering geschätzt werden, beginnt obendrein der Weg negativer Studien nicht beim Top-Journal, sondern bei Zeitschriften mit geringerem Ansehen.

Insgesamt bleibt festzuhalten, dass es für Forscher zahlreiche Beweggründe gibt, Ergebnisse zurückzuhalten. Dies betrifft in erster Linie negative Ergebnisse. Insbesondere bei positiven Ergebnissen besteht die Tendenz, diese mehrfach zu veröffentlichen. Die veröffentlichte (!) Literatur über *publication bias* zeigt also, dass die Autoren in erheblichem Ausmaß zur Unausgewogenheit der Berichterstattung in der Wissenschaft beitragen. Ob die Literatur über Unausgewogenheit der Berichterstattung in der Wissenschaft selbst ausgewogen ist, haben wir gesondert untersucht (Dubben und Beck-Bornholdt, 2005). Wir fanden keine eindeutigen Hinweise, aber mangels zum Thema publizierter Masse ist unsere Untersuchung mit einer großen Wahrscheinlichkeit für einen Fehler zweiter Art behaftet (siehe Kapitel «Im Nebel nach Übersehь»).

Neben den Autoren tragen auch Herausgeber und Gutachter *(peer rewiewer)* zum Mauerblümchendasein negativer Ergebnisse bei. Ioannidis (1998) und Stern & Simes (1997) stellten in ihren Untersuchungen fest, dass lediglich Studien mit negativen Ergebnissen von mehr als einer Zeitschrift abgelehnt wurden. Es gibt offenbar eine selektive Akzeptanz von positiven Arbeiten bei den Fachzeitschriften. Anno dazumal war dies sogar klare Direktive: *«mere confirmation of known facts will be accepted only in exceptional cases; the same applies to reports of experiments and observations having no positive outcome.»* Diese markigen Worte stammen aus den Instruktionen für Autoren der Zeitschrift *Diabetologia* im Jahre 1984 und sind mittlerweile zurückgenommen. Sie geben aber den Zeitgeist eindrucksvoll wieder. Und einige Zeitgeister sind sehr haltbar. Ungefähr so haltbar wie ihre Träger. Insgesamt entsteht der Eindruck, dass bei den Zeitschriften positive und «passende» Ergebnisse erwünschter sind als deren Gegenstücke.

Mit zunehmendem Einfluss der Evidenzbasierten Medizin enthalten Anzeigen für Arzneimittel in Fachzeitschriften immer häufiger bibliographische Hinweise. Villanueva und Mitarbeiter (2003) untersuchten anhand der Anzeigen für Antihypertensiva und für Lipidsenker in sechs spanischen Fachzeitschriften des Jahrgangs 1997, inwieweit die angeführten Studien tatsächlich die Aussagen der Werbung stützten. Trotz großzügiger Bewertung *(in dubio pro reo)* zeigte sich, dass fast die Hälfte (45 von 102) der Werbeaussagen nicht durch die zitierte Studie belegt wurde. In 20 Fällen wurde in der Werbung ein Medikament einer Patientengruppe empfohlen, die sich von der in der zitierten Studie untersuchten Gruppe unterschied. In 15 Fällen wurde aus einer Studie an Hochrisikogruppen auf Patienten mit durchschnittlichem Risiko geschlossen. In vier Fällen wurde das Medikament genau solchen Patienten empfohlen, die zuvor aus der Studie ausgeschlossen worden waren. In einem Fall wurde von Experimenten an Zellkulturen und tierexperimentellen Untersuchungen auf den Menschen geschlossen. In zehn Fällen wurde die Wirksamkeit übertrieben dargestellt, in neun Fällen wurden Risikoreduktionen behauptet, die nicht nachgewiesen waren, und in sechs Fällen hatten die Studien überhaupt nichts mit dem beworbenen Produkt zu tun. Die Autoren der Untersuchung schließen aus ihren Ergebnissen, dass bei den bibliographischen Hinweisen in der Werbung erhebliche Skepsis geboten ist.

Auch der Endverbraucher wissenschaftlicher Veröffentlichungen trägt dazu bei, dass er unausgewogen informiert ist. Der Endverbraucher liest lieber etwas über positive Ergebnisse als einen Text, der ihm verrät, dass irgendetwas nicht funktioniert. Er liest und zitiert am liebsten das, was seine eigene Auffassung bestätigt. Da ist der Forscher ganz Mensch, die beiden Autoren dieses Buches natürlich eingeschlossen, wie ein unbeabsichtigter Selbstversuch zeigte: Beim Erarbeiten dieses Themas haben wir Publikationen, die die Existenz von *publication bias* festgestellt hatten, viel lieber gesehen und ernster genommen als solche, die keinen *publication bias* gefunden hatten. Als uns das auffiel, lag das gerade erwähnte Projekt «Gibt es *publication bias* in der Literatur über *publication bias*» sehr nahe.

Modeerscheinungen in der Wissenschaft
Durch Pausen unterbrochene Strahlentherapie von Tumoren

In der Wissenschaft gibt es Modeerscheinungen wie in der Haute Couture. Dass sich die bearbeiteten Themen mit dem Wind und dem Geldgeber drehen, ist bekannt und zu erwarten. Erstaunlich ist jedoch, dass auch die erzielten Resultate saisonbedingt sind. Ein Beispiel dafür zeigt eine systematische Übersichtsarbeit aus der Radio-Onkologie (Dubben *et al.* 2001). Im Allgemeinen erstreckt sich die strahlentherapeutische Behandlung von Tumoren über mehrere Wochen. Die Bestrahlungen werden im Allgemeinen täglich gegeben, genauer gesagt fünfmal pro Woche. Zwangsläufig entstehen hin und wieder längere Behandlungspausen: Der Patient erscheint nicht, das Bestrahlungsgerät funktioniert nicht, Ostern, Weihnachten etc. Zeitweise werden Bestrahlungspausen aber auch ärztlich verordnet. Die Autoren untersuchten, welche Evidenz zu der Frage vorliegt, ob eine Bestrahlungspause von mehreren Tagen oder Wochen negative Folgen für den Behandlungserfolg hat. Hierbei stellten sie fest, dass publizierte Untersuchungen der 70er Jahre fast einhellig zu dem Ergebnis führten, dass sich Bestrahlungspausen positiv auswirken. Seit Mitte der 80er Jahre gelangten die publizierten Untersuchungen genau zum gegenteiligen Resultat (siehe Abbildung 25).

Eine Kehrtwende in den Naturgesetzen ist unwahrscheinlich. Eher spiegelt die Grafik einen Wechsel der Mode wider. Die veröf-

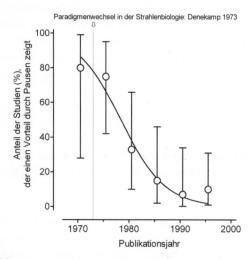

Abbildung 25: Anteil «positiver» Publikationen über die Wirkung von Pausen während einer Strahlentherapie in Abhängigkeit vom Erscheinungsjahr. Eine Studie wurde als «positiv» bezeichnet, wenn sie eine von Pausen unterbrochene Strahlentherapie als vorteilhaft gegenüber einer kontinuierlichen Behandlung darstellte. Gruppen von je 5 Jahren, erste Gruppe von 1966 bis Mitte 1972. 95 %-Vertrauensbereiche nach Binomialstatistik. Die Verringerung des Anteils mit der Zeit ist hoch signifikant ($p < 0,000002$; ≤ 1982 vs. > 1982; Chi-Quadrat-Test).

fentlichten Arbeiten reflektieren nicht unbedingt die Sachlage, sondern zum überwiegenden Teil den so genannten *main stream*, die vorherrschende Meinung. Während früher durch Pausen unterbrochene Strahlentherapien als modern und vorteilhaft galten, sind sie heute verpönt. Früher glaubte man, dass sich das mitbestrahlte Normalgewebe in einer Pause schneller erholt als der Tumor. Heutzutage glaubt man das Gegenteil. Auslöser für den Umschwung ist möglicherweise eine viel zitierte strahlenbiologische Arbeit aus dem Jahre 1973, in der die Reaktion von Mäusehaut auf Strahlung untersucht wurde (Denekamp 1973).

Es ist denkbar, dass Patienten durch die gegenwärtige Ächtung von Pausen eine nützliche Therapieoption vorenthalten wird. Ebenso ist es möglich, dass Patienten suboptimal behandelt werden, wenn Behandlungspausen auftreten, wie z. B. an Wochenenden, an Feiertagen und bei Geräteausfall. Wegen der unausgewogenen Berichterstattung in der Wissenschaft und der unzureichenden Trennschärfe der durchgeführten Studien ist auch nach mehr als 100 Jahren Strahlentherapie der Einfluss von Behandlungsunterbrechungen nicht wissenschaftlich geklärt. Nicht von der Hand zu weisen ist der Einwand, dass sich in den letzten Jahrzehnten die physikalische Bestrahlungsplanung derart gewandelt hat, dass sich der Einfluss der Pausen vom Vorteil zum Nachteil verkehrt haben könnte. Wissenschaftliche Belege dafür konnte uns jedoch noch niemand nennen.

Das Negative des Positiven
Die Folgen unausgewogener Berichterstattung in der Wissenschaft

Veröffentlichungen in den medizinischen Fachzeitschriften haben erheblichen Einfluss auf die Behandlungskonzepte für Patienten. Die besprochenen Verzerrungen bewirken, dass Studien mit signifikanten Ergebnissen bevorzugt, schneller und prominenter publiziert werden und dass diese Arbeiten in Literaturrecherchen entsprechend häufiger, früher und einfacher wieder aufgefunden werden. Daher muss davon ausgegangen werden, dass in Übersichtsarbeiten und Metaanalysen die Behandlungseffekte überschätzt werden und zum Teil Effekte gesehen werden, wo gar keine sind.

Obwohl *publication bias* seit Jahrzehnten bekannt ist, werden seine Folgen in der wissenschaftlichen Literatur kaum berücksichtigt. So zeigte eine Untersuchung über die Qualität systematischer Übersichtsarbeiten, dass nur bei 3 bis 7 Prozent der Metaanalysen der Versuch unternommen wurde zu prüfen, ob *publication bias* vorliegt (Linde *et al.* 1997).

Publication bias hat auch entscheidenden Einfluss auf Leitlinien, die von den verschiedenen Fachgesellschaften zur Behandlung von Erkrankungen erstellt werden. Dies gilt selbstverständlich auch für evidenzbasierte Leitlinien. *Publication bias* ist eine der zentralen Schwierigkeiten der Evidenzbasierten Medizin (EBM), denn diese setzt zwingend voraus, dass alle Studien umfassend bzw. in gleicher Zugänglichkeit der Öffentlichkeit zur Verfügung stehen. Sutton und Mitarbeiter (2000) untersuchten alle systematischen Übersichtsarbeiten in der *Cochrane Database of Systematic Reviews* (1998, issue 3). Berücksichtigt wurden alle 48 Metaanalysen mit mindestens 10 Studien, bei denen mindestens ein dichotomer Endpunkt[5] untersucht wurde. Etwa die Hälfte der Metaanalysen war von *publication bias* betroffen. Bei vier der 48 Metaanalysen ergaben sich nach Korrektur für *publication bias* erhebliche Änderungen bei den Schlussfolgerungen. Drei Metaanalysen mit zunächst signifikanten Ergebnissen waren nach der Berücksichtigung von *publication bias* nicht mehr signifikant. Eine Metaanalyse, die als nicht-signifikant und indifferent eingestuft worden war, stellte sich nach der Analyse als signifikant negativ heraus. Die Autoren schlussfolgern, dass die Ergebnisse der Metaanalysen in etwa einem Zehntel der Fälle durch *publication bias* erheblich beeinflusst werden.

Eine wichtige Säule der Evidenzbasierten Medizin ist das Zusammentragen klinischer Ergebnisse in systematischen Übersichtsarbeiten und Metaanalysen. Man kann vernünftigerweise jedoch

5 Dichotomer Endpunkt: Das Ergebnis lautet «ja» oder «nein».

nicht erwarten, dass eine solche Meta-Arbeit besser ist als die Studien, die darin eingegangen sind. Mitunter reicht ein einziges faules Ei, um ein bis dahin aussichtsreiches Omelett komplett zu verderben. Es besteht die Gefahr, dass unwissenschaftlich erhobene positive Ergebnisse, durch *publication bias* angereichert, zu einem dann selbstverständlich positiven Ergebnis verbacken werden und durch das Etikett «evidenzbasiert» bzw. «EBM» das Mäntelchen der Wissenschaftlichkeit erhalten.

... es wäre doch so einfach!
Registrierung klinischer Studien

In der Deklaration des Weltärztebundes von Helsinki (52. Generalversammlung des Weltärztebundes, Edinburgh, Schottland, Oktober 2000) wurde festgehalten:

> *«Die Pläne aller Studien sind der Öffentlichkeit zugänglich zu machen.»*
> *«Positive, aber auch negative Ergebnisse müssen veröffentlicht oder der Öffentlichkeit anderweitig zugänglich gemacht werden.»*

Das bisher Dargestellte zeigt, dass die derzeit praktizierte medizinische Wissenschaft mit ethischen Grundsätzen kollidiert. Es war sicherlich gut gemeint: In einem Editorial (Shields 2000) kündigte die Zeitschrift *Cancer Epidemiology, Biomarkers & Prevention* an, dass sie eine Rubrik für negative Ergebnisse einrichten werde. Dies sei ein Beitrag zur Vermeidung von *publication bias*. Die Arbeiten müssten sich jedoch auf eine einzige Druckseite beschränken, und es werde eine vollständige und nachvollziehbare Darstellung der geprüften Hypothese, der Methodik – einschließlich Biometrie – sowie der erzielten Ergebnisse erwartet. Dieses Feigenblatt erscheint so wirkungsvoll wie eine Gleichstellungsmaßnahme in einem patriarchalischen Land, der zufolge in Zukunft auch weib-

Abbildung 26: Fast alles wird registriert, aber Experimente am Menschen nicht.

liche Abgeordnete gewählt werden dürften, sofern sie besonders gut aussähen und sich mit einem Stehplatz in der hintersten Ecke des Plenarsaals begnügten.

Am besten wäre es, *publication bias* von vornherein zu vermeiden. Chalmers (1990) und Dickersin (1990) schlugen vor, klinische Studien prospektiv zu registrieren, da die vorherige Aufnahme von Studien in ein Register ganz sicher unabhängig von deren zukünftigen Ergebnissen ist. Die Registrierung würde darüber hinaus das Auffinden publizierter Studien erleichtern (Jull *et al.* 2002).

Eine denkbare Strategie wäre es, Ethikkommissionen mit einzubeziehen. Diese sind ohnehin über alle Studien an Patienten unterrichtet, und keine kann ohne deren Genehmigung vonstatten gehen. Es wäre für diese Kommissionen relativ einfach, auf eine Registrierung der Studien gemäß der *International Standardised RCT*

Numbers zu bestehen. Die erhaltene Nummer gilt als Beweis für die Registrierung. Dass so etwas machbar ist, sieht man daran, dass in allen Ländern dieser Welt jedes noch so kleine Auto mit einem eindeutigen und registrierten Kennzeichen versehen ist (Abb. 26) und selbst Bücher eine *International Standard Book Number* (ISBN) haben. Mit der Registrierung sollte natürlich eine Publikationspflicht verbunden sein, und beim Publizieren müsste das Kennzeichen genannt werden, um Mehrfachpublikationen zu vermeiden bzw. kenntlich zu machen.

Dass die *A-priori*-Registrierung der Studien einen entscheidenden Unterschied machen kann, hat Simes (1986, 1987) gezeigt. Die Analyse aller veröffentlichten Studien zur Behandlung fortgeschrittener Ovarialkarzinome kommt zu dem Ergebnis, dass eine Kombinationschemotherapie der Behandlung mit einem einzelnen Wirkstoff überlegen sei. Eine zweite Analyse jedoch, die ausschließlich auf den Ergebnissen von Studien beruht, die bei ihrer Auflage registriert wurden, führte nicht zu diesem Ergebnis. Möglicherweise war hier die im ersten Fall bestehende Unausgewogenheit der Berichterstattung zugunsten positiver Ergebnisse durch die Registrierung reduziert worden.

Fußball, Zufall, Sensationen
Permutationen, Kombinationen, Binomialstatistik

Lotto ist ein reines Glücksspiel. Niemand kann die Zahlen, die am nächsten Sonnabend gezogen werden, vorausahnen oder gar berechnen. Wer gewinnt, hat einfach nur Glück gehabt. Es gibt keine guten oder schlechten Lottospieler. Aber beim Toto ist es sicher anders, oder? Ausgebuffte Fußballkenner müssten doch wissen, wer gegen wen gewinnt. – Aber wie viele Bundesligatrainer sind Totomillionäre geworden? Wer hat dank der allwöchentlich gedruckten Trainertipps Geld gescheffelt? In diesem Kapitel erfahren Sie mehr über die Fußballbundesliga, über Verwechslungsmöglichkeiten, Sitz(un)ordnungen und seltene Ereignisse.

Kerzen, Kabel, Kaffeekränzchen
Permutationen

Letzten Sonntag habe ich die Zündkerzen in meinem Auto erneuert. Ich entfernte die vier Kabel, schraubte die alten Zündkerzen heraus und setzte die neuen ein. Dann musste ich nur noch die Kabel wieder anschließen, aber welches Kabel an welche Kerze? Zu allem Unheil fing es auch noch zu regnen an, sodass ich mich dem Problem erst mal am Schreibtisch zuwandte. Planloses Ausprobieren schien mir ohnehin nicht angebracht. Also listete ich alle Möglichkeiten auf, die nach dem Regenschauer durchzuchecken waren. Dazu nummerierte ich die Kerzen (I bis IV) und Kabel (1 bis 4) und machte mir folgenden Plan:

Tabelle 14: Die 24 verschiedenen Möglichkeiten, vier Kabel an vier Zündkerzen anzuschließen

Kerze	I	II	III	IV		I	II	III	IV
Kabel	1	2	3	4	Kabel	3	1	2	4
Kabel	1	2	4	3	Kabel	3	1	4	2
Kabel	1	3	2	4	Kabel	3	2	1	4
Kabel	1	3	4	2	Kabel	3	2	4	1
Kabel	1	4	2	3	Kabel	3	4	1	2
Kabel	1	4	3	2	Kabel	3	4	2	1
Kabel	2	1	3	4	Kabel	4	1	2	3
Kabel	2	1	4	3	Kabel	4	1	3	2
Kabel	2	3	1	4	Kabel	4	2	1	3
Kabel	2	3	4	1	Kabel	4	2	3	1
Kabel	2	4	1	3	Kabel	4	3	1	2
Kabel	2	4	3	1	Kabel	4	3	2	1

Insgesamt ergaben sich also 24 Möglichkeiten, so genannte Permutationen. Mit der Liste vor Augen fiel mir auf, dass sich diese Anzahl auch anders bestimmen lässt: Für das erste Kabel habe ich vier Möglichkeiten, für das zweite, wenn das erste angeschlossen ist, nur noch drei. Bei den ersten beiden Kabeln habe ich es also bereits mit $4 \times 3 = 12$ Möglichkeiten zu tun. Ist auch das zweite angeschlossen, sind fürs dritte nur noch zwei Varianten denkbar und für das vierte schließlich nur noch eine, denn alle anderen Kerzen sind ja bereits belegt. Die Gesamtzahl der Möglichkeiten beträgt dann $4 \times 3 \times 2 \times 1 = 24$.

Und wie fand ich heraus, welches die richtige Reihenfolge ist? Darauf eingerichtet, den Rest des Nachmittags unter der Motorhaube zuzubringen, ging ich mit meiner Liste zum Auto. Zu meiner

Freude stellte ich dann fest, dass die Längen der Kabel genau bemessen waren und es jeweils nur eine einzige Möglichkeit gab, sie mit den Kerzen zu verbinden. Offenbar hatten die Konstrukteure des Fahrzeugs Leute wie mich bereits einkalkuliert.

Am selben Nachmittag war ich noch zum Kaffeekränzchen eingeladen. Kaffee, Kuchen, Schlagsahne: $3 \times 2 \times 1 = 6$ mögliche Reihenfolgen, dachte ich, aber man isst und trinkt dann ja doch alles durcheinander. Wir waren zehn Personen, und der Gastgeber berichtete stolz, er habe unter allen erdenklichen Sitzmöglichkeiten die optimale für diesen Personenkreis ausgewählt (damit es ja keinen Streit gäbe). – Wirklich alle erdenklichen? Durch mein nachmittägliches Kabel- und Kerzenproblem gut vorbereitet, überlegte ich: Dem ersten Gast stehen zehn Sitzplätze zur Verfügung, dem zweiten dann nur noch neun; für beide zusammen gibt es also insgesamt schon $10 \times 9 = 90$ verschiedene Sitzordnungen an einem Tisch mit zehn Stühlen. Für den dritten Gast sind jetzt noch acht freie Plätze übrig, für den vierten dann nur noch sieben usw. usw. Der zehnte Besucher hat überhaupt keine Wahlmöglichkeit mehr. Er muss sich auf den letzten freien Stuhl setzen. Insgesamt gibt es also $10 \times 9 \times 8 \times 7 \times 6 \times 5 \times 4 \times 3 \times 2 \times 1 = 3\,628\,800$ mögliche Sitzordnungen. Ich kann mir bis heute nicht vorstellen, wie der Gastgeber die alle im Geiste durchgegangen ist.

Die Anzahl der Möglichkeiten, etwas in eine Reihenfolge zu bringen, nennt man auch Permutationen. Für die obigen Berechnungen der Permutationen gibt es die Kurzschreibweisen

$$10! = 10 \times 9 \times 8 \times 7 \times 6 \times 5 \times 4 \times 3 \times 2 \times 1 = 3\,628\,800$$
$$4! = 4 \times 3 \times 2 \times 1 = 24$$

die «zehn-Fakultät» beziehungsweise «vier-Fakultät» ausgesprochen werden. Diese Fakultätfunktion findet man übrigens auf vielen Taschenrechnern.[1]

---

1 Dies ist die bei der Darstellung der Poisson-Formel im Kapitel «Wir backen uns eine Schlagzeile» (Fußnote auf Seite 30) versprochene Erklärung von «x!». Es gilt übrigens 0! = 1.

Das Fußballstadion als Rouletteschüssel
Interpretation eines Spielergebnisses

Ich bin Pauli-Fan. Heute haben wir verloren. 0 zu 2 gegen den HSV. Meine Kollegen sind alle HSV-Fans. Und morgen beim Mittagessen heißt es dann wieder: «Die bessere Mannschaft gewinnt eben!» – Aber diesmal gibt es Gegendruck. Mit harten wissenschaftlichen Argumenten werde ich diesen Unsinn widerlegen: Das Ergebnis ist statistisch nicht signifikant!

Nehmen wir mal an, dass beide Mannschaften genau gleich stark sind. Bis zum Schlusspfiff fallen insgesamt zwei Tore. Damit sind folgende mögliche Spielverläufe denkbar:

1. Der HSV schießt das erste und das zweite Tor (2 zu 0).
2. Der HSV schießt das erste und St. Pauli das zweite Tor (1 zu 1).
3. St. Pauli schießt das erste und der HSV das zweite Tor (1 zu 1).
4. St. Pauli schießt das erste und das zweite Tor (0 zu 2).

Weitere Varianten gibt es nicht. Da wir ja angenommen haben, beide Mannschaften seien gleich stark, ist die Wahrscheinlichkeit, dass der HSV das erste Tor schießt, ebenso groß wie die Wahrscheinlichkeit, dass dies St. Pauli gelingt, nämlich genau 50 Prozent. Das Gleiche gilt für das zweite Tor. Wieder beträgt die Wahrscheinlichkeit, es zu erzielen, für beide Mannschaften jeweils genau 50 Prozent.

Für den ersten oben angeführten möglichen Spielverlauf, nämlich dass der HSV 2 zu 0 gewinnt, ergibt sich somit folgende Wahrscheinlichkeit:

Wahrscheinlichkeit, dass der HSV das erste Tor schießt
(50 Prozent = 0,5)
multipliziert mit
Wahrscheinlichkeit, dass der HSV das zweite Tor schießt
(50 Prozent = 0,5)
Ergebnis: $0,5 \times 0,5 = 0,25$ oder 25 Prozent

Für die anderen drei Varianten besteht ebenfalls jeweils eine Chance von 25 Prozent. Zusammen erhalten wir also $4 \times 25 = 100$ Prozent, und so muss es ja auch sein, denn eines dieser vier Ergebnisse tritt bei einem Spiel mit insgesamt zwei Toren auf jeden Fall ein.

Die zweite und die dritte Möglichkeit liefern jeweils denselben Schlussstand, nämlich 1 zu 1. Zu diesem Ergebnis wird es also mit $25 + 25 = 50$-prozentiger Sicherheit kommen. Zusammenfassend erhalten wir:

Tabelle 15: Fußballergebnisse aus statistischer Sicht. Wenn man annimmt, dass zwei Mannschaften genau gleich gut spielen und bei einer Begegnung zwei Tore fallen, dann ergeben sich für die verschiedenen möglichen Resultate folgende Wahrscheinlichkeiten:

Ergebnis	Wahrscheinlichkeit
2:0	25 %
1:1	50 %
0:2	25 %

Es muss also keineswegs bei gleich starken Mannschaften jedes Spiel mit insgesamt zwei Toren 1 zu 1 ausgehen. Dies ist mit 50-prozentiger Wahrscheinlichkeit der Fall. Dass mein Verein mit 0 zu 2 verliert, obwohl er genauso gut spielt wie der HSV, ist zwar weniger wahrscheinlich (25 Prozent), aber damit noch lange nicht statistisch signifikant.[2]

Erst wenn die Wahrscheinlichkeit für ein Ergebnis 5 Prozent oder weniger beträgt, ist es statistisch signifikant. Ein signifikantes Ergebnis wird aber erst bei 6 zu 0 Toren erreicht! Die Begründung dafür liefern wir im nächsten Abschnitt.

2 Diese Aussage darf man nicht mit einer Vorhersage eines 0-zu-2-Ergebnisses verwechseln. Vor dem Spiel weiß man ja nicht, wie viele Tore insgesamt fallen werden. Für eine Prognose muss daher auch die Wahrscheinlichkeitsverteilung der Anzahl der Tore pro Spiel bekannt sein.

Die verschiedenen Spielergebnisse zweier exakt gleich starker Fuß-
ballmannschaften können wir mit dem Werfen von Münzen simulieren und daraus die Wahrscheinlichkeiten der Ergebnisse ermitteln. Die Chance, dass «Kopf» oder «Zahl» fällt, beträgt jeweils 50
Prozent. Bei jedem unserer Fußballspiele werden insgesamt sechs
Tore erzielt, das heißt, wir werfen die Münze pro simuliertem
Match sechsmal. Kopf bedeutet ein Tor für den HSV, Zahl ein Tor
für St. Pauli. Je nachdem, ob Kopf (Kreuz) oder Zahl (Kreis) gewinnt, tragen wir in die abgebildeten vierzig Reihen von je sechs

Tabelle 16: Münzwurfsimulation eines Fußballspiels, in dem sechs Tore
fallen

Tabelle 17: Auswertung des simulierten Fußballspiels

Anzahl der Kreuze pro Sechsergruppe	Unsere Strichliste	Ihre Strichliste	Simuliertes Spielergebnis
0	|	_____	6:0
1	|||	_____	5:1
2	||||||||	_____	4:2
3	|||||||||||||	_____	3:3
4	|||||||	_____	2:4
5	|||||	_____	1:5
6		_____	0:6

Quadraten nach und nach Kreuze beziehungsweise Kreise ein (schneller geht's mit einem Würfel: An die Stelle von «Kopf oder Zahl» treten dann «gerade oder ungerade Augenzahl»).

Nach dieser Fleißarbeit wird die Anzahl der Kreuze für jede Reihe einzeln ausgezählt und rechts davon notiert. Um festzustellen, wie viele Sechsergruppen kein Kreuz, ein Kreuz usw. enthalten, erstellen wir anschließend die oben stehende Liste (Tabelle 17) und machen jeweils einen Strich in der entsprechenden Zeile.

Obwohl Sie so fleißig Münzen geworfen haben, ist die Stichprobe eigentlich noch zu klein, um die Verteilung wirklich genau bestimmen zu können. Hierfür müssten Sie etwa tausend Reihen zu sechs Versuchen ausfüllen. Dennoch wird sich in den meisten Fällen sehr deutlich zeigen, dass drei Kreuze und drei Kreise, also ein Schlussstand von 3 zu 3, erheblich häufiger vorkommen als sechs Kreuze beziehungsweise sechs Kreise, also ein 6-zu-0- beziehungsweise 0-zu-6-Ergebnis. Dabei sollte das doch eigentlich egal sein, denn die Wahrscheinlichkeit sowohl für Kreuze als auch für Kreise ist doch gleich, nämlich jeweils 50 Prozent! Oder?

Das Geheimnis liegt darin, dass jede beliebige Reihenfolge von Kreuzen und Kreisen gleich wahrscheinlich ist. Zur Veranschau-

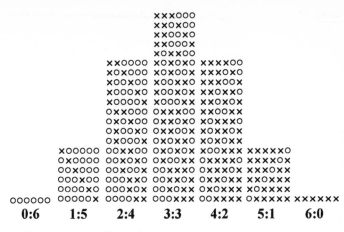

```
            xxoooo
            xxoxoo
            xxooxo
            xxooox
            xoxxoo
xxoooo xoxoxo xxxxoo
xoxooo xoxoox xxxoxo
xooxoo xooxoo xxxooxo
xooxoo xooxox xxoxxo
xooxox xooxxo xxoxox
oxxooo oxxooo xxooxx
oxoxoo oxxoxo xoxxxo
oxooxo oxxoox xoxxox
oxooox oxoxxo xoxoxx
xooooo ooxxoo oxoxox xooxxx xxxxxo
oxoooo ooxoxo oxooxx oxxxxo xxxxox
ooxooo ooxoox ooxxxo oxxxox xxxoxx
oooxoo oooxxo ooxoxx oxxoxx xxoxxx
ooooxo ooooxx oxoxxx xoxxxx
oooooo ooooox oooxxx ooxxxx oxxxxx xxxxxx
```

0:6   1:5   2:4   3:3   4:2   5:1   6:0

Abbildung 27: Liste aller Sechserkombinationen

lichung haben wir alle 64 Möglichkeiten[3] aufgelistet (Abbildung 27).

Es zeigt sich, dass es nur eine einzige Reihenfolge (mathematisch: Kombination[4]) für sechs Kreuze gibt, aber zwanzig verschie-

3 Allgemein kann man die Anzahl der möglichen Reihenfolgen für ein Spiel mit n Toren mit Hilfe der Formel 2^n berechnen. So ist $2^6 = 2 \times 2 \times 2 \times 2 \times 2 \times 2 = 64$.

4 Die Anzahl der Kombinationen von k Elementen (das sind die Tore des HSV) aus einer Menge mit n Elementen (das sind die sechs Tore, die insgesamt gefallen sind) ist gegeben durch:

$$\text{Anzahl der Kombinationen} = \binom{n}{k} = \frac{n!}{(n-k)! \times k!}$$

Den Ausdruck in der großen Klammer spricht man «n über k» aus. Das ist lediglich eine Abkürzung für den rechten Teil der Gleichung, der zunächst kompliziert aussieht, aber in der Anwendung letztlich sehr einfach ist. Auch ist relativ leicht nachvollziehbar, wie diese Formel zustande kommt. Zunächst einmal steht im Zähler n!. Das ist die Anzahl der Permutationen. Wenn wir daraus eine bestimmte Anzahl von k Elementen auswählen, auf deren Reihenfolge es *nicht* ankommt, dann müssen wir durch die Anzahl

Tabelle 18: Signifikante Sportergebnisse. Angegeben ist die Anzahl der Ereignisse (Fehler, Tore, Körbe) und nicht die damit erhaltenen Punkte. Jeweils extremere Verhältnisse sind natürlich auch signifikant, mit 18 zu 7 zum Beispiel auch 19 zu 7 und 18 zu 6.

Anzahl der Ereignisse	Signifikante Verhältnisse	Quotient	Differenz
6	6:0	∞	6
9	8:1	8	7
12	10:2	5	8
15	12:3	4	9
17	13:4	3,25	9
20	15:5	3	10
25	18:7	2,6	11
30	21:9	2,3	12
40	27:13	2,1	14
50	33:17	1,94	16
60	39:21	1,86	18
70	44:26	1,69	18
80	50:30	1,67	20
90	55:35	1,57	20
100	61:39	1,56	22
200	115:85	1,35	30

dene für drei Kreuze und drei Kreise. Da alle diese Folgen gleich wahrscheinlich sind, kommen (im Durchschnitt) drei Kreuze und drei Kreise zwanzigmal häufiger vor als sechs Kreuze. Von den 64

der Permutationen dieser ausgewählten Elemente dividieren, also durch k!. Dasselbe gilt für die nicht ausgewählten (n – k) Elemente, und entsprechend ist (n – k)! der Teiler.

Wie groß ist die Chance, beim Lotto sechs Richtige zu tippen?

Es gibt $49!/(6! \times 43!) = (49 \times 48 \times 47 \times 46 \times 45 \times 44)/(6 \times 5 \times 4 \times 3 \times 2)$ = 13 983 816 Möglichkeiten für sechs aus 49. Die Gewinnchance beträgt also etwa 1 zu 14 Millionen.

möglichen Spielergebnissen stellen die sechs Kreuze und die sechs Kreise nur zwei Fälle dar. Da $2/64 = 0{,}031$ oder 3,1 Prozent kleiner als 5 Prozent ist, sind die Ergebnisse 6 zu 0 beziehungsweise 0 zu 6 statistisch signifikant.

Für ein statistisch signifikantes Ergebnis müsste man daher mindestens sechs Tore abwarten. Ist der Stand dann 6 zu 0, wäre das Spiel entschieden. Gelingt es der schwächeren Mannschaft jedoch, einen Gegentreffer zu erzielen, muss man warten, bis insgesamt neun Tore gefallen sind, denn erst bei einem Spielstand von 8 zu 1 ist das Ergebnis wieder signifikant und, wenn es zu zwei Gegentreffern kommen sollte, gar erst bei 10 zu 2. Damit auch Tischtennisspieler, Handballer und Basketballfreunde die Signifikanz ihrer Spiele einschätzen können, haben wir die Tabelle 18 angelegt. Je nach Gesamtzahl der Treffer muss sich die überlegene Partei einen gehörigen Vorsprung erarbeiten, damit der Sieg auch von Statistikern anerkannt wird. Dabei wächst die absolute Tordifferenz stetig, während das erforderliche Torverhältnis (Quotient) immer geringer wird.

Es ist offenbar überhaupt nicht praktikabel, so lange zu spielen, bis eine Begegnung signifikant entschieden ist.

Die Bundesliga
Vierfeldertest im Fußball

> Ich glaube, dass der Tabellenerste
> jederzeit den Spitzenreiter schlagen kann.
> *Berti Vogts*

In der Fußballbundesliga wird Jahr für Jahr der Deutsche Meister bestimmt. In jeder Saison treten alle Mannschaften zweimal gegeneinander an. Da in der Bundesliga achtzehn Vereine spielen, sind dies für jeden von ihnen 34 Begegnungen.[5] Bei so vielen Spielen lassen sich auch dann statistisch signifikante Ergebnisse erzielen, wenn nicht jedes einzelne signifikant ist. Unserer Forderung, dass

---

5 Jeder Verein spielt gegen die siebzehn anderen Vereine zwei Spiele.

Tabelle 19: Tabelle der Deutschen Fußballbundesliga nach Ende der Saison 1995/96

Verein	Gewonnen	Unentschieden	Verloren	Punkte
Borussia Dortmund	19	11	4	68
Bayern München	19	5	10	62
Schalke 04	14	14	6	56
Borussia Mönchengladbach	15	8	11	53
Hamburger SV	12	14	8	50
FC Hansa Rostock	13	10	11	49
Karlsruher SC	12	12	10	48
TSV München 1860	11	12	11	45
Werder Bremen	10	14	10	44
VfB Stuttgart	10	13	11	43
SC Freiburg	11	9	14	42
1. FC Köln	9	13	12	40
Fortuna Düsseldorf	8	16	10	40
Bayer 04 Leverkusen	8	14	12	38
FC St. Pauli	9	11	14	38
1. FC Kaiserslautern	6	18	10	36
Eintracht Frankfurt	7	11	16	32
KFC Uerdingen	5	11	18	26

medizinisch-wissenschaftliche Ergebnisse durch Reproduzieren überprüft werden müssen, entspricht die Bundesliga zumindest tendenziell. Tabelle 19 zeigt den Schlussstand der Bundesliga im Mai 1996, als Borussia Dortmund den Titel errang.

Für jedes gewonnene Spiel gibt es drei Punkte und für ein Unentschieden einen Punkt. Diese Regeln sind jedoch recht willkürlich. Früher gab es für einen Sieg lediglich zwei Punkte. Um offensiven Fußball zu fördern und Null-zu-null-Strategen auszubremsen, wurde die Siegpunktzahl von zwei auf drei erhöht.

Diese Überlegungen, die den Fußball für die Zuschauer spannender gestalten und damit auch die Einnahmen erhöhen sollen, müssen wir außer Acht lassen. Für statistische Erwägungen fällt nur die Anzahl der gewonnenen beziehungsweise verlorenen Spiele ins Gewicht. Bei den folgenden Betrachtungen zählen wir Begegnungen, die unentschieden enden, als halb gewonnen und halb verloren.

Mit Hilfe des Vierfeldertests (Seite 52 ff.) können wir nun feststellen, welche Ergebnisse sich statistisch signifikant unterscheiden. Die brennendste aller Fragen lautet natürlich: Hat der Deutsche Meister Borussia Dortmund statistisch signifikant besser als Bayern München gespielt? – Die Antwort ist: Nein. Schließlich hätte sich die Reihenfolge in der Tabelle mit einer Wahrscheinlichkeit von 44 Prozent auch dann ergeben, wenn beide Vereine gleich gut sind.[6] Die Mannschaft von Borussia Dortmund hat also eine gute Portion Glück gehabt, als sie den Meistertitel errang.

Von besonderer Bedeutung nicht nur für die Hamburger Szene ist die Feststellung, dass die Rangfolge von HSV und FC St. Pauli in der Bundesligatabelle von 1995/96 nicht allein durch Fußballkönnen zustande gekommen ist. Mit einer Wahrscheinlichkeit von 28 Prozent steht der HSV in der Tabelle vor St. Pauli, auch wenn er keinen Deut besser spielt.[7]

6	Gewonnen	Verloren	Summe
Borussia Dortmund	24,5	9,5	34
Bayern München	21,5	12,5	34
Summe	46,0	22,0	68

$$\chi^2 = \frac{67 \times (24,5 \times 12,5 - 21,5 \times 9,5)^2}{46 \times 22 \times 34 \times 34} = 0,60 < 3,84$$

Daraus ergibt sich ein Fehler erster Art von 44 Prozent (p-Wert = 0,44; Anhang IV).

7	Gewonnen	Verloren	Summe
HSV	19	15	34
FC St. Pauli	14,5	19,5	34
Summe	33,5	34,5	68

$$\chi^2 = \frac{67 \times (19,5 \times 19 - 15 \times 14,5)^2}{33,5 \times 34,5 \times 34 \times 34} = 1,17 < 3,84.$$

Daraus ergibt sich ein Fehler erster Art von 28 Prozent (p-Wert = 0,28; Anhang IV).

Auf der Suche nach einem signifikanten Bundesligaergebnis mussten wir den Deutschen Meister Borussia Dortmund gegen den Tabellenzehnten VfB Stuttgart im Vierfeldertest antreten lassen.[8] Der ergibt einen p-Wert von 0,049. Der Tabellenerste ist dem Tabellenzehnten damit statistisch signifikant überlegen.

In Anbetracht solcher Berechnungen wird deutlich, warum es in der Bundesliga immer wieder zu «Überraschungen» kommt und es Abstiegskandidaten gelingt, den jeweils aktuellen Spitzenreiter zu schlagen. Aber auch wenn der Unterschied zwischen den Vereinen in der Bundesligatabelle statistisch signifikant ist, kann es zu einem unerwarteten Sieg eines Außenseiters kommen.

So geschah es am 4. November 1996: Nach der damals aktuellen Bundesligatabelle der Saison 1996/97 spielte der VfB Stuttgart signifikant besser als der FC St. Pauli. Trotzdem gelang den in der Abstiegszone kämpfenden St. Paulianern ein 2-zu-1-Sieg über den Spitzenreiter. Die Sportpresse feierte diesen Erfolg als große Überraschung. Aber war es das wirklich? Der Endstand von 2 zu 1 sagt (statistisch gesehen) nur wenig über die spielerische Leistung der beiden Vereine an diesem Novembertag aus. Selbst wenn man annimmt, dass der VfB im Allgemeinen doppelt so gut spielt wie St. Pauli, ist dieser Sieg gar nicht so unwahrscheinlich. Vor der erwähnten Begegnung war das Torverhältnis beim VfB 33 zu 10, das heißt, 77 Prozent der gefallenen 43 Tore waren vom VfB geschossen worden. Beim FC St. Pauli betrug es dagegen 16 zu 26; auf sein Konto gingen also lediglich 38 Prozent der 42 in seiner Gegenwart erzielten Tore. Das Verhältnis 77 Prozent zu 38 Prozent ≈ 2 besagt, dass der VfB insgesamt etwa «doppelt so gut spielt» wie St. Pauli.

8	Gewonnen	Verloren	Summe
Borussia Dortmund	24,5	9,5	34
VfB Stuttgart	16,5	17,5	34
Summe	41,0	27,0	68

$$\chi^2 = \frac{67 \times (24,5 \times 17,5 - 16,5 \times 9,5)^2}{41 \times 27 \times 34 \times 34} = 3,87 > 3,84.$$

Daraus ergibt sich ein Fehler erster Art von 4,9 Prozent (p-Wert = 0,049; Anhang IV).

In der nachstehenden Tabelle finden Sie die aus dieser Annahme resultierenden Wahrscheinlichkeiten für alle Spielergebnisse mit insgesamt drei Treffern. Ein gefallenes Tor ist mit einer Wahrscheinlichkeit von 33 Prozent (= 0,33) ein St.-Pauli-Tor und mit einer Wahrscheinlichkeit von 67 Prozent (= 0,67) ein Treffer des VfB Stuttgart.

Tabelle 20: Statistische Auswertung des Fußballspiels VfB Stuttgart gegen 1. FC St. Pauli am 4. November 1996

Spiel-ergebnis	Anzahl der Kombinatio-nen		Wahrscheinlichkeit für Tore VfB Stuttgart		St. Pauli		Gesamt-wahr-scheinlich-keit
0:3	1	×	$0,67^0$	×	$0,33^3$	=	3,6 %
1:2	3	×	$0,67^1$	×	$0,33^2$	=	21,9 %
2:1	3	×	$0,67^2$	×	$0,33^1$	=	44,4 %
3:0	1	×	$0,67^3$	×	$0,33^0$	=	30,1 %

Entsprechend der Annahme, dass der VfB doppelt so gut spielt, ist ein 2-zu-1-Sieg für Stuttgart das wahrscheinlichste und damit am wenigsten erstaunliche Spielergebnis. Der «überraschende» Sieg des FC St. Pauli war aber so verblüffend nicht. Denn mit einer Wahrscheinlichkeit von immerhin 21,9 Prozent war das 1-zu-2-Ergebnis zugunsten von St. Pauli zu erwarten.

Amüsant finden wir immer wieder die Kommentare der Sportjournalisten zu solchen «Überraschungsergebnissen». Für den unerwarteten Sieg gibt es immer einen «sachlichen» Grund: das Stimmungstief in der Mannschaft, die falschen Stollen des VfB, das Matschwetter, das natürlich St. Pauli begünstigte. Die kennen ja nichts anderes aus Hamburg, wie man am 24. 1. 2006 gesehen hat, als Drittligist St. Pauli dem Champions-League-Teilnehmer Werder Bremen mit 3:1 eine Abfuhr erteilte. Schuld war der Schnee.

Derartige Begründungsversuche kommen uns sehr bekannt vor. Auch in den wissenschaftlichen Publikationen werden ellenlange

Erklärungen für Resultate geliefert, die sehr gut auch rein zufällig aufgetreten sein können. In einem späteren Kapitel werden wir uns mit diesen «wissenschaftlichen» Erklärungen ausführlicher auseinander setzen.

Bitte nehmen Sie diesen Ausflug in den Sport nicht allzu ernst. Die Vergleiche hinken bisweilen ein wenig, und die Angabe von Torwahrscheinlichkeiten ist ebenfalls sehr verwegen. Die Leistung einer Mannschaft hängt natürlich auch davon ab, ob sie auf dem «heimischen Rasen» spielt oder ob sie gerade in Führung ist.

Den Letzten beißen die Hunde
Binomialverteilung light

Sport fördert die Gesundheit, aber auch die Medizin trägt dazu bei. Deshalb wenden wir uns jetzt der Abteilung für Herzchirurgie eines Krankenhauses zu. Deren neuer Chef hat sich das ehrgeizige Ziel gesetzt, in seiner Abteilung die niedrigste Mortalitätsrate für Bypass-Notoperationen in Deutschland zu erreichen, die zurzeit etwa 15 Prozent beträgt. Deshalb testet er zunächst einmal die ihm unterstellten Ärzte ohne deren Wissen. Er sorgt dafür, dass jeder der acht Chirurgen in den ersten Wochen nach seinem Amtsantritt zehn Bypass-Notoperationen durchführt, und protokolliert die Ergebnisse. Bei einem gab es keinen einzigen Todesfall, bei vier Ärzten einen, bei zweien starben zwei Patienten und bei einem sogar vier.

Der neue Chef ernennt den ersten Arzt zum leitenden Oberarzt. Den letzten nimmt er beiseite und erklärt ihm, eine Mortalitätsrate von 40 Prozent sei mehr als doppelt so hoch wie der Durchschnitt und könne nicht geduldet werden. Er legt ihm nahe, zu gehen und sich einen anderen Job zu suchen, da er offenbar zum Herzchirurgen nicht tauge. Der betreffende Arzt gibt seine Stelle nicht freiwillig auf, ihm wird gekündigt, er wehrt sich und schaltet einen Anwalt ein.

Tabelle 21: Verteilung der Todesfälle bei Bypass-Notoperationen

Anzahl der Todesfälle pro Arzt bei zehn Bypass-Notoperationen	Anzahl derÄrzte
0	1
1	4
2	2
3	0
4	1

Wie dieser erfundene Fall[9] juristisch ausgehen würde, entzieht sich mal wieder unserer Kenntnis. Trotzdem können wir einen Kommentar dazu abgeben, und der lautet: Was der Chefarzt mit seinen Kollegen praktiziert, wird seine Abteilung nicht voranbringen.

Das zur sachlichen Beurteilung des geschilderten «Tests» erforderliche Werkzeug heißt «Binomialverteilung». Im nächsten Abschnitt finden Sie dazu eine ausführliche Darstellung. Doch zunächst machen wir ein kleines Experiment mit bunten Schokolinsen, das es ermöglicht, einzuschätzen, ob die Entlassung des Arztes gerechtfertigt ist.

Für den Versuch benötigen Sie eine Familienpackung bunter smarter Schokolinsen. Geben Sie sie in ein großes Gefäß, und entnehmen Sie diesem Vorrat mit geschlossenen Augen zehn Stück. Bei unserer Packung war etwa ein Siebtel der Linsen rot (das heißt rund 15 Prozent, wie die Mortalitätsrate bei den Bypass-Notoperationen). Jeder Patient wird in diesem Versuch durch eine

9 Das Beispiel ist ausgedacht. Während der Fertigstellung dieses Buches wurde unsere Phantasie von der Realität überholt. Das *British Medical Journal* (314; 1997, S. 73 f.) berichtet, dass das New York State Department of Health ein Gesetz erlassen hat, in dem die Mortalitätsraten mit Namensnennung der jeweiligen Chirurgen veröffentlicht werden müssen. Es wird zu Recht beklagt, dass die sich ergebende Qualitätsrangfolge der Chirurgen, zum Beispiel bei Bypass-Operationen, mit sehr großer statistischer Unsicherheit behaftet ist, weil die ermittelten Mortalitätsraten auf zu kleinen Zahlen beruhen.

Schokolinse dargestellt. Die roten symbolisieren die Fehlschläge der Operation. Am besten verwenden Sie die folgende Strichliste. Wenn unter Ihren Schokolinsen beispielsweise zwei rote sind, machen Sie bei «2» einen Strich. Sollten Sie nicht gerade eine Mega-Familienpackung gekauft haben, müssen Sie die herausgenommenen Schokos, auch wenn es schwer fällt, leider wieder zurücklegen und gut untermischen. Jetzt entnehmen Sie wieder zehn Linsen und notieren die Anzahl der roten Exemplare. Das Ganze wiederholen Sie bitte fünfundzwanzigmal.

Es wird Sie sicher nicht wundern, dass Sie nicht jedes Mal dieselbe Anzahl roter Linsen gezogen haben. Falls in Ihrer Packung der Anteil roter Linsen ebenfalls etwa ein Siebtel ist, dann wird das dabei entstehende Bild wahrscheinlich dem Histogramm in Tabelle 22 ähneln.

Tabelle 22: Schokolinsensimulation der Ergebnisse von Bypass-Notoperationen

Anzahl roter Linsen unter zehn gezogenen	Ihre Strichliste	Unsere Strichliste	Erwarteter Anteil bei 15 % roten Linsen
0	_____	|||||	19,7
1	_____	|||||||||	34,7
2	_____	|||||||	27,6
3	_____	|||	13,0
4	_____			4,01
5	_____		0,849
6	_____		0,125
7	_____		0,0126
8	_____		0,000833
9	_____		0,0000327
10	_____		0,000000577

5,00 % (umfasst die Zeilen 4 bis 10)

Die rechte Spalte gibt die erwartete Häufigkeit in Prozent an, wie man sie mit Hilfe der Binomialverteilung berechnen kann. Im

Durchschnitt erwarten wir also in 19,7 Prozent der Ziehungen (also in jeder fünften) keine einzige rote Schokolinse, während wir in 34,7 Prozent mit einer rechnen können usw. Vier oder sogar noch mehr rote Schokolinsen erhalten wir in rund 5 Prozent der Fälle, also etwa bei jedem zwanzigsten Versuch.

Zurück zu unserem gekündigten Arzt. Umgedeutet zeigt das Schokolinsen-Experiment, dass seine vier Fehlschläge auch Zufall gewesen sein könnten. Wenn man annimmt, dass alle acht Ärzte exakt gleich gut operieren (so wie wir jedes Mal gleich gut zehn Schokolinsen ziehen), und die Anzahl der überprüften Ärzte berücksichtigt, dann wird es bei jeder dritten Untersuchung dieser Art mindestens einen Fall geben, bei dem es zu vier oder mehr Fehlschlägen kommt.[10]

Die Strategie des Chefarztes entspricht dem Vorgehen eines den Autoren recht gut bekannten zehnjährigen Jungen, der im Spielzeuggeschäft alle verfügbaren Würfel dreimal warf und dann die beiden kaufte, die jedes Mal eine Sechs ergeben hatten. Später entpuppten sich seine «Zauberwürfel» als völlig normal.

Der zarteste Versuch, seit es Schokolade gibt
Binomialverteilung heavy

Wir werden unser Schokolinsen-Experiment jetzt verallgemeinern. Sie können diesen Abschnitt überspringen, falls die Formeln Sie abschrecken.

Wie groß ist die Wahrscheinlichkeit, bei Entnahme von n Scho-

10 Die Wahrscheinlichkeit für null oder einen oder zwei oder drei Fehlschläge beträgt (entsprechend Tabelle 22) 0,197 + 0,347 + 0,276 + 0,130 = 0,95. Die Wahrscheinlichkeit für vier oder mehr Fehlschläge liegt damit bei 1 − 0,95 = 0,05. Das ist das Risiko des einzelnen Chirurgen. Der Chef hat aber acht getestet. Die Wahrscheinlichkeit, dass alle acht Chirurgen drei oder weniger Fehlschläge verzeichnen, beträgt $0,95^8$ = 0,66. Also ist die Wahrscheinlichkeit, dass mindestens einer vier oder mehr Fehlschläge aufweist, 1 − 0,66 = 0,34 oder 34 Prozent.

kolinsen aus einem Topf mit (unendlich) vielen roten und andersfarbigen Linsen eine bestimmte Anzahl roter zu ziehen? Diese trockene Frage kann ganz allgemein beantwortet werden. Die Antwort gibt eine mathematische Formel mit dem Namen «Binomialverteilung». Der Anteil der roten Linsen und damit die Wahrscheinlichkeit, eine solche zu ziehen, wird mit p bezeichnet. Die Wahrscheinlichkeit, an eine andersfarbige zu geraten, ist dann 1 – p.

Ohne hinzusehen, werden n = 5 Schokolinsen entnommen. Wie groß ist die Wahrscheinlichkeit, dass zwei rot und die übrigen andersfarbig sind? Dazu werden die Einzelwahrscheinlichkeiten multipliziert:

$$p \times p \times (1-p) \times (1-p) \times (1-p) = p^2 \times (1-p)^3$$

Wenn 15 Prozent der Linsen rot sind (p = 0,15), erhält man

$$(0,15)^2 \times (0,85)^3 = 0,0138$$

für die Wahrscheinlichkeit, zwei rote und drei andersfarbige zu ziehen. Aus dem Abschnitt «Tischfußball» wissen wir, dass es dafür

$$\binom{n}{k} = \binom{5}{2} = \frac{5!}{3! \times 2!} = 10$$

Möglichkeiten gibt. Daraus folgt, dass die Wahrscheinlichkeit für zwei rote und drei andersfarbige Schokolinsen in einer *beliebigen* Reihenfolge

$$10 \times 0,0138 = 0,138 \text{ oder } 13,8 \text{ Prozent}$$

beträgt. Ganz allgemein ergibt sich folgende Gleichung, eben die Binomialverteilung:

$$P(n,k) = \binom{n}{k} \times p^k \times (1-p)^{n-k}$$

Dabei ist p der Anteil roter Schokolinsen, n die Gesamtzahl der gezogenen Linsen, k die Anzahl der gezogenen roten und P(n,k) die Wahrscheinlichkeit, dass sich unter n Schokolinsen k rote befinden.

Die Wahrscheinlichkeit, dass genau eine von zehn gezogenen Schokolinsen rot ist, beträgt

$$P(10,1) = \binom{10}{1} \times 0,15^1 \times (1 - 0,15)^{10 - 1} = \frac{10!}{9! \times 1!} \times 0,15 \times 0,85^9 = 0,347 \text{ oder } 34,7 \text{ Prozent}$$

Wenn jemand aus einem Topf verschiedenfarbiger Schokolinsen auf Anhieb zehn rote herausgreift, dann liegt es nahe, dass er geschummelt hat. Intuitiv ist klar, dass zehn rote extrem unwahrscheinlich sind, wenn auch nicht unmöglich. Mit der obigen Formel kann die Wahrscheinlichkeit berechnet werden (n = 10, k = 10, p = 0,15):

$$P(10,10) = \binom{10}{10} \times 0,15^{10} \times (1 - 0,15)^{10 - 10} = \frac{10!}{10! \times 0!} \times 0,15^{10} \times 0,85^0 = 1 \times 0,15^{10} \times 1$$

$$= 5,8 \times 10^{-9} \approx 1 / 170\,000\,000.$$

In Worten: Wenn der Anteil der roten Schokolinsen 15 Prozent beträgt, dann ist die Wahrscheinlichkeit, dass alle zehn entnommenen Linsen rot sind, etwa zwölfmal geringer als sechs Richtige im Lotto.

Wer zehn rote Schokolinsen herausgreift, hat nach irdischem Ermessen geschummelt, *oder* sie stammen aus einer anderen Grundgesamtheit, das heißt aus einer Spezialpackung, die einen sehr hohen Anteil roter Linsen enthält. Auf den Vergleich von Therapien oder Ähnliches angewandt, bedeutet dies, dass sich die Zehn-rote-Schokolinsen-Therapie *grundsätzlich* von den anderen unterscheidet und sie zu einer echten Erhöhung der Quote führt. Die Möglichkeit, dass die Erhöhung zufällig ist, würden wir schon rein intuitiv verwerfen. Allerdings verlässt uns die Intuition, wenn auf Anhieb nur sechs oder fünf rote Schokolinsen gezogen werden. Da hilft nur nachrechnen, zum Beispiel mit dem Vierfeldertest.

Keine Schwalbe macht noch keinen Herbst
Statistik seltener Ereignisse

Nach dem hoffentlich missglückten Versuch, seinen «schlechtesten» Herzchirurgen vor die Tür zu setzen, widmet sich der (ausgedachte) neue Chef der Entwicklung einer neuen Technik für Bypass-Operationen in ausgewählten Fällen. Im Gegensatz zu den Notfalloperationen ist das Mortalitätsrisiko bei geplanten Herzoperationen ohnehin deutlich geringer, es beträgt etwa 2 Prozent. Die neue Technik wird an einhundert Patienten ausprobiert, und erfreulicherweise ist kein einziger Todesfall zu beklagen. Der Chefarzt wendet sich stolz an die Öffentlichkeit und fordert bei einer viel besuchten Pressekonferenz, dass dieses neue Verfahren nun in allen Kliniken eingeführt werden müsse, da es nachweislich besser sei als das alte, an Zigtausenden von Patienten erprobte Verfahren. Stimmen Sie ihm zu?

Es gibt mehrere Möglichkeiten, diese Frage sachlich zu entscheiden. Einerseits können wir wieder wie im obigen Beispiel die Binomialverteilung einsetzen. Die Wahrscheinlichkeit, dass bei einer Fehlschlagquote von 2 Prozent in einhundert aufeinander folgenden Fällen kein einziger Todesfall auftritt, beträgt dann 13 Prozent.[11] Bei einem so hohen Wert kann es sich auch gut um einen Zufallstreffer handeln. Das Ergebnis ist bei weitem nicht signifikant, denn dafür muss, wie wir wissen, die Fünfprozentmarke unterschritten werden.

Eine andere Möglichkeit besteht darin, Tabelle 41 im Anhang zu verwenden. Sie gibt an, wie viele Patienten mindestens erforderlich sind, um sicherzustellen, dass eine bestimmte Fehlschlagsquote nicht überschritten wird. Ihr zufolge bedeuten die einhundert erfolgreichen Eingriffe lediglich, dass die wahre Häufigkeit mit 95-prozentiger Wahrscheinlichkeit kleiner als 3 Prozent ist. Die

---

11 Die für die Gleichung benötigten Werte sind in diesem Fall: $p = 0,02$, $n = 100$, $k = 0$. Einsetzen in die Gleichung der Binomialverteilung (Seite 110) ergibt: $P(n,k) = P(100,0) = [100! / (0! \times 100!)] \times 0,02^0 \times 0,98^{100} = 1 \times 1 \times 0,13 = 0,13$ oder 13 Prozent.

Anzahl der Patienten reicht also noch nicht aus, um zu zeigen, dass die Häufigkeit wirklich die üblichen 2 Prozent unterschreitet. Hierzu müssten entsprechend der Tabelle mehr als 150 Patienten ohne einen einzigen Todesfall behandelt worden sein.

Zurück zum Sport. Trainer Franzl Brantwein steht vor der Frage, ob er seinen Torhüter Rudi Althaas durch das Nachwuchstalent Jan Jungspunt ablösen soll. Althaas ließ in zweihundert brenzligen Situationen zwanzig Bälle durch (10 Prozent), während Jungspunt bei vierzig ernsten Bedrohungen nur dreimal danebengriff (7,5 Prozent). Wiederum mit der Tabelle 41 können wir Franzl helfen: Mit 95 Prozent Wahrscheinlichkeit lässt Althaas weniger als 15 und Jungspunt weniger als 19 Prozent der bedrohlichen Schüsse ins Tor. Jungspunt muss sich also noch etwas bewähren.

Im Nebel nach Überseh
Der Fehler zweiter Art

Wenn man im Nebel nichts sieht,
heißt das noch lange nicht, dass da nichts ist.
Käptn Piepenbrink

Ist Ihnen eigentlich schon aufgefallen, dass die Autoren dieses Buches Angela Merkel zum Verwechseln ähnlich sehen? Abbildung 28 ist unser Beweis. Das Bild wurde kurz vor ihrer Wahl zur CDU-Vorsitzenden gemacht. Es zeigt uns mit Angela Merkel bei einem Spaziergang im Watt vor Amrum. Können Sie sagen, wer von den dreien Frau Merkel ist? Nein? Sehen Sie! Diese Ähnlichkeit hat uns auch verblüfft. Rechts sehen Sie den Leuchtturm von Hörnum. Der sieht uns nicht ganz so ähnlich, worüber wir sehr froh sind.

Abbildung 28: Die Bundeskanzlerin Angela Merkel beim Spaziergang mit den Autoren im Watt vor Amrum. Rechts sehen Sie den Leuchtturm von Hörnum auf Sylt.

Bei dem großen Abstand sind natürlich nicht ausreichend Details zu erkennen, um Personen voneinander unterscheiden zu können. Das Bild ist für diesen Zweck schlicht ungeeignet. Grobe Unterschiede, wie der zwischen einem Leuchtturm und den erwähnten Personen, kommen aber trotzdem gut heraus.

Entsprechend können grobe Unterschiede bereits mit wenigen Patienten in einer Studie festgestellt werden, zum Beispiel wenn in der einen Gruppe alle geheilt sind, in der anderen keiner. Für kleine Unterschiede werden große Studien benötigt. Mit zu kleinen Studien läuft man Gefahr, tatsächlich vorhandene Unterschiede zu übersehen. Der resultierende Fehlschluss «Da ist kein Unterschied» trägt den etwas phantasielosen Namen «Fehler zweiter Art». Diesen Fehler begeht auch ein Feuermelder, der trotz eines Feuers keinen Alarm auslöst. Dem «Fehler erster Art» entspräche dabei ein Alarm, obwohl es gar nicht brennt, also ein Fehlalarm.

Ein ähnlicher Sachverhalt taucht auch in der Rechtsprechung auf. Will man vermeiden, einen Unschuldigen irrtümlich schuldig zu sprechen, dann muss man sehr hohe Anforderungen an die Glaubwürdigkeit der Zeugen und die Beweiskraft von Indizien stellen. Damit wächst jedoch zwangsläufig das Risiko, dass tatsächliche Verbrecher nicht überführt werden können und weiterhin frei herumlaufen. Möchte man hingegen vermeiden, dass auch nur ein einziger tatsächlicher Verbrecher irrtümlich freigesprochen wird, gilt es, die Ansprüche an die Zeugen und Indizien zu reduzieren. Damit ist aber unvermeidbar verbunden, dass auch einige Unschuldige eingesperrt werden. Offensichtlich kann man nicht beide Risiken gleichzeitig verringern. Ferner ist zu bedenken, dass mit jedem eingesperrten Unschuldigen der wahre Täter nach wie vor frei herumläuft. Er kann sich sogar sehr sicher fühlen, denn der Fall gilt ja als geklärt. In der Wissenschaft kann man im Gegensatz zur Jurisprudenz beide Fehler gleichzeitig klein halten, sofern man bereit ist, einen entsprechenden Aufwand zu treiben.

In der Forschung entspricht dem unschuldig Eingesperrten ein zufällig signifikantes Ergebnis. Auch hier sorgt der angeblich «geklärte Fall» dafür, dass man nach der wahren Lösung des Problems nicht weiter sucht, weil man glaubt, sie schon zu haben (vergleiche Kapitel «Ein Spiel mit gezinkten Würfeln»). Mit diesem «Fehler erster Art» haben wir uns bereits ausführlich befasst. Dem irrtümlich freigesprochenen Verbrecher entspricht ein tatsächlich vorhandenes bedeutsames Ergebnis, das in einer Studie zufällig übersehen wird. Diesen Fehler zweiter Art werden wir jetzt näher betrachten.

Der Übersehfehler
Fehler zweiter Art

Nehmen wir an, bei einer bestimmten Erkrankung gelingt es mit Hilfe einer langjährig bewährten Behandlungsmethode, 60 bis 70 Prozent der Patienten zu heilen. Allerdings ist sie leider mit zwar vorübergehenden, aber doch sehr unangenehmen Nebenwirkungen verbunden. Ein Ärzteteam entwickelt nun eine neue Therapie, die den Patienten die scheußlichen Begleiterscheinungen erspart. Um zu prüfen, ob sich die Heilungsergebnisse der beiden Methoden unterscheiden, gibt man eine klinische Studie in Auftrag, in der die Patienten, aufgeteilt in zwei Gruppen, entweder mit dem alten oder dem neuen Verfahren behandelt werden. Die folgende Tabelle zeigt zwei mögliche Ergebnisse.[1]

Tabelle 23: Mögliche Ergebnisse einer klinischen Studie

	Alte Therapie	Neue Therapie	p-Wert[1]
Beispiel 1	19 von 30 geheilt = 63 Prozent	11 von 30 geheilt = 37 Prozent	4 Prozent (p = 0,04), also signifikant
Beispiel 2	19 von 30 geheilt = 63 Prozent	12 von 30 geheilt = 40 Prozent	7 Prozent (p = 0,07), also nicht signifikant

In beiden Beispielen schneidet die neue Therapie schlechter ab als die alte. Im ersten ist der Unterschied signifikant, denn der p-Wert beträgt 4 Prozent, ein Umstand, den die Sprache der Wissenschaft als p = 0,04 ausdrückt. Im zweiten Beispiel wurde mit der neuen Methode nur ein Patient mehr geheilt als im ersten. Die beiden

1 Die Berechnung erfolgte wieder mit dem Vierfeldertest.

Therapien unterscheiden sich nun nicht mehr signifikant (p = 0,07). Es wäre aber ein Fehlschluss, in diesem Fall zu behaupten, die alte und die neue Therapie seien gleichwertig. Wer keinen signifikanten Unterschied findet, beweist damit nicht, dass überhaupt kein Unterschied vorhanden ist. Wenn man beim Angeln nichts fängt, heißt das noch lange nicht, dass im Teich keine Fische sind. Dieser Umstand wird bei klinischen Untersuchungen häufig nicht beachtet.

Abbildung 29: Kein Fisch weit und breit (Fehler zweiter Art). Der Angelwurm befindet sich im letzten Absatz des Kapitels «Schwamm ist ein vorzügliches Material ...»

Jubiläum eines beliebten Irrtums

Verbreitung und Resistenz des Fehlers zweiter Art
in der medizinischen Literatur

> Man soll keine Dummheit zweimal begehen,
> die Auswahl ist schließlich groß genug.
> *Jean-Paul Sartre*

J. A. Freiman und Mitarbeiter haben bereits vor dreißig Jahren
darauf hingewiesen, wie weit verbreitet der Fehlschluss «Wo kein
signifikanter Unterschied gefunden wird, da ist auch kein Unterschied» in der medizinischen Forschung ist (Freiman et al. 1992).
Sie untersuchten 71 Studien aus den Jahren 1960 bis 1977, in denen
jeweils zwei Behandlungen verglichen und keinerlei signifikante
Unterschiede festgestellt worden waren. Die Studien waren in den
angesehensten internationalen Medizin-Zeitschriften, zum Beispiel
Lancet oder *New England Journal of Medicine*, erschienen. In fast
allen geprüften Fällen (94 Prozent) überstieg die Wahrscheinlichkeit, eine 25-prozentige Verbesserung oder Verschlechterung der
Heilungsrate zu übersehen, die Zehnprozentmarke. In 70 Prozent
der Arbeiten lag die Chance, dass ein Unterschied von 50 Prozentpunkten (!) unbemerkt geblieben war, höher als 10 Prozent. 15
Prozent der betrachteten Studien waren vorzeitig abgebrochen
worden.

Diese 1978 publizierte Bilanz wurde bis 1988 fast jede Woche
einmal in wissenschaftlichen Arbeiten zitiert, insgesamt 429-mal.
Zehn Jahre später wiederholten Freiman und Mitarbeiter das gleiche Spiel an 65 aus den Jahren 1977 bis 1987 stammenden Studien,
die ebenfalls auf keine signifikanten Unterschiede gestoßen waren.
Das Ergebnis glich in seinen Werten dem vorherigen, war aber
noch erschütternder, denn offensichtlich hatte aus der ersten Publikation trotz der zahlreichen Zitate niemand etwas dazugelernt.

Die jeweiligen Autoren, denen mit großer Wahrscheinlichkeit
wichtige Veränderungen in ihren Studien entgangen waren, inter-
pretierten ihre negativen Ergebnisse voreilig als Beweis für die
«Gleichheit» der untersuchten Behandlungen. Es ist jedoch grundsätzlich unmöglich, die Gleichheit zweier Therapien nachzuwei-

sen. Man kann lediglich behaupten, dass man einen tatsächlich vorhandenen Unterschied nur mit einer bestimmten Wahrscheinlichkeit, nämlich der für den Fehler zweiter Art, übersehen hätte.

Die Sichtverderber
Wovon der Fehler zweiter Art abhängt

Die Wahrscheinlichkeit, einen tatsächlich vorhandenen Unterschied zu übersehen, hängt von drei Dingen ab: 1. seiner Größe, 2. der Wahrscheinlichkeit für den Fehler erster Art und 3. der Anzahl der Patienten in der Studie.

Es ist einleuchtend, dass die Größe des tatsächlichen Unterschieds eine entscheidende Rolle beim Übersehfehler spielt. Eine Differenz von 10 Prozentpunkten bleibt eher unbemerkt als eine von 50 Prozentpunkten.

Die gegenseitige Abhängigkeit der Wahrscheinlichkeiten für den Fehler erster und zweiter Art liegt nicht so unmittelbar auf der Hand.

Im Beispiel 2 der Tabelle 23 scheitert das Aufdecken des Unterschiedes von immerhin 23 Prozentpunkten zwischen alter und neuer Therapie an der Fünfprozenthürde für den Fehler erster Art. Wir übersehen ihn, weil er nicht signifikant ist. Hätten wir uns (vor Beginn der Studie!) auf ein Signifikanzniveau von 10 Prozent geeinigt, wäre Beispiel 2 ebenfalls signifikant gewesen, und uns wäre die Differenz nicht entgangen. Mit anderen Worten: Wenn wir eine höhere Wahrscheinlichkeit für das Auftreten des Fehlers erster Art akzeptieren, verringern wir die Wahrscheinlichkeit, dass es zu Fehlern zweiter Art kommt, und umgekehrt.

Dass zum Dritten die Anzahl der Patienten in einer Studie von Bedeutung ist, entspricht unserer Intuition. Einer Erhebung mit fünfhundert Patienten trauen wir mehr zu als einer mit nur fünf. Bei insgesamt fünf Patienten macht ein Einzelner von ihnen bereits 20 Prozent des Kollektivs aus. Damit kann man ganz sicher keine zweiprozentigen Unterschiede aufdecken. Die für eine Studie benötigte Patientenzahl lässt sich mit statistischen Methoden berechnen. Das ist jedoch relativ kompliziert und ergibt, selbst wenn man nur den häufigsten Fragestellungen gerecht werden will, ein umfangreiches Tabellenwerk. Wir begnügen uns hier mit einer übersichtlichen Darstellung und einer Faustformel, die aber lediglich grobe Abschätzungen erlauben.

Tabelle 24: Grobe Näherung für die Anzahl der benötigten Patienten, um einen vorgegebenen Unterschied zwischen zwei Therapiemodalitäten feststellen zu können. Die Patienten müssen 1 zu 1 aufgeteilt werden. Vorgaben: Wahrscheinlichkeit für den Fehler erster Art 5 Prozent; Wahrscheinlichkeit für den Fehler zweiter Art 20 Prozent. Bei sehr hohen und sehr kleinen Heilungsraten ist diese Tabelle ungenau (Sylvester 1989).

Unterschied zwischen den Heilungsraten (in Prozentpunkten)	Anzahl der benötigten auswertbaren Patienten
5	2800
10	720
15	320
20	180
25	120

Die erste Spalte der Tabelle gibt an, welchen Unterschied in den Heilungsraten wir mit der jeweils in der zweiten Spalte angegebenen Patientenzahl erkennen können. Für 5 Prozentpunkte Unterschied sind 2800 Patienten erforderlich, aber es genügen bereits 120 Patienten, wenn die Differenz der Heilungsraten 25 Prozentpunkte beträgt.

Die Tabelle wurde für eine fünfprozentige Wahrscheinlichkeit des Fehlers erster und eine zwanzigprozentige Wahrscheinlichkeit des Fehlers zweiter Art berechnet. In der medizinischen Forschung werden diese Wahrscheinlichkeiten als ausreichend akzeptiert, wenn auch, wie erwähnt, nur sehr selten eingehalten. Würden Sie einen Feuermelder kaufen, der eine Fehlalarmquote von 5 Prozent hat und der bei 20 Prozent der Brände keinen Alarm schlägt?

Mit Tabelle 24 bewaffnet, wird bei der Durchsicht der aktuellen medizinischen Literatur schnell deutlich, dass die meisten klinischen Untersuchungen mit negativem Ergebnis wertlos sind – nicht wegen des negativen Ergebnisses, sondern weil selbst die größeren und wichtigen Studien selten mehr als insgesamt 320 Patienten einbeziehen.[2] Bei einer Vorgabe von 20 Prozent für den Fehler zweiter Art werden mit diesen Patientenzahlen in jeder fünften Studie nicht gerade unerhebliche Unterschiede von immerhin 15 Prozentpunkten übersehen. Etwa 80 Prozent der auf der vierten Tagung der Deutschen Gesellschaft für Radio-Onkologie DEGRO im November 1998 vorgestellten klinischen Studien wurden mit weniger als 100 Patienten durchgeführt. Mit Hilfe von Tabelle 24 kommen Sie sicherlich schnell zu einer Einschätzung, was davon zu halten ist.

Vielseitiger für die Abschätzung von Patientenzahlen ist die im Folgenden beschriebene Faustformel, die wir gleich an einem Beispiel aus dem Straßenverkehr ausprobieren. Die Anwohner eines verkehrsberuhigten Stadtgebiets beschweren sich seit vielen Jahren über die große Anzahl von Autofahrern, die trotz Tempobegrenzung mit überhöhter Geschwindigkeit durch die Straße brettern und das Leben der dort spielenden Kinder gefährden. Nachdem die Tochter eines Politikers mit ihrer Familie in die Straße gezogen ist, werden diese Beschwerden durch eine stichprobenartige Radarkontrolle von der Polizei überprüft und bestätigt. Insgesamt 39 von 121 (= 32 Prozent) der kontrollierten Fahrzeuge sind zu schnell gefahren. Die nun heftiger vorgetragenen Forderungen der Anwohner nach wirkungsvollen Maßnahmen nutzt die Regierungspartei, um Wähler zu gewinnen. Sie startet eine aufwendige Aufklärungs-

2 Im Rahmen einer Untersuchung auf einem Spezialgebiet der Radioonkologie (Beck-Bornholdt et al. 1997) konnten wir feststellen, dass von den vierzehn in der Literatur existierenden randomisierten Studien (siehe auch S. 192) zwei weniger als 120 Patienten, drei zwischen 120 und 180 und fünf zwischen 180 und 320 Patienten untersucht haben. Die größte Studie wies insgesamt 509 Patienten auf, also deutlich weniger als die 720, die erforderlich wären, um einen Unterschied von 10 Prozentpunkten mit 80-prozentiger Sicherheit nachweisen zu können.

kampagne und lässt neue Verkehrsschilder aufstellen. Die Politiker hoffen, dass sie dadurch den Anteil der Raser auf die Hälfte haben senken können, und wollen dies nun durch eine erneute Geschwindigkeitskontrolle überprüfen lassen. Dabei machen ihnen allerdings zwei Befürchtungen zu schaffen: Zu ausgedehnte Kontrollen sind teuer und verschlechtern die Laune der Autofahrer, was sicherlich einen Stimmenverlust bedeutet. Andererseits sollen auch nicht zu wenige Fahrzeuge kontrolliert werden, da dann der erwünschte Erfolg zufällig übersehen werden könnte. Auch das würde Wählerstimmen kosten.

Wir können diesen um Optimierung bemühten Politikern mit einer Faustformel zur Berechnung der Anzahl von Autofahrern helfen, die man mindestens kontrollieren muss, um die ganze Aktion am Ende auch statistisch aussagekräftig zu machen. In der Formel heißen Fahrzeuge mit überhöhter Geschwindigkeit «Versager», die anderen «Erfolg». Zu der Versagerrate von 32 Prozent bei der ersten Verkehrskontrolle gehört die Erfolgsrate von $100 - 32 = 68$ Prozent; dem erhofften 16-prozentigen Versageranteil nach der Kampagne stehen 84 Prozent Erfolge gegenüber. Die Formel für die Anzahl der zu untersuchenden Fahrzeuge pro Gruppe lautet (Gore 1995):

$$\text{Anzahl pro Gruppe} = 8 \times \frac{(\text{Erfolgsrate A} \times \text{Versagerrate A}) + (\text{Erfolgsrate B} \times \text{Versagerrate B})}{(\text{Erfolgsrate A} - \text{Erfolgsrate B})^2}$$

Diese Formel bezieht sich auf Studien mit Quoten von 5 Prozent für den Fehler erster und von 20 Prozent für den Fehler zweiter Art. Zur Berechnung der Anzahl pro Gruppe für den Fehler zweiter Art von 10 Prozent muss die «8» in der Formel durch eine «10», für den Fehler zweiter Art von 50 Prozent durch eine «4» ersetzt werden (Dubben & Beck-Bornholdt 1999). Wenn also nach der Aufklärungskampagne ein tatsächlicher Unterschied von 16 Prozentpunkten im Vergleich zur Zeit davor besteht, dann können wir ihn mit 80-prozentiger Sicherheit nachweisen, sofern folgende Anzahl von Fahrern kontrolliert wird:

$$\text{Anzahl pro Gruppe} = 8 \times \frac{(68 \times 32) + (84 \times 16)}{(68 - 84)^2} = 8 \times \frac{3520}{256} = 110$$

Pro Gruppe müssen also mindestens 110 Fahrzeuge gemessen werden. Wenn die Anzahl nur halb so groß ist wie mit der Formel berechnet, dann beträgt die mögliche Quote für den Fehler zweiter Art bereits 50 Prozent. Eine Untersuchung von weniger als 55 Autos pro Gruppe führt also dazu, dass ein tatsächlich vorhandener Effekt der Aufklärungskampagne und der zusätzlichen Verkehrsschilder mit einer Wahrscheinlichkeit von mehr als 50 Prozent übersehen wird.

Kleine Wirkung, großer Aufwand
Theoretische Größe einer Mammographie-Studie

Als Argument für die Früherkennung von Brustkrebs durch Mammographie wird häufig angeführt, dass durch diese ein Viertel der Brustkrebstodesfälle verhindert werden könnte[3]. Bei dieser Zahlenangabe handelt es sich um eine so genannte relative Risikoreduktion. Der Nutzen der Früherkennung erscheint außerordentlich groß. Werden die Zahlen jedoch absolut angeben, dann wirken sie deutlich bescheidener: Ohne Mammographie-Screening versterben innerhalb von 10 Jahren 4 von 1000 Frauen (0,4 Prozent) an Brustkrebs. Mit Früherkennung (über zehn Jahre) beträgt die Brustkrebsmortalität nur 3 von 1000 (0,3 Prozent). Beide Zahlenangaben beschreiben denselben Sachverhalt, haben aber sehr unterschiedliche Wirkung.[4]

Wie groß muss eine Studie eigentlich sein, um den genannten

---

3 Die Ausführungen hier beziehen sich auf ein Massen-Screening mit Mammographie von Frauen ohne spezifische Symptome im Alter von 50 bis 69 Jahren.
4 Es gibt noch weitere Möglichkeiten, den Vorteil der Mammographie darzustellen. Näheres zur Kommunikation derartiger Fakten finden Sie bei Mühlhauser & Höldtke (2002).

Unterschied bei einem Signifikanzniveau von 5 Prozent und einer Wahrscheinlichkeit für den Fehler zweiter Art von 20 Prozent nachzuweisen, sofern die Studie über einen Zeitraum von zehn Jahren läuft? Mit unserer Formel haben wir das schnell beantwortet:

$$Anzahl\ pro\ Gruppe = 8 \times \frac{(0,4 \times 99,6) + (0,3 \times 99,7)}{(0,4 - 0,3)^2} = 8 \times 6975 = 55\,800$$

Insgesamt werden in einer Studie doppelt so viele, also 111 600 Patientinnen, benötigt, um den behaupteten Nutzen zu belegen.

In der Realität wird man deutlich mehr Patientinnen benötigen. Über einen Zeitraum von 10 Jahren ziehen viele Menschen um, und es kann nicht mehr festgestellt werden, ob sie noch leben oder bereits verstorben sind. Auch wird in vielen Mammographie-Studien die Todesursache aus dem Totenschein übernommen. Es ist allerdings bekannt, dass die Todesursache auf dem Totenschein häufig unrichtig ist. Sollte unsere theoretische Studie wie erwartet ausgehen, erhalten wir 223 Brustkrebstote in der Nicht-Screening-Gruppe und 167 in der Screening-Gruppe. Ganze 223−167=56 Patientinnen machen den Unterschied des Ergebnisses aus. Und noch viel weniger Patientinnen machen die statistische Signifikanz des Ergebnisses aus (in diesem Fall sind es 18). Wenn aus einer Studie mit über 111 600 Patientinnen einige 100 nicht in das Ergebnis einfließen, weil sie umgezogen sind, dann ist das Ergebnis schon nicht mehr überzeugend. Auch dürfte die Anzahl der unrichtigen Angaben zur Todesursache die Anzahl der Patientinnen, die den Unterschied ausmachen, bei weitem übersteigen. Die Ergebnisse der Studien sind somit mit größter Vorsicht zu genießen.

Wer suchet, der findet
Der minimale relevante Unterschied

Und wer suchet, der muss natürlich eine Vorstellung davon haben, was er suchet, sonst weiß er ja gar nicht, wonach er Ausschau halten soll. Zur Berechnung der Anzahl der Patienten für eine Studie mit vorgegebenen Wahrscheinlichkeiten für die Fehler erster und zweiter Art muss man zwei Zahlen kennen, nämlich die Erfolgsraten in der Standardbehandlung und den Unterschied, um den die neue Behandlung besser ist. Na gut, die Erfolgsrate der Behandlung, die ich seit Jahren durchführe, die kenne ich mittlerweile. Aber um wie viel die neue Therapie besser ist? Das weiß ich nicht. Würde ich es wissen, bräuchte ich doch die Studie nicht mehr. Da beißt sich doch die Katze in den Schwanz!

Ich wollte zu Hause in der Küche schon seit langem eine neue Arbeitsplatte einbauen. Im Baumarkt gibt es gerade ein Sonderangebot. Knapp drei Meter lang. So steht es in der Wurfpostille. Das könnte reichen. Zur Not säg ich was ab. Nur zu kurz darf es nicht sein. Etwas dransägen geht ja schlecht. Zunächst einmal benötige ich ein Maßband, um meine alte Platte und dann das Sonderangebot zu vermessen. Welche Unterteilung soll das Maßband haben? Reichen Zentimeter? Lieber Millimeter oder gar Zehntel-Millimeter? Wie soll ich das entscheiden, wenn ich nicht weiß, um wie viel die Angebotsplatten von meiner alten Platte abweichen? Da beißt sich doch die Katze in den Schwanz!

Die letzte Frage ist doch sehr merkwürdig, nicht wahr? Dieser Heimwerker sollte sich überlegen, welche Genauigkeit zur Messung erforderlich ist. Bei der Küchenplatte wird es auf 2 oder 3 Millimeter nicht ankommen, wozu gibt es denn Silikon. Also reicht eine Millimetereinteilung vollkommen. Eine Dezimeter-Einteilung wäre zu grob. Mit so etwas könnte man einen relevanten Unterschied von einigen Zentimetern leicht übersehen. Eine Mikrometerschraube wäre allerdings hinausgeworfenes Geld.

Genauso verhält es sich mit einer Studie. Ich muss wissen, ein wie großer Unterschied, beispielsweise in der Heilungsrate zweier Therapien, relevant ist. Diesen Unterschied muss die Studie aufzeigen können. Danach richtet sich die Berechnung der Anzahl erforderlicher Patienten. So wie ein grobes Maßband ist auch eine Studie, die nur große Unterschiede messen kann, das billigere Werkzeug, weil man weniger Patienten benötigt. Will man kleinere Unterschiede messen, wird es teurer. Man muss also vorher wissen, was relevant ist. Genauer genommen muss man einen *minimalen* relevanten Unterschied angeben. Das ist vernünftig, denn eine Studie, die einen Unterschied von 20 Prozentpunkten aufdecken kann, kann dies noch besser bei einem Unterschied von 30 Prozentpunkten. Und wenn 20 Prozentpunkte relevant sind, dann sind es 30 erst recht.

Die Frage nach der Relevanz ist natürlich auch angebracht, wenn mit sehr vielen Probanden beispielsweise einer riesengroßen multizentrischen Studie, einer epidemiologischen Untersuchung oder einer Metaanalyse ein klitzekleiner Unterschied als statistisch signifikantes Ergebnis erscheint. Mit sehr hohen Fallzahlen bekommt man fast alles statistisch signifikant, aber dadurch wird es nicht unbedingt interessant oder relevant.

Zusammenfassend halten wir fest: Kleine Unterschiede sind schwer nachweisbar; kleine Fallzahlen machen Untersuchungen zum Glücksspiel.

Die Qual vor der Wahl
Wahlprognosen

> Politiker rechnen so sehr mit der Stimme des Wählers, dass sie nicht dazu kommen, sie zu hören.
> *Werner Schneyder*

Kein Wahlkampf ohne Wahlprognosen, die sich gegenseitig widersprechen. Verschiebungen um nur wenige Prozentpunkte entscheiden bereits darüber, welche Partei die Mehrheit erringt, welche Koalitionen möglich sind, welche Parteien an der 5-Prozent-Hürde (der politischen, nicht der statistischen) scheitern. Deshalb gehen die Interpretationen und politischen Vorhersagen oft weit auseinander. Von der Möglichkeit, dass das Umfrageinstitut gar keine echte Prognose liefern will, sondern für eine Partei ein bestimmtes Ergebnis herbeireden möchte, wollen wir hier absehen. So wie die medizinischen Kollegen in den vorigen Abschnitten stecken die Meinungsforscher in einem Dilemma. Wenn sie nur wenige Leute befragen, ist ihr Ergebnis entsprechend ungenau. Vorhandene

Trends werden mit hoher Wahrscheinlichkeit übersehen, und die befragte Gruppe ist aller Voraussicht nach nicht repräsentativ. Wen würde es schon wundern, wenn von 10 befragten Lehrern einer Hamburger Gesamtschule 9 dieselbe Partei wählen? Wenn von 10 000 oder 100 000 Leuten 90 Prozent dieselbe Partei wählen, das wäre schon eher bemerkenswert – und bedenklich. Für genauere Ergebnisse muss man mehr Menschen befragen, was natürlich mit steigenden Kosten verbunden ist. Am besten fragt man alle, dann weiß man es ganz genau. Das Dilemma lautet: Eine Umfrage ist entweder ungenau oder teuer.

Vor Durchführung einer Umfrage muss feststehen, wie genau das Ergebnis sein soll. Damit lässt sich dann abschätzen, wie viele Personen befragt werden müssen. Betrachten wir ein Beispiel: Ein Meinungsforschungsinstitut soll für eine der großen Volksparteien, deren Wähleranteil bei etwa 40 Prozent liegt, zwei repräsentative Umfragen durchführen. Eine zu Beginn des Wahlkampfes und eine mittendrin. Zur Beurteilung der Wahlkampfstrategie des Auftraggebers (und zwangsläufig auch derjenigen der gegnerischen Partei) während der ersten «Halbzeit» möchte man die Ergebnisse der Umfragen miteinander vergleichen.

Zunächst müssen wir fragen, wie groß der minimale relevante Unterschied ist. Fünf Prozentpunkte sind sicherlich zu hoch gegriffen. Das wäre bereits eine erdrutschartige Wählerwanderung. Zwei Prozentpunkte erscheinen da angemessener. Wenn der Auftraggeber eine Veränderung des Wähleranteils um zwei Prozentpunkte mit einer Wahrscheinlichkeit von 80 Prozent bei einem Signifikanzniveau von 5 Prozent erkennen will, dann ergibt die oben eingeführte Formel:

$$\text{Anzahl der Antworten} = 8 \times \frac{(40 \times 60) + (42 \times 58)}{(40 - 42)^2} = 8 \times \frac{4836}{4} = 9672$$

Erfahrungsgemäß verweigern etwa ein Drittel der Befragten die Antwort, sodass pro Umfrage etwa 15 000 Personen und insgesamt etwa 30 000 befragt werden müssen.

Für eine kleine Partei mit einem Stimmenanteil von etwa 6 Prozent und angstvollem Blick auf die politische 5-Prozent-Hürde ist schon eine Abnahme um einen Prozentpunkt ein Desaster. In diesem Fall ergibt die Formel:

$$\text{Anzahl der Antworten} = 8 \times \frac{(6 \times 94) + (5 \times 95)}{(6 - 5)^2} = 8 \times \frac{1039}{1} = 8312$$

Berücksichtigt man auch hier ein Drittel Verweigerer, dann müssen für eine aussagekräftige Trenduntersuchung über 12000 Wähler befragt werden.[5]

Im Allgemeinen basieren Wahlprognosen auf den Antworten von nur etwa eintausend befragten Personen. Manchmal werden fünftausend Wähler befragt. Die mit solchen Umfragen ermittelten Zahlen unterliegen erheblichen statistischen Fehlern und sind häufig viel zu ungenau für eine vernünftige Prognose. Die Abbildung 30 vermittelt einen Eindruck von der Genauigkeit eines Umfrageergebnisses. Liefert eine Umfrage mit 1000 Antworten das Ergebnis «40 Prozent», dann liegt der Stimmenanteil mit großer Wahrscheinlichkeit zwischen 37 und 43 Prozent.[6] Das bedeutet, er lässt sich nur auf etwa ± 3 Prozent genau vorhersagen. Mit 1000 Antworten können Veränderungen des Wähleranteils von ein oder zwei Prozent nicht zuverlässig erkannt werden. Selbst mit 5000 Antworten kann der Stimmenanteil nur auf etwa ± 1,4 Prozent genau vorhergesagt werden. Werden für die kleine Partei 1000 Antworten mit dem Ergebnis «6 Prozent» ausgewertet, sollten sich deren Anhänger nicht zu früh freuen. Das Ergebnis kann 7,65 Prozent betragen, aber auch nur 4,62 Prozent. Und das wäre eine hundertprozentige Niederlage.

Bisher haben wir nur statistische Schwankungen betrachtet. Zu ihnen gesellt sich noch eine ganze Reihe weiterer Fehlerquellen.

5 Bei diesen Berechnungen unterstellen wir eine sehr große Wählerschaft. Bei Bürgermeisterwahlen in einem Ort mit 5000 Seelen muss man anders vorgehen.
6 Hier wurde der 95-Prozent-Vertrauensbereich mit Hilfe der Binomialverteilung berechnet. Siehe auch Anhang III.

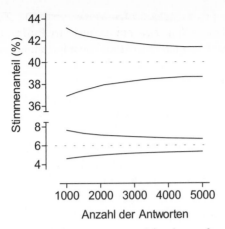

Abbildung 30: Vermutlicher Stimmenanteil für das Umfrageergebnis 40 Prozent (oben) beziehungsweise 6 Prozent (unten) in Abhängigkeit von der Anzahl der Antworten

Viele Wahlprognosen basieren auf Telefoninterviews. Hierbei lassen sich «arbeitserleichternde Maßnahmen» (beispielsweise pro Befragten gleich zwei Fragebögen ausfüllen) nicht sicher ausschließen. Es ist sehr zu bezweifeln, dass der Anteil derjenigen, die am Telefon einem Fremden bereitwillig Auskunft erteilen, bei allen Parteien derselbe ist. In der Praxis ist die Ungenauigkeit von Wahlprognosen damit wahrscheinlich erheblich größer, als die rein statistischen Fehler vermuten lassen.

(Un)heimliche Verluste
Die weit reichenden Konsequenzen des Fehlers
zweiter Art

Bei der Behandlung von Brustkrebs sind in den letzten Jahren große Fortschritte erzielt worden. Zu den ersten Erfolgen führte eine sehr radikale Operation, bei der man nicht nur die Brust, sondern auch den darunter liegenden Muskel entfernte. Zwar konnte durch diese Behandlung ein großer Anteil der Patientinnen geheilt werden, aber die damit verbundene Verstümmelung stellte für sie eine erhebliche Belastung dar. Deshalb hat man nach weniger aggressiven Behandlungen gesucht. Zunächst verzichtete man auf die Entfernung des Muskels. Daran schloss sich eine Phase an, in der nur ein Quadrant, das heißt ein Viertel der Brust, entfernt und das umliegende Gewebe zusätzlich bestrahlt wurde. Zur weiteren Verbesserung der kosmetischen Ergebnisse folgten Untersuchungen, die zeigen konnten, dass eine operative Entfernung des Tumors mit einem relativ kleinen Sicherheitssaum und einer anschließenden Bestrahlung die Heilungserfolge nicht beeinflusste. Heute laufen zahlreiche Erhebungen mit dem Ziel, nun auch auf die Strahlenbehandlung zu verzichten.

Der Haken bei der statistischen Überprüfung des geschilderten Ablaufs besteht darin, dass bei jedem Vergleich möglicherweise kleine Verschlechterungen der Heilungsrate übersehen werden. Diese heimlichen Verluste könnten sich dann unbemerkt zu einem unbefriedigenden Endergebnis aufaddieren. Das Problem erinnert ein wenig an das Kletterseil im Kapitel «Mit der Schrotflinte in den Porzellanladen» und lässt sich durch ein Würfelexperiment veranschaulichen (Tabelle 25).

Nehmen wir an, eine bestimmte Therapie I führe zur Heilung von 83 Prozent der Patienten. Dies können wir mit einem Würfel einfach simulieren: Die Zahlen von eins bis fünf entsprechen einem Erfolg, nur die Sechs ist ein Fehlschlag.[7] Die von uns entwickelte Therapie II hat deutlich geringere Nebenwirkungen als die althergebrachte Therapie I, und wir wünschen uns, dass sie ebenso viele Patienten heilt wie diese, denn nur dann ist sie eine echte Verbesserung. Tatsächlich ist die neue Therapie aber nur bei 67 Prozent der Patienten erfolgreich. In unserem Würfelexperiment stehen also nur die Zahlen von eins bis vier für eine Heilung, fünf und sechs bedeuten einen Misserfolg. In der ersten Studie treten in diesem

7 Die Wahrscheinlichkeit für «1 oder 2 oder 3 oder 4 oder 5» ist $5/6$ = 0,83 oder 83 Prozent; die für eine «6» beträgt $1/6$ = 0,17 oder 17 Prozent.

Tabelle 25: Simulation der Potenzierung des Fehlers zweiter Art bei sukzessiven, aufeinander aufbauenden Studien

	Strichliste Erfolge	Misserfolge	Unterschied signifikant?
1. Studie (Therapie I versus Therapie II):			
Therapie I (83 %; Heilung bei 1 bis 5)	E_I_____	M_I_____	
Therapie II (67 %; Heilung bei 1 bis 4)	E_{II}_____	M_{II}_____	_____
2. Studie (Therapie II versus Therapie III):			
Therapie II (67 %; Heilung bei 1 bis 4)	E_I_____	M_I_____	
Therapie III (50 %; Heilung bei 1 bis 3)	E_{II}_____	M_{II}_____	_____
3. Studie (Therapie III versus Therapie IV):			
Therapie III (50 %; Heilung bei 1 bis 3)	E_I_____	M_I_____	
Therapie IV (33 %; Heilung bei 1 bis 2)	E_{II}_____	M_{II}_____	_____
Beispielstudie			
Therapie I (Heilung bei 1 bis 5)	E_I |||||||| M_I |||		
Therapie II (Heilung bei 1 bis 4)	E_{II} |||||| M_{II} |||||		*nein*

Würfelspiel Therapie I und II mit jeweils zwölf Patienten gegeneinander an. Pro Gruppe muss also zwölfmal gewürfelt werden. Bitte tragen Sie Ihre Ergebnisse in Tabelle 25 ein. Nach denselben Spielregeln verfahren Sie nun beim Vergleich von Therapie II und Therapie III. Diese ist noch schonender als Therapie II, doch wird nur noch die Hälfte der Patienten geheilt, das heißt, die Zahlen eins bis drei stehen für Behandlungserfolg, vier bis sechs für Misserfolg. Zum Abschluss prüfen Sie Therapie III gegen Therapie IV, wobei bei Therapie IV nur noch eins und zwei eine Heilung und drei bis sechs einen Fehlschlag bedeuten.

Nach dem Würfeln können Sie feststellen, ob Ihre drei Studien zu signifikanten Unterschieden in der «Heilungsrate» geführt haben. Um Ihnen den Vierfeldertest zu ersparen, haben wir für die Auswertung Tabelle 26 erstellt. Die Zeile gibt die Anzahl der geheilten Patienten «E_I» der einen und die Spalte die Anzahl der geheilten Patienten «E_{II}» der anderen Therapie wieder. Für die

Beispielstudie von Tabelle 25 ($E_I = 9$ und $E_{II} = 7$) suchen wir Zeile neun und Spalte sieben auf. Die Differenz ist nicht signifikant.[8] Prüfen Sie nun anhand der Tabelle oder mit dem Vierfeldertest, ob Ihre drei Studien zu signifikanten Ergebnissen geführt haben, und tragen Sie das Resultat neben der Strichliste in Tabelle 25 ein.

Sie haben gute Chancen, während des ganzen Spiels keinen einzigen signifikanten Unterschied zu finden, was in der Realität hieße, dass Ihnen die Verschlechterung der Heilungsrate um 50 Prozentpunkte, nämlich von 83 auf nur noch 33 Prozent, entgeht. Die Wahrscheinlichkeit, die jeweiligen Unterschiede von 16 bis 17 Prozent zu übersehen, beträgt 86 Prozent, und die Wahrscheinlichkeit, dass dies dreimal hintereinander geschieht, 64 Prozent[9]. Bei einem direkten Vergleich von Therapie I und IV würde die 50-prozentige Differenz nur mit einer Wahrscheinlichkeit von 27 Prozent[10] unbemerkt bleiben. Sind bei Ihnen Therapie I und Therapie IV signifikant verschieden? Das Risiko für den Fehler zweiter Art ist deutlich höher, wenn man nicht direkt, sondern sukzessiv vergleicht. In diesem Beispiel steigt das Risiko um mehr als das Doppelte ($64\% / 27\% = 2{,}37$).

Die Vernachlässigung des Fehlers zweiter Art kann nach einer solchen Serie zu erheblichen Verschlechterungen einer Therapieform führen. Im Würfelbeispiel fällt das sofort auf, da wir die Ergebnisse der ersten und der letzten Studie gegenüberstellen können.

---

8 Für die Beispielstudie ($E_I = 9$, $M_I = 3$, $E_{II} = 7$, $M_{II} = 5$) erhalten wir mit der Formel für den Vierfeldertest (siehe Seite 52 ff.):

$$\text{Prüfgröße} = \frac{(E_I + M_I + E_{II} + M_{II} - 1) \times (E_I \times M_{II} - E_{II} \times M_I)^2}{(E_I + E_{II}) \times (M_I + M_{II}) \times (E_I + M_I) \times (E_{II} + M_{II})} = \frac{(9 + 3 + 7 + 5 - 1) \times (9 \times 5 - 7 \times 3)^2}{16 \times 8 \times 12 \times 12}$$

$$= \frac{23 \times 576}{18432} = \frac{13248}{18432} = 0{,}72$$

Da die Prüfgröße kleiner als 3,84 ist, ergibt sich in der Beispielstudie ein nicht signifikanter Unterschied zwischen Therapie I und II.

9 $0{,}86 \times 0{,}86 \times 0{,}86 = 0{,}64$ beziehungsweise 64 Prozent.

10 Die Berechnung der Übersehwahrscheinlichkeiten von 86 und 27 Prozent ist nicht ganz so einfach, und deren genaue Herleitung würde hier zu weit führen.

Tabelle 26: Tabelle zur Auswertung des Würfelspiels

Heilungen bei der einen Therapie (E_I)	Heilungen bei der anderen Therapie (E_{II})												
	0	1	2	3	4	5	6	7	8	9	10	11	12
0	n.s.	n.s.	n.s.	n.s.	s.	s.	s.	s.	s.	s.	s.	s.	s.
1	n.s.	n.s.	n.s.	n.s.	n.s.	n.s.	s.	s.	s.	s.	s.	s.	s.
2	n.s.	n.s.	n.s.	n.s.	n.s.	n.s.	n.s.	s.	s.	s.	s.	s.	s.
3	n.s.	n.s.	n.s.	n.s.	n.s.	n.s.	n.s.	n.s.	s.	s.	s.	s.	s.
4	s.	n.s.	n.s.	n.s.	n.s.	n.s.	n.s.	n.s.	n.s.	s.	s.	s.	s.
5	s.	n.s.	n.s.	n.s.	n.s.	n.s.	n.s.	n.s.	n.s.	n.s.	s.	s.	s.
6	s.	s.	n.s.	n.s.	n.s.	n.s.	n.s.	n.s.	n.s.	n.s.	n.s.	s.	s.
7	s.	s.	s.	n.s.	n.s.	n.s.	n.s.	n.s.	n.s.	n.s.	n.s.	n.s.	s.
8	s.	s.	s.	s.	n.s.	n.s.	n.s.	n.s.	n.s.	n.s.	n.s.	n.s.	s.
9	s.	s.	s.	s.	s.	n.s.	n.s.	n.s.	n.s.	n.s.	n.s.	n.s.	n.s.
10	s.	s.	s.	s.	s.	s.	n.s.	n.s.	n.s.	n.s.	n.s.	n.s.	n.s.
11	s.	s.	s.	s.	s.	s.	s.	n.s.	n.s.	n.s.	n.s.	n.s.	n.s.
12	s.	s.	s.	s.	s.	s.	s.	s.	s.	n.s.	n.s.	n.s.	n.s.

Diese Tabelle wurde mit dem Vierfeldertest berechnet und gilt nur für den Vergleich von jeweils zwölf Patienten pro Gruppe (s.: signifikanter Unterschied; n.s.: nicht signifikant).

In der Realität vergehen zwischen den einzelnen Schritten einer solchen Kette viele Jahre, häufig sogar Jahrzehnte. Ein *direkter* Vergleich zwischen dem ersten und dem letzten Glied ist fast unmöglich, weil die anfängliche Therapie mittlerweile als völlig veraltet gilt und eventuell sogar als Kunstfehler betrachtet wird.

Natürlich lassen sich aktuelle Ergebnisse an den niedergeschriebenen historischen einer Vorläufertherapie messen, doch besteht die Gefahr, Äpfel mit Birnen zu vergleichen, da sich zwischenzeitlich häufig auch begleitende Therapiemodalitäten und die Diagnostik verändert haben. Die Falle, in die man beim Vergleich mit historischen Daten laufen kann, heißt «stage migration». Wir werden auf Seite 234 f. auf sie zurückkommen.

Um das Problem des Fehlers zweiter Art zu umgehen, sind in der medizinischen Forschung in den letzten Jahren so genannte *Megatrials*, also Riesenstudien, populär geworden. Dies sind meist multizentrisch (an vielen Krankenhäusern gleichzeitig) durchgeführte Studien mit sehr großen Patientenzahlen. Die statistischen Vorteile solcher Megatrials erscheinen zwar sehr verlockend, doch sind sie keineswegs das Nonplusultra der medizinischen Forschung, und bei der Interpretation ihrer Ergebnisse ist Vorsicht geboten (Charlton 1996). Das liegt daran, dass die hohe Anzahl der Patienten zu Lasten der Genauigkeit geht. Große Populationen können dadurch hergestellt werden, dass man eine Reihe im Grunde verschiedener Kollektive in einen Topf wirft. Soll eine Studie alle Patienten mit Lungenkrebs einbeziehen, so ist es sehr viel einfacher, viele Probanden zusammenzubekommen, als wenn die Erkrankung präzisiert und ein bestimmtes Stadium untersucht wird. Das Dilemma lautet also: Je präziser die Fragestellung einer Studie umrissen ist, desto weniger Patienten bekommt man zusammen und desto ungenauer wird die Antwort im statistischen Sinne. Je unpräziser die Frage, umso statistisch genauer die Antwort, weil man viele Patienten hat. Die Information, die der Arzt für die Behandlung eines einzelnen Kranken benötigt, wird mit einer solchen Riesenstudie nicht gewonnen, denn eine Einzelperson entspricht nur extrem selten dem Durchschnitt von zum Beispiel zehntausend Patienten eines Megatrials. – Große Zahlen allein sind offenbar keine Lösung.

Mit der Wahrheit lügen
Manipulationsmöglichkeiten bei der Darstellung von Ergebnissen

Aus Lügen, die wir glauben,
werden Wahrheiten, mit denen wir leben.
Oliver Hassenkamp

Ein Bild sagt mehr als tausend Worte. Das gilt nicht nur für die Kunst, sondern auch für die Darstellung quantitativer Zusammenhänge wie wissenschaftlicher Ergebnisse oder wirtschaftlicher Daten. Ein Reiseunternehmen wird in seinem Prospekt eher eine hübsche Grafik als eine Tabelle zeigen, um den Kunden über das Wetter am Zielort zu informieren und vor allem auch davon zu überzeugen, dass das Wetter dort nichts zu wünschen übrig lässt. Wenn man in einem Koordinatensystem die Sonnenscheindauer gegen die Jahreszeit aufträgt, ergibt das eine wesentlich übersichtlichere und einprägsamere Darstellung als zwei Tabellenspalten mit Zahlen. In der Malerei gibt das Bild die Sicht des Malers wieder, aber auch in Wissenschaft und Wirtschaft wird die bildliche Präsentation harter Daten ganz maßgeblich von der subjektiven Einschätzung des «Künstlers» geprägt. Aus einer Unzahl von Auftragungsarten kann er diejenige auswählen, die die ihm genehmen Aspekte betont und die unangenehmen herunterspielt. Auch ohne Daten zu verändern (das wäre Betrug), ist die Menge der Manipulationsvarianten fast unerschöpflich. Einige werden Sie in diesem Kapitel kennen lernen, aber nicht etwa, damit Sie selber besser manipulieren können, sondern damit Sie nicht mehr darauf hereinfallen.

Immer wenn für das Verständnis der realen Beispiele umfangreiche Fachkenntnisse erforderlich waren, haben wir uns einfache Beispiele ausgedacht, die dann ausdrücklich als solche gekennzeichnet sind.

Daten auf der Streckbank
Manipulierte Koordinatenachsen

Beim Fotografieren können Sie mit der Linse nah ans Geschehen herangehen, um auch kleine Details groß erscheinen zu lassen. Oder Sie halten Abstand, um zum Beispiel ein Gebirgspanorama ins Bild zu bekommen, in dem dann die Baustelle vor dem Hotel zur unbedeutenden Bagatelle wird. Entsprechende Stilmittel stehen bei der Wahl von Koordinatenachsen zur Verfügung. Auch hier können Sie unliebsame Erscheinungen klein werden lassen oder kleine Dinge groß aufblasen – ganz wie es beliebt.

Betrachten wir ein ausgedachtes Bild[1]: Der Polizeipräsident eines beschaulichen Städtchens hat kürzlich die Entwicklung der Einbruchskriminalität in einer Pressemitteilung dargestellt. In Abbildung 31 ist die Anzahl der Einbrüche gegen das Jahr aufgetragen.

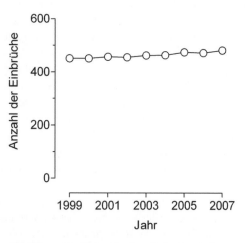

Abbildung 31: Einbrüche laut Polizeistatistik

1 Angeregt durch ein Beispiel in dem Buch von Walter Krämer (1994).

Während der letzten Jahre ist sie mit etwa 450 bis 500 Einbrüchen pro Jahr nahezu unverändert geblieben.

Mit diesem eigentlich erfreulichen Zustand gibt sich aber nicht jeder zufrieden. Die Firma Fehlan & Zeige vertreibt und installiert Alarmanlagen für Einfamilienhäuser. Dem Geschäftsführer erscheint die polizeiliche Grafik wenig geeignet, neue Kunden anzulocken. Deshalb entwirft er eine neue Werbebroschüre, wobei er, da er ein ehrlicher Mensch ist, dieselben Daten verwendet wie die Polizei. Mühelos findet er eine verheerende Entwicklung in Sachen Einbruch (Abbildung 32), ohne den Zahlen Unrecht anzutun. Um die gewünschte Dynamik zu erzielen, hat er in seiner Darstellung lediglich die Ordinate (senkrechte Achse) bei 450 Einbrüchen abgeschnitten und deutlich gestreckt.

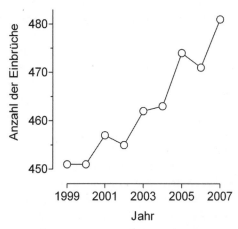

Abbildung 32: Werbewirksame Darstellung derselben Einbruchszahlen wie in Abbildung 31

Unser Geschäftsführer ist auch ein begnadeter Texter. Bei genauerer Betrachtung fällt ihm auf, dass die Anzahl der Einbrüche von 1999 bis Ende 2005 von 451 auf 472 pro Jahr angestiegen ist. Die Zuwachsrate liegt somit bei 21 Einbrüchen in sieben Jahren, also im Durchschnitt 21/7 = 3 Delikten jährlich. 2007 hat es mit 481

Fällen neun Einbrüche mehr gegeben als 2006. Das ist zwar immer noch fast nichts, aber trotzdem ist die Zuwachsrate um den beeindruckenden Faktor $9/3 = 3$ erhöht oder, was dasselbe ist, von 100 auf 300 Prozent angewachsen. In ihrer Werbebroschüre kann die Firma Fehlan & Zeige somit zur Abbildung 32 *wahrheitsgetreu* die Überschrift setzen: «Anstieg der Einbruchszuwachsrate auf 300 Prozent in nur einem Jahr!»

Die Noris Verbraucherbank warb in Hamburg mit der Behauptung «Hier gibt's 72,4 % mehr Zinsen». Das war nicht gelogen, denn sie bot 3,5 Prozent Zinsen gegenüber einem Bundesdurchschnitt von 2,03 Prozent. Die Differenz von 1,47 Prozentpunkten entspricht tatsächlich einem relativen Plus von 72,4 Prozent, denn $1,47/2,03 = 0,724$.

Eine diplomatische Variante lieferte der AP-Korrespondent Thomas Schmoll in seinem Beitrag zum Ausscheiden des früheren Bundespräsidenten Roman Herzog. Ausgerechnet unter dem Motto «Wahrheit und Klarheit» schrieb er: «Vor Herzogs Amtsantritt hatten ihn in Umfragen rund 30 Prozent der Befragten abgelehnt. Ein Jahr später erhielt der am 5. April 1934 in Landshut geborene Niederbayer bereits über 50 Prozent Zuspruch.» Die Zahlen werden wohl stimmen, aber über die Zunahme der Akzeptanz des Bundespräsidenten sagen sie genauso viel wie Balthasar Matzbach über die Schlechtigkeit der Geschlechter: «Es gibt mehr schlechte Männer als gute Frauen.»

Diese Art der Manipulation von Daten ist vor allem im Wirtschaftsbereich verbreitet, aber durchaus auch in der Forschung zu beobachten. Mit derselben Methode kann man auch das Gegenteil erreichen und unliebsame Veränderungen verschönen. Die Nachricht von einer sinkenden Inflationsrate hört sich zunächst einmal sehr positiv an. Aber in Wirklichkeit bedeutet sie, dass die Geldentwertung trotzdem voranschreitet; sie ist nur langsamer geworden.

Andererseits kann das Abschneiden und Strecken einer Skala auch durchaus sinnvoll sein. In Abbildung 33 ist eine Fieberkurve dargestellt. Vernünftigerweise beginnt die Ordinate bei 35 und nicht bei 0 Grad Celsius. Selbst geringe Schwankungen der Körpertemperatur von weniger als einem Grad lassen sich mit jedem Fieberthermometer einwandfrei messen und können medizinisch be-

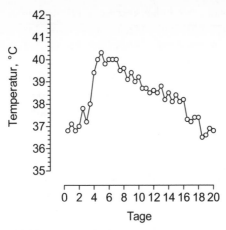

Abbildung 33: Fieberkurve

deutsam sein. Deshalb muss die Ordinate so gewählt werden, dass diese Änderungen aus der Fieberkurve ablesbar sind.

Bei der kritischen Betrachtung von Abbildungen sollten Sie stets überprüfen, ob die Achsen sinnvoll gewählt sind und die dargestellten Daten beziehungsweise Messergebnisse wirklich das belegen, was die Autoren behaupten.

... es wirkt
Effekte der Ergebnispräsentation

> Man sollte alles so einfach wie möglich sehen, aber nicht einfacher.
> *Albert Einstein*

Eine amerikanische Arbeitsgruppe (Forrow et al. 1992) hat mögliche Auswirkungen der Ergebnispräsentation auf die Bereitschaft von Ärzten untersucht, ein bestimmtes Medikament zu verschreiben. Sie hat 235 Ärzten zwei Texte vorgelegt:

1. Die Sterberate als Folge koronarer Herzerkrankungen konnte durch die Behandlung mit Medikament A von 2,0 Prozent auf 1,6 Prozent verringert werden. Diese Reduktion um 0,4 Prozent war statistisch signifikant.

2. Durch die Behandlung mit Medikament B konnte eine relative Verringerung der Sterberate als Folge koronarer Herzerkrankungen um 20 Prozent erzielt werden. Diese Reduktion war statistisch signifikant.

Eine Reduktion von 2 auf 1,6 Prozent, also um 0,4 Prozent*punkte*, ist identisch mit einer *relativen* Verringerung um 20 Prozent, denn die Differenz 2,0 − 1,6 = 0,4 ist 0,4/2,0 = 0,2 beziehungsweise 20 Prozent von 2,0. Diese Gleichwertigkeit fiel 108, das heißt etwa der Hälfte der befragten Ärzte, nicht auf. 97 von ihnen gaben an, sie würden eher das Medikament B verschreiben.

Dieses erstaunliche Resultat wurde wenig später reproduziert. Eine italienische Arbeitsgruppe (Bobbio et al. 1994) bereitete die Ergebnisse einer Studie in unterschiedlicher Form auf und legte sie 148 Ärzten vor. Dabei gab man auch hier vor, es handle sich um fünf verschiedene Studien mit fünf unterschiedlichen Präparaten. Die Ärzte sollten bestimmen, welches davon sie ihren Patienten am ehesten verschreiben würden. Es zeigte sich, dass das «Arzneimittel», über das die Testpersonen als Einziges vollständig informiert worden waren, indem man ihnen sämtliche Studienergebnisse mitgeteilt hatte, am schlechtesten abschnitt. Dagegen hielten die Probanden auch bei diesem Test das «Arzneimittel» für das wirkungsvollste, bei dem relative Veränderungen angegeben wurden (entsprechend dem Anstieg der Einbrüche auf 300 Prozent in der obigen Kriminalstatistik). Kein einziger Arzt bemerkte, dass er fünfmal dieselben Daten gesehen hatte.

Wir haben festgestellt, dass es auch in der Wissenschaft üblich ist, diejenige Darstellungsform zu wählen, die die Aussage der Autoren besonders deutlich zum Ausdruck bringt. Die zum Schluss erwähnten Untersuchungen zeigen, dass die Präsentation einen größeren Einfluss auf das Verschreibungsverhalten hat als die Studienergebnisse selbst. Solche Darstellungen gehören unserer Auffassung nach zu den leicht durchschaubaren Varianten der Informationsverschönerung. Der vorgelegte Text enthielt jeweils alle Zahlen, die erforderlich waren, um die Gleichwertigkeit der Daten zu erkennen. Die Leserschaft derartiger Texte offenbart also auch eine gewisse Sorglosigkeit, von der wir Sie mit unserem Buch befreien möchten.

Sehhilfe
Manipulative Führung des Auges

Bei der grafischen Darstellung von Ergebnissen werden im Allgemeinen nicht nur die Messwerte selbst, sondern auch Kurven gezeigt, die den Verlauf der Ergebnisse deutlicher machen sollen. Mit Hilfe solcher Kurven lässt sich die erwünschte Interpretation der Daten viel besser nachvollziehen. Manchmal suggerieren sie aber auch Zusammenhänge, die ohne diese «Sehhilfe» gar nicht existieren.

Abbildung 34 zeigt das Ergebnis einer ausgedachten Untersuchung über die Wirkung einer Zahnpasta. Über einen Zeitraum

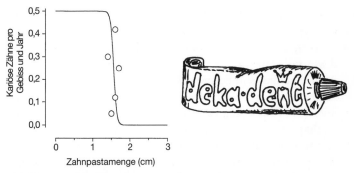

Abbildung 34: Einfluss der verwendeten Zahnpastamenge (in Zentimetern) auf die mittlere Anzahl kariöser Zähne pro Gebiss und Jahr

von fünf Jahren haben Versuchspersonen beim Zähneputzen immer eine genau festgelegte Menge Zahnpasta verwendet. Jeder Punkt stellt einen bestimmten Testteilnehmer dar. Aufgetragen ist die Anzahl der während der Erhebung aufgetretenen Kariesfälle gegen die verwendete Zahnpastamenge. Aus der Abbildung geht hervor, dass mit zunehmender Menge Deka-dent ein deutlicher Erkrankungsrückgang mit sehr steilem Kurvenabfall zu beobachten ist. Bei Verwendung von zwei oder mehr Zentimeter Zahnpasta pro Putzvorgang wird sogar absolute Kariesfreiheit erreicht.

In Abbildung 35 sind dieselben Werte aufgetragen. Diesmal wurde die das Auge führende Kurve andersherum gezeichnet. Mit zunehmender Zahnpastamenge nimmt, in einem schmalen Bereich, die Karieshäufigkeit steil zu. Wie die Kurve durch die Punkte gelegt wird, ist völlig willkürlich. Die Daten sind ohne zusätzliche Messergebnisse bei hohen und niedrigen Dosen wertlos. Erst wenn bei Anwendung von weniger als anderthalb Zentimeter Deka-dent viele und bei mehr als zwei Zentimetern weniger oder keine Zähne kariös sind, gibt es einen Grund, den ersten Kurvenverlauf zu bevorzugen.

Man kann natürlich einwenden, es sei abwegig, anzunehmen, dass viel Zahnpasta viel Karies verursacht, und folglich müsse die erste Deutung richtig sein. Wenn wir aber so argumentieren, dann fließen bereits unsere Vorurteile über das Produkt in die Interpretation der Ergebnisse ein.

Zum Thema Zahnpasta noch eine halbernste Anmerkung. Es gibt wohl kaum eine Tube, auf der nicht «klinisch getestet» steht. Aber haben Sie jemals eine gesehen, auf der auch vermerkt war, ob und wie die Zahnpasta den Test bestanden hat?

Zurück zu unserem Beispiel. Es hätte noch schlimmer kommen können. Eine Untersuchung in einem weiteren Dosisbereich könnte das in Abbildung 36 dargestellte Ergebnis liefern. Hier ist die Zahnpasta völlig wirkungslos, und ihre Menge beeinflusst die Karieshäufigkeit überhaupt nicht.

Wer glaubt, dass so etwas in der Wissenschaft nicht vorkommt, täuscht sich. Die suggestive Kraft solcher das Auge führenden Linien (Sehhilfen) wird leicht unterschätzt. Wir haben selber über

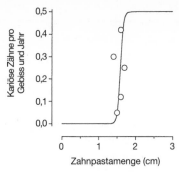

Abbildung 35: Andere Interpretation des Einflusses der Zahnpastamenge (in Zentimetern) auf die mittlere Anzahl kariöser Zähne pro Gebiss und Jahr (dieselben Daten wie Abbildung 34)

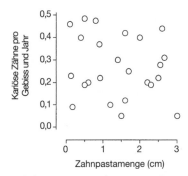

Abbildung 36: Möglicher Zusammenhang zwischen der verwendeten Zahnpastamenge (in Zentimetern) und der mittleren Anzahl kariöser Zähne pro Gebiss und Jahr

viele Jahre hinweg in zahlreichen Fortbildungsveranstaltungen verschiedene derartige manipulative Abbildungen vorgestellt, ohne die darin steckende Willkür zu bemerken. Um sich davor zu schützen, können Sie als «Schnelltest» versuchen, sich die eingezeichnete Kurve wegzudenken oder sie tatsächlich zu entfernen. Dann können Sie die Daten unvoreingenommen betrachten und selbst eine Kurve hindurchziehen.

Do it yourself

Wer selbst manipuliert, fällt nicht mehr
so leicht darauf herein

Im Folgenden möchten wir Sie dazu anstiften, selbst einmal zu manipulieren. Die erste Aufgabe ist die einfachste, die letzte die schwierigste. Lassen Sie sich etwas einfallen, eine Grafik und einen Text. Lügen Sie mit der Wahrheit. Lösungsvorschläge finden Sie am Ende des Buches im Anhang.

Milchpreise: Vom Saulus zum Paulus
Sie sind seit sieben Jahren Präsident eines von einer schweren Wirtschaftskrise gebeutelten Landes. Neuwahlen stehen ins Haus. Die Inflation hat katastrophale Ausmaße erreicht. Die Preise für einen Liter Milch während der letzten Jahre sind in Tabelle 27 aufgelistet.

Tabelle 27: Milchpreise in einem gebeutelten Land

Jahr	Milchpreis in Penunzen	
1992	17	
1993	34	
1994	70	
1995	130	
1996	280	
1997	540	
1998	1 100	
1999	2 150	Der Milchpreis bei Ihrem Amtsantritt
2000	4 100	
2001	7 300	
2002	12 800	
2003	20 000	
2004	30 000	
2005	42 000	
2006	56 000	Der heutige Milchpreis

Sie wollen wiedergewählt werden. Machen Sie den Leuten klar, dass Sie einen außerordentlichen Beitrag zur Geldwertstabilität geleistet haben.

Zinsen: Weniger ist mehr

Sie sind Werbemanager beim Bankhaus Schröpf. Die Bank gibt deutlich niedrigere Zinsen als die andere Bank am Ort. Jetzt laufen Ihnen die Kunden weg. Ihre Gehaltserhöhung ist gefährdet, wenn Sie sich nicht einen wirksamen Text mitsamt einer Grafik einfallen lassen, der die Kunden überzeugt zu bleiben. Die für die verschiedenen Kalenderjahre gewährten Guthabenzinsen zeigt Tabelle 28.

Es geht ums Geld, um *Ihr* Geld ...

Tabelle 28: Zinsentwicklung für Guthaben in einem deutschen Städtchen

Jahr	2003	2004	2005	2006
Andere Bank	3,0 %	3,4 %	4,1 %	4,5 %
Bankhaus Schröpf	1,8 %	2,4 %	3,2 %	3,8 %

Inflationsrate: Mehr ist weniger

Sie sind seit zehn Jahren Präsident einer Bananenrepublik. Neuwahlen stehen ins Haus. Ihr Gegner ist vor Ihnen zehn Jahre lang Präsident gewesen. Er führt einen sehr wirksamen Wahlkampf gegen Sie. Sein Hauptargument ist, dass Sie an der hohen Inflationsrate schuld seien. Die durchschnittliche Inflationsrate betrug während seiner Amtszeit 11,0 und während Ihrer Amtszeit 19,3 Prozent.

Sie wollen wiedergewählt werden ...

Die Ursache aus Anlass des Grundes
Kausalität und Korrelation

> Wenn einer von uns stirbt,
> dann gehe ich nach München.
> *Otto Raabe*

In diesem Kapitel werden Sie etwas über Ereignisse oder Merkmale erfahren, die gemeinsam auftreten. Solche gemeinsamen Auftritte, so genannte Korrelationen oder Assoziationen, werfen schnell die Frage auf, ob diese Dinge etwas miteinander zu tun haben oder gar das eine die Ursache des anderen ist.

Das Bedürfnis nach Erklärungen verleitet dazu, Korrelationen voreilig als Ursache-Wirkung-Beziehung zu verstehen. Dies ist eine der Grundlagen für die blühenden Geschäfte nicht nur im Gesundheitswesen. Viele denken: «Ich war krank, ich war beim Arzt, jetzt bin ich gesund – also hat mir der Arzt geholfen.» Aber nicht einmal die Wissenschaft ist in der Lage, zwischen einem bloßen Zusammenhang und einer Ursache-Wirkung-Beziehung klar zu unterscheiden. Was in der Vergangenheit Aderlässe und Abführkuren waren, sind heute Unmengen oft kostspieliger Medikamente mit fraglicher Wirkung, die zur Vorbeugung oder Behandlung von Erkrankungen verschrieben, verkauft und eingenommen werden. Zahlreiche Wissenschaftszweige beschäftigen sich mit der Suche nach Korrelationen, allen voran die Epidemiologie. Da eine Korrelation bei einer Ursache-Wirkung-Beziehung in jedem Fall vorliegt (aber nicht unbedingt andersherum), können mit dieser Methode auch bedeutende Entdeckungen gemacht werden:

Der Arzt John Snow (1813–1858) markierte im Jahre 1854 die Wohnorte einiger hundert Choleraopfer in London auf einem Stadtplan. Da es in der Nähe der öffentlichen Wasserpumpe in der Broad Street besonders viele Fälle gab, vermutete Snow, dass das Wasser auf irgendeine Art vergiftet sei. Die Pumpe wurde daraufhin außer Betrieb gesetzt und damit die Epidemie in London eingedämmt. Erst im Jahre 1883 gelang es Robert Koch, die eigentliche Ursache, das Bakterium mit dem informativen Namen *vibrio cholerae*, zu identifizieren.

Ein anderes Beispiel: Wir könnten in einer Studie herausfinden, dass große Menschen mehr Geld verdienen als kleine. Das Gehalt korreliert also mit der Körpergröße. Die Statistik sagt uns allerdings nicht, warum dies so ist. Sind gut bezahlte Menschen größer, weil sie sich besser ernähren können? Kriegen große Menschen mehr Geld, weil sie mehr wegschaffen? Wurden in der Studie Skandinavier und Chinesen verglichen? Oder wurden Kinder, Frauen und Männer in einen Topf geworfen? Da Kinder nicht wegen ihrer Größe, sondern wegen ihres Alters (zumindest bei uns) nicht arbeiten dürfen und kein Gehalt beziehen und Frauen in der Regel weniger verdienen als Männer, wäre obiges Ergebnis zwar immer noch statistisch signifikant, aber keine tief gehende Erkenntnis.

Nehmen wir fürs Nächste an, dass zwei Ereignisse oder Merkmale A und B (keine Angst, diese Buchstaben werden in Beispielen gleich zum Leben erweckt) miteinander korrelieren. Dann gibt es fünf Möglichkeiten, weshalb sie dies tun:

1. A ist die Ursache von B.
2. B ist die Ursache von A.
3. A und B haben eine gemeinsame Ursache.
4. Die Korrelation beruht auf einem systematischen Fehler.
5. Die Korrelation ist zufällig, trotz statistischer Signifikanz.

Welche der genannten Möglichkeiten in speziellen Fällen zutrifft oder zumindest vernünftig erscheint, vermag die Statistik nicht zu entscheiden. Die Deutung von Ergebnissen bleibt uns selbst überlassen. In den nächsten Abschnitten folgen einige Beispiele, die für etwas Durchblick im Korrelationsdschungel sorgen sollen.

Kein Rauch ohne Feuer

A ist die Ursache von B

Kein Rauch ohne Feuer, heißt es im Volksmund. Körperliche Verletzungen und Schmerz treten immer paarweise auf, und was dabei Ursache und Wirkung ist, ist wohl wenig strittig. Einer Schwangerschaft ging bis zur Einführung der künstlichen Befruchtung immer Geschlechtsverkehr voraus, aber nicht auf jeden Geschlechtsverkehr folgt eine Schwangerschaft. Der Geschlechtsverkehr war, formal ausgedrückt, eine notwendige, aber keine hinreichende Bedingung für eine Schwangerschaft. Heute ist er noch nicht einmal mehr notwendig. Einen kausalen Zusammenhang zu entdecken wird zusätzlich enorm erschwert durch die neunmonatige Latenzzeit zwischen Ursache und Wirkung, deren Zusammenhang trotzdem mittlerweile allgemein anerkannt ist.

Notwendige Ursache einer bakteriellen Infektion sind Bakterien. Aber auch sie sind keine hinreichende Bedingung, denn sonst ginge es uns schlecht. Nicht jeder Kontakt mit ihnen führt zu einer Erkrankung. Unser Immunsystem schützt uns sehr effektiv.

Wir Menschen haben ein großes Bedürfnis nach Erklärungen für Zusammenhänge. Das ist auch gut so. Denn wenn man Kausalzusammenhänge kennt, kann man gezielt eingreifen. Die Kenntnis der Ursache für Infektionskrankheiten ermöglicht es uns, das Ansteckungsrisiko durch gezielte hygienische Maßnahmen oder durch Impfungen zu verringern. Viele Infektionskrankheiten können nach ihrem Ausbruch kausal mit Antibiotika behandelt werden. Die Kenntnis der Ursache von Infektionen hat unsere durchschnittliche Lebenserwartung deutlich erhöht.

Andererseits sind wir stark gefährdet, kausale Zusammenhänge auch dort zu sehen, wo in Wirklichkeit gar keine sind. Wenn wir dann aufgrund unserer vermeintlichen Kenntnisse in den Prozess eingreifen, ist die Wirkung nicht vorhersehbar. Dazu folgende gar gräuliche Mär (frei nach Meyer zu Schwabedissen): Ein Außerirdischer ist in einem verregneten norddeutschen Städtchen gelandet und sieht sich in der Fußgängerzone um. Unser Alien weiß nicht, was Regen ist, und er ist blind für Regenschirme. Er stellt fest, dass alle, die langsam gehen, entspannt und fröhlich sind, während alle, die laufen, einen eher unglücklichen Eindruck machen. Eine ganz strenge Korrelation. Das weckt den Fürsorgeinstinkt unseres Außerirdischen. Man müsse die Unglücklichen daran hindern, schnell zu laufen, denkt er sich. Vielleicht sollte man die Füße mit Bleiklötzen belasten, oder, viel eleganter, einfach amputieren? Gesagt, getan, mit dem Laserschwert ist das kein Problem. Aber die Lösung war es auch nicht. Im Nachhinein musste er feststellen, dass seine gut gemeinte Aktion erstens nichts genützt hat und zweitens die Füße ihren ehemaligen Besitzern vielleicht auch Vorteile boten.

Das letzte Beispiel zeigt, dass man sich sehr leicht bei der Interpretation von nachweislichen und reproduzierbaren Korrelationen täuschen kann. In den folgenden Abschnitten werden wir noch weitere Beispiele kennen lernen.

Der Sonne Bahn lenkt der Hahn

B ist die Ursache von A

> An einem Abhang
> ist mir Neigung Pflicht.
> *Balthasar Matzbach*

Wenn auf ein Ereignis A immer wieder das Ereignis B folgt, dann scheint es vernünftig, A für die Ursache und B für die Wirkung zu halten. Häufig liegen wir mit dieser Vermutung auch tatsächlich richtig. Wenn der Hammer den Daumen trifft, dann halte ich das für die Ursache des unmittelbar darauf folgenden Schmerzes. Man kann sich aber auch täuschen. Wenn der Hahn kräht, dann dauert es nicht mehr lange, bis die Sonne aufgeht. Während des Tages kräht der Hahn ab und zu. Stellt der Hahn schließlich das Krähen ein, dann geht die Sonne wiederum bald unter. Hält also das Krähen des Hahns die Sonne am Himmel? Hier ist der Irrtum offensichtlich. In weniger leicht durchschaubaren Fällen kann uns die zeitliche Reihenfolge aber einen bösen Streich spielen.

Für die Bewohner der Neuen Hebriden war es ganz natürlich,

von Läusen besiedelt zu sein. Verließen die Läuse ihren Wirt, wurde er krank und bekam Fieber. Die Menschen waren davon überzeugt, dass man auf einem Fieberkranken immer wieder Läuse aussetzen muss, um das Fieber zu vertreiben. Und in den meisten Fällen gab ihnen der Erfolg Recht. Die Läuse ließen sich wieder auf dem Kranken ansiedeln, und wenig später ging es dem Patienten besser. Allerdings wäre es ihm ohne Läuse wahrscheinlich noch besser gegangen, denn hier wurden Ursache und Wirkung verwechselt. Die Läuse verlassen den Kranken, weil er Fieber hat – sie kriegen ganz einfach heiße Füße. Und wenn die Hitzewelle vorüber ist, kommen sie gerne wieder (Krämer & Trenkler 1996).

In einer epidemiologischen Studie wurde gezeigt, dass die Einnahme des Schmerzmittels Paracetamol mit dem erhöhten Auftreten von Zwölffingerdarmgeschwüren korreliert. Also liegt der Schluss nahe, dass Paracetamol die Geschwüre verursacht. Es könnte aber auch sein, dass Ärzte Patienten mit derartigen Problemen nur ungern das Konkurrenzpräparat Acetylsalicylsäure (ASS) verschreiben, weil dieses die Symptome solcher Geschwüre verstärkt. Das Geschwür «verursacht» dann sozusagen die Einnahme von Paracetamol, und nicht umgekehrt (Skrabanek & McCormick 1995).

Offensichtlich verrät die zeitliche Reihenfolge von miteinander korrelierenden Ereignissen nicht unbedingt, welches die Ursache und welches die Wirkung ist.

Zu viel des Guten?

A und B haben eine gemeinsame Ursache

> Abendrot mokt Wedder god.
> *Volksmund*

Eine Untersuchung der Feuerwehreinsätze in der Syldavischen Hauptstadt Syldenna ergab mit erdrückender statistischer Signifikanz, dass der Brandschaden mit der Anzahl der jeweils eingesetzten Feuerwehrleute korrelierte: Je mehr Feuerwehrleute im Einsatz waren, umso größer war der Schaden. Die örtliche Feuerwehr reagierte mit Betroffenheit. Der Bürgermeister verhängte sofort einen Einstellungsstopp und reduzierte den Etat. Leider hatte er die Rechnung ohne eine entscheidende Variable im Hintergrund gemacht, denn die Größe des Brandes bedingt sowohl die Anzahl der eingesetzten Feuerwehrleute als auch die Größe des Schadens. Während bei einem kleinen Zimmerbrand ein einziger Feuerwehrmann ausreicht, um das Feuer unter Kontrolle zu bringen, haben beim Großbrand eines Fabrikgeländes selbst ein halbes Dutzend Löschzüge große Mühe, die Lage in den Griff zu bekommen. Daher ist es kein Wunder, dass der Schaden mit der Anzahl der eingesetzten Feuerwehrleute korreliert.

Ein weiteres Beispiel dieser Art ist das regelmäßig kursierende Gerücht, dass lange Verweilzeiten im Krankenhaus nachteilig für die Patienten seien. Natürlich sind Patienten, die das Krankenhaus kurz nach der Einlieferung wieder verlassen, gesünder als solche, die sehr lange bleiben müssen. Das liegt aber nicht daran, dass der lange Aufenthalt im Krankenhaus ungesund wäre, sondern daran, dass besonders schwere Erkrankungen im Allgemeinen eine längere Behandlung erfordern. Dieser Zusammenhang wird jedoch von einigen in der Welt herumtingelnden (Lodge 1996) Krebsforschern nicht beachtet. Krebspatienten einer Strahlentherapie haben meist eine schlechtere Aussicht auf Heilung, wenn ihre Behandlung lange gedauert hat. Das haben führende Radioonkologen aus retrospektiv erhobenen Daten erfahren und kurzum dafür plädiert, dass eine Strahlentherapie in der kürzestmöglichen Zeit verabreicht werden müsse.[1] Allerdings haben sie dabei womöglich die Wirkung zur Ursache erhoben. Patienten mit einer fortgeschritteneren Krebserkrankung (und entsprechend schlechter Prognose) erhalten meist eine höhere Gesamtdosis, die in vielen kleinen Portionen gegeben wird. Da man die Dosis pro Woche im Allgemeinen unverändert lässt, dauert die Behandlung bei Patienten mit schlechter Prognose länger. Die schlechte Prognose bewirkt die längere Be-

1 Beispielsweise Withers (1988) oder Fowler (1992). Es gibt aber Dutzende von weiteren Arbeiten mit immer derselben Aussage und oft auch denselben Autoren.

handlungsdauer, und nicht andersherum, wie es in zahlreichen Lehrbüchern steht (Steel 1993, Hall 1994, Scherer & Sack 1996, Perez & Brady 1997). Viele Jahre haben wir uns erfolglos bemüht, unseren Fachkollegen diese Überlegungen nahe zu bringen (Beck-Bornholdt 1993, Dubben 1994, Beck-Bornholdt & Dubben 1995, Dubben 1999).

Korrelationen treten somit nicht nur bei Ursache und Wirkung auf, sondern auch dann, wenn zwei Wirkungen eine gemeinsame Ursache haben.

Der Segen der globalen Erwärmung
Nicht-kausale zeitliche Beziehungen

> «Warum hat das Flugzeug einen Propeller?»
> «Damit der Pilot nicht schwitzt!»
> «Blödsinn!»
> «Doch! Ich habe einmal einen Piloten gesehen, bei dem der Propeller ausgefallen ist.
> Was meinst du, wie der geschwitzt hat!»

Endlich können wir einmal mit einem eigenen Forschungsergebnis aufwarten. Es sind zwar nicht unsere Daten, aber es ist unsere intellektuelle Leistung, die zu einem bahnbrechenden Ergebnis geführt hat. In Abbildung 37 haben wir die relative Oberflächentemperatur der Erde gegen die Lebenserwartung Neugeborener des gleichen Jahres aufgetragen. Für beide Geschlechter ergab sich eine statistisch signifikante Beziehung zwischen Lebenserwartung und Temperatur ($p = 0,0012$ bzw. $p = 0,0018$). Die zusätzliche Lebenserwartung pro Grad Celsius beträgt 38 Jahre (95 %-Vertrauensbreich: 19 – 58) bei den Männern und 42 Jahre (95 %VB: 20 – 64) bei den Frauen. Je wärmer, umso länger leben wir! Ob es daran liegt, dass wir uns wohler fühlen? Oder weil der Verschleiß an Lebensenergie geringer ist? So gesehen ist die globale Erwärmung jedenfalls alles andere als eine Katastrophe.

Klingt plausibel, oder? Aber auch eine umgekehrte Kausalität ist

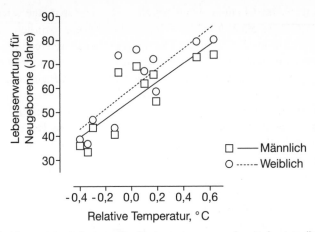

Abbildung 37: Relative Oberflächentemperatur der Erde (nördliche Hemisphäre; bezogen auf die mittlere Temperatur zwischen 1951 und 1980) gegen die Lebenserwartung österreichischer Neugeborener des gleichen Jahres. Temperaturdaten wie in Abbildung 18 im Kapitel «Heiße Luft» (Seite 87). Quelle: NASA Goddard Institute for Space Studies (www.giss.nasa.gov/data/update/gistemp/graphs/index.html). Lebenserwartungsdaten: Österreich-Lexikon, Verlagsgemeinschaft Österreich-Lexikon, 2000

denkbar. Bei älteren Menschen, auf jeden Fall aber bei den Eltern eines der Autoren, ist immer gut geheizt. Dass die globale Erwärmung anthropogen ist, verursacht durch Überalterung verbunden mit exzessivem Heizen, kann daher nicht ausgeschlossen werden.

In einer weiteren Untersuchung haben wir dieselben Temperaturdaten gegen die Kohlendioxid-Konzentration in der Atmosphäre des jeweiligen Jahres aufgetragen (Abbildung 38). Mit steigender Temperatur nimmt der Kohlendioxid-Gehalt statistisch signifikant zu ($p < 0,0001$). Dies ist leicht zu erklären. In kaltem Wasser kann man sehr viel mehr Kohlendioxid lösen als in warmem.[2] Das wis-

2 Niedrige Temperaturen begünstigen die physikalische Lösung von Kohlendioxid in Wasser (Römpp 1995). Dies folgt aus dem Henry'schen Ge-

sen nicht nur Chemiker, sondern alle, die schon mal eine warme Cola-Flasche geöffnet haben. Das Experiment geht natürlich auch mit Mineralwasser, Bier oder Champagner. In den Meeren unseres Planeten ist etwa 50-mal mehr Kohlendioxid gebunden als in der Atmosphäre. Und wenn sich diese Meere etwas erwärmen, entlassen sie Kohlendioxid in die Luft, sodass dort die Konzentration zunimmt. Natürlich kann es auch hier andersrum sein. Dann müsste das Kohlendioxid in der Luft irgendwie dafür sorgen, dass es wärmer wird. Diese Interpretation ist zurzeit sehr populär und wird Treibhauseffekt genannt.

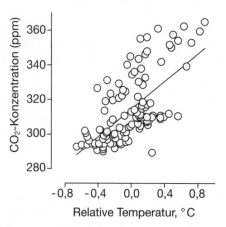

Abbildung 38: Kohlendioxid-Konzentration in der Atmosphäre gegen die relative Oberflächentemperatur der Erde (nördliche Hemisphäre; bezogen auf die mittlere Temperatur zwischen 1951 und 1980). Temperaturdaten wie in Abbildung 15 im Kapitel «Heiße Luft» (Seite 77). Quelle: NASA Goddard Institute for Space Studies (www.giss.nasa.gov/data/update/gistemp/graphs/index.html)

setz, das von W. Henry (1775–1836, Fabrikbesitzer in Manchester) im Jahre 1803 aufgestellt wurde. Es ist ein Gasgesetz im erweiterten Sinne und besagt, dass die Löslichkeit eines Gases in einer Flüssigkeit vom Partialdruck des Gases über der Lösung und von der Temperatur der Lösung abhängt. Für die meisten Gase nimmt die Löslichkeit mit steigender Temperatur ab – das gilt auch für Kohlendioxid.

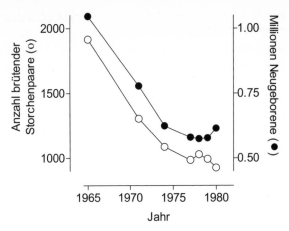

Abbildung 39: Korrelation der Geburten mit der Anzahl der brütenden Storchenpaare in der Bundesrepublik Deutschland (nach Sies 1988).

Trägt man eine Größe, die sich mit der Zeit ändert, gegen eine andere auf, die ebenfalls zeitlich variiert, dann ergibt sich *immer* eine Korrelation, auch ohne jeglichen kausalen Zusammenhang. Das klassische Beispiel für diese Art der Korrelation ist der Zusammenhang zwischen dem Geburtenrückgang und der sinkenden Zahl von Störchen (Abbildung 39), über die sogar in der Zeitschrift *Nature*[3] berichtet wurde. Diese Abbildung legt nahe, dass tatsächlich Störche die Babys bringen. Eine genaue Betrachtung der Kurven zeigt außerdem, dass Störche erst ab einem Alter von etwa zwei Jahren im Zustelldienst menschlichen Nachwuchses eingestellt werden. Die Anzahl der brütenden Storchenpaare steigt zwischen 1977 und 1978 leicht an. Dieser Anstieg macht sich erst zwei Jahre später zwischen 1979 und 1980 bei den Neugeborenen bemerkbar. So einfach kann Wissenschaft sein.

In der Literatur gibt es noch zahlreiche weitere Beispiele dieser Art. So wurde in einer Studie aus Chicago gezeigt, dass der Bierpreis mit dem Priestergehalt korreliert (Gibbons & Davis 1984). Ähnlich

3 «There is concern in West Germany over the falling birth rate. The accompanying graph might suggest a solution that every child knows makes sense» (Sies 1988).

hängt der Deutsche Aktienindex von der Anzahl der Einwohner Indiens und die Anzahl der am Hamburger Flughafen abgefertigten Passagiere von der Energieproduktion in den USA ab ... Alles korreliert miteinander, aber nicht unbedingt kausal.

Die Beispiele machen deutlich, dass es sehr leicht ist, Korrelationen zwischen Parametern zu finden, die sich mit der Zeit verändern. Entsprechend häufig werden sich dabei unsinnige Verbindungen ergeben.

Von Schnäbeln und Vögeln
Systematische Fehler: Inhomogenitätskorrelation

Die folgende Fragestellung – geleitet von unserem Interesse an der Vogelkunde – haben wir uns selber ausgedacht. Wir wollten wissen, wie die Schnabellänge unserer gefiederten Freunde mit ihrem Körpergewicht zusammenhängt. Um zu einer einigermaßen repräsentativen Anzahl an Untersuchungsobjekten zu kommen, haben wir Hansvögel und Bertvögel (Abbildung 40) gemeinsam in die Studie aufgenommen.

Die Tiere wurden artgerecht vermessen, die Daten in Abbildung

Abbildung 40: Hansvögel und Bertvögel der Studie

41 gegeneinander aufgetragen und ausgewertet. Das Ergebnis ist die eingezeichnete Gerade. Zuvor hatten wir die Hypothese aufgestellt, dass das Gewicht bei Vögeln mit großen Schnäbeln besonders gering ist, weil das spezifische Gewicht des leeren Schnabels geringer ist als das des restlichen Vogels. Unsere Vorstellung wurde dann auch durch die Datenanalyse bestätigt. Die Schnabellänge nimmt demzufolge mit dem Körpergewicht ab (p = 0,027), und zwar um 0,9 Zentimeter pro Kilogramm. Eine ornithologische Sensation, denn so etwas hatte noch niemand vor uns gemessen. Leider mussten wir bald einsehen, dass man Hänse und Berte nicht in einen Topf werfen darf. Bei den Hänsen für sich genommen nimmt die Schnabellänge um 3 Zentimeter pro Kilogramm zu; bei den Berten allein um 0,5 Zentimeter pro Kilo. Schade, vorbei war es mit unserer Hypothese und dem Ornithologen-Ruhm. Jetzt versuchen wir uns als Anthropologen.

Am Menschen stellten wir fest, dass die mittlere Länge des Kopfhaares mit der Körpergröße abnimmt. Um auf statistisch aussagefähige Zahlen zu kommen, haben wir dabei schlauerweise Frauen und Männer in die Studie aufgenommen.

Ganz ähnlich wie uns mit den Vögeln erging es Slevin und Kol-

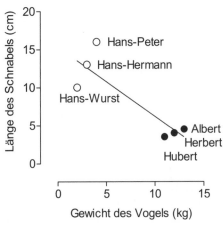

Abbildung 41: Schnabellänge und Gewicht der in der vorherigen Abbildung gezeigten Vögel

legen (1992) vom Christie Hospital in Manchester. Sie untersuchten den Einfluss der Behandlungsdauer auf das Ergebnis einer Strahlentherapie von Tumoren. Sie fanden heraus, dass die Heilungsrate abnimmt, je länger die Behandlung dauert, und forderten, man solle die Behandlungsdauer verkürzen. Das gilt bei genauerer Betrachtung aber nur, wenn man große und kleine Tumoren gemeinsam auswertet. Im Kleingedruckten ihrer Arbeit fanden wir zusätzliche interessante Informationen: Bei kleinen Tumoren hatte man bei längerer Behandlungsdauer eine höhere Heilungsrate – und bei großen Tumoren auch.

Die in diesen Beispielen beschriebene Inhomogenitätskorrelation kann entstehen, wenn verschiedene Dinge in einen Topf geworfen werden. Sie ist eine enge Verwandte von «Simpsons Paradoxon» im Abschnitt «Zweimal verloren und doch gewonnen».

Der Hutskandal
Der ökologische Fehlschluss

> Der Ozean der irrelevanten Variablen ist größer
> als der Ozean der Dummheit,
> und das will schon etwas heißen.
> *Stanisław Lem*

Die staatliche epidemiologische Untersuchung der Huttragegewohnheiten und der Inzidenz von Lungenkrebs im Staatenverbund Balkonur, Bordurien und Syldavien brachte es eindeutig an den Tag: Huttragen erzeugt Lungenkrebs. Die Ergebnisse sind in Abbildung 42 zusammengefasst. Je größer der Anteil an Hutträgern in den einzelnen Ländern ist, umso größer ist auch der Anteil der Personen, die an Lungenkrebs erkranken. Kein Wunder, dass in den betroffenen Staaten das Tragen von Hüten sehr bald als gesundheitsschädigend angesehen wurde. In vielen Restaurants wurden eigens Hutträgerbereiche eingerichtet, um Ausschreitungen zu vermeiden. Auf Inlandsflügen wurde das Tragen von Hüten vollständig untersagt, sogar auf der Toilette.

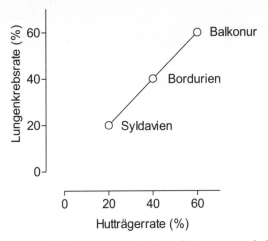

Abbildung 42: Häufigkeit von Lungenkrebs und Huttragegewohnheiten in den Kleinstaaten Balkonur, Bordurien und Syldavien

Das konnte die Hutmacherindustrie des Kleinstaatenverbundes nicht hinnehmen und wartete mit einem Gegengutachten auf. Um Zeit und Geld zu sparen, bediente sie sich derselben öffentlich zugänglichen Daten wie die staatlichen Epidemiologen und startete ihren mittlerweile legendären «Hut tut gut»-Werbefeldzug. Die Ergebnisse der Hutmacher (Abbildung 43) sind ebenfalls eindeutig. Hüte schützen vor Lungenkrebs. Unter den Hutträgern beträgt die Lungenkrebsrate 17 Prozent. Ohne Hut liegt die Lungenkrebsrate bei 56 Prozent. Das ist ein um den Faktor 56 / 17 = 3,3 erhöhtes Risiko durch das Weglassen des Hutes.

Diese Erkenntnis hatte natürlich zur Folge, dass zahlreiche Restaurantbesitzer und alle Inlandsfluglinien mit Schadenersatzklagen überhäuft wurden. Im Namen des Volkes – wer hat nun Recht? Um diese Frage zu klären, schauen wir uns am besten das gesamte Volk an (Abbildung 44). Dann können wir nichts übersehen. Es wird dem Leser sicher nicht schwer fallen, den Wahrheitsgehalt der Ergebnisdarstellungen zu überprüfen. Beide Darstellungen sind richtig. Sie werden erst dann widersprüchlich, wenn man in beide Darstellungen eine Kausalität hineininterpretiert. Da die Daten

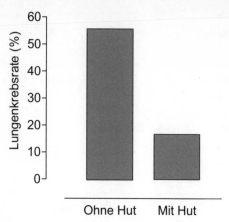

Abbildung 43: Die im «Werbefeldzug Hut tut gut» dargestellten Ergebnisse der Hutmacherindustrie zum Zusammenhang zwischen der Lungenkrebsrate und den Huttragegewohnheiten

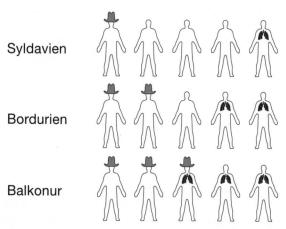

Abbildung 44: Das gesamte Volk der Staaten Syldavien, Bordurien und Balkonur mit Hüten und Lungenkrebsen (nach Rosen 1985)

widersprüchliche Interpretationen zulassen, sollte man sich davor hüten, einer der beiden zu glauben.

Zahlreiche Empfehlungen für «gesunde Ernährung» basieren auf epidemiologischen Untersuchungen, bei denen die Essgewohnheiten mit der Häufigkeit von Erkrankungen in verschiedenen Ländern verglichen werden. So wurde beispielsweise festgestellt, dass bei einigen Völkern, die sehr ballaststoffreiche Kost zu sich nehmen, die Häufigkeit von Dickdarmkrebs relativ gering ist. Auch wurde ein positiver Zusammenhang zwischen dem Verbrauch an gesättigten Fettsäuren und dem Auftreten von Brustkrebs in verschiedenen Ländern beobachtet. Diese Ergebnisse haben Ernährungswissenschaftler dazu veranlasst, eine Änderung unserer Ernährung zu empfehlen (vergleiche Skrabanek und McCormick 1995).

Eine Ursache-Wirkung-Beziehung führt immer zu einer Korrelation. Wie unsere Beispiele zeigen, kann man daraus aber *nicht* folgern, dass eine Korrelation immer auf eine Kausalität hinweist. Trotzdem wird häufig auch in wissenschaftlichen Fachzeitschriften Korrelation mit Kausalität gleichgesetzt. Die dazugehörigen signifikanten Korrelationskoeffizienten und Regressionsanalysen machen diese falsche Schlussfolgerung auch nicht richtiger. Jedes Jahr werden Milliarden für die Untersuchung von Korrelationen ausgegeben. Das Cholera-Beispiel zeigt, dass dies durchaus nützlich sein kann. Wir befürchten, dass dies eher die Ausnahme ist.

Babylonische Sprachverwirrung
Interpretations- und Übertragungsfehler

> Die Grenzen meiner Sprache
> bedeuten die Grenzen meiner Welt.
> *Ludwig Wittgenstein*

Bei der mündlichen und schriftlichen Übermittlung von wissenschaftlichen Erkenntnissen kommt es zu Fehlern, und in der Medizin können diese für Sie und Ihre Gesundheit ernste Folgen haben. Wenn die vorsichtige Vermutung eines Wissenschaftlers, das neue Medikament A könnte besser sein als das bewährte Standardmedikament B, von einem Arzt als unumstößliche Tatsache aufgefasst wird, kann dies zur Fehlbehandlung zahlreicher Patienten führen.

Als Verfasser und Leser wissenschaftlicher Arbeiten sind uns zwei grundlegende Mechanismen mit hohem Verwirrungspotenzial aufgefallen. Wir stellen sie in diesem Kapitel kurz vor.

Keiner versteht mich
Interpretation von Sprache

> Wenn Worte reden könnten ...
> *Hubert Vogler*

Unsere Sprache ist nicht eindeutig. Wir können im Gespräch auf eine Art «ja» sagen, die «nein» bedeutet. In einer wissenschaftlichen Arbeit kann eine Aussage auch ohne Angabe von statistischen Wahrscheinlichkeiten so formuliert werden, dass sie sicher wie eine Gewissheit oder unsicher wie eine Spekulation klingt.

Auf einer internationalen Tagung in Würzburg anlässlich des hundertsten Jahrestages der Entdeckung der Röntgenstrahlen haben wir unter den anwesenden Wissenschaftlern eine Umfrage durchgeführt, deren Ergebnis zeigt, dass es erhebliche individuelle Unterschiede in der Auffassung von Formulierungen gibt. Jeder

Teilnehmer erhielt zwanzig Kärtchen, auf denen jeweils verschiedene Formulierungen der Aussage «Therapie A ist effektiver als Therapie B» in englischer Sprache standen.[1] 65 Wissenschaftler aus 19 Ländern beteiligten sich an der Umfrage, darunter 25 mit Englisch als Muttersprache. Die Aufgabe unserer Probanden bestand darin, anhand der verschiedenen Formulierungen zu beurteilen, wie sicher sich der jeweilige Autor war, dass Therapie A *tatsächlich* besser ist als Therapie B. Wir baten sie, die Kärtchen entsprechend

1 Die Sätze lauten:
A. It is not inconceivable that therapy A is more effective than therapy B.
B. The present results indicate that therapy A is more effective than therapy B.
C. The present results prove that therapy A is more effective than therapy B.
D. Possibly therapy A is more effective than therapy B.
E. It has become popular to assume that therapy A is more effective than therapy B.
F. Therapy A could be more effective than therapy B.
G. Beyond any doubt therapy A is more effective than therapy B.
H. The present results support the hypothesis that therapy A is more effective than therapy B.
I. Probably therapy A is more effective than therapy B.
J. Others have suggested that therapy A could be more effective than therapy B.
K. Evidently therapy A is more effective than therapy B.
L. It can be speculated that therapy A could be more effective than therapy B.
M. Therapy A was more effective than therapy B.
N. We have the strong feeling that therapy A is more effective than therapy B.
O. Therapy A is more effective than therapy B.
P. It has been proven that therapy A is more effective than therapy B.
Q. In the present study therapy A was more effective than therapy B.
R. The present results show that therapy A is more effective than therapy B.
S. The present results show that therapy A is probably more effective than therapy B.
T. The present results are not in contradiction to the hypothesis that therapy A is more effective than therapy B.

dieser Gewissheit in eine Reihenfolge zu bringen, links beginnend mit der sichersten Aussage und rechts endend mit der vorsichtigsten Formulierung. Die 25 Wissenschaftler mit Englisch als Muttersprache kamen zu folgender gemittelter Reihenfolge:

sicher   spekulativ
G O P C M R Q B H K S I N D T F J A L E

Sie empfanden den Satz «Beyond any doubt therapy A is more effective than therapy B» als den aussagekräftigsten und den Satz «It has become popular to assume that therapy A is more effective than therapy B» als den spekulativsten. Diese beiden etwas konstruiert anmutenden Formulierungen stammen nicht von uns, sondern aus Originalarbeiten zweier führender Koryphäen der Radioonkologie.

Die Teilnehmer, für die Englisch eine Fremdsprache war, lieferten eine leicht abweichende Reihenfolge:

sicher   spekulativ
C G O P K R M Q B H S N I F D T A L E J

Hier lag der Satz «The present results prove that therapy A is more effective than therapy B» an erster Stelle (bei den Muttersprachlern an vierter Stelle), während der Satz «Others have suggested that therapy A could be more effective than therapy B» den letzten Platz belegte statt wie bei den Kollegen Platz 17. Trotz einiger Unterschiede waren die Beurteilungen beider Gruppen im Wesentlichen sehr ähnlich.

Die Auswertung zeigte, dass es selbst bei den Teilnehmern, für die Englisch die Muttersprache war, erhebliche Schwankungen in der Einschätzung der Aussagekraft verschiedener Formulierungen gab. Beispielsweise erhielt Satz K («Evidently …») Einstufungen von Rang 2 bis Rang 17 oder der Satz N («We have the strong feeling that …») von Rang 3 bis Rang 18. Selbst die einhelligsten Einschätzungen, etwa der Sätze G und J, variierten über sechs beziehungsweise sieben Ränge. Das war immerhin ein Drittel der gesamten Bandbreite.

Die Zuordnungen der Wissenschaftler mit Englisch als Fremdsprache waren deutlich stärker gestreut: Satz M («Therapy A was more effective than therapy B») und Satz T («The present results are not in contradiction to the hypothesis that therapy A is more effective than therapy B») reichten sogar von Rang 1 bis Rang 20. Wie diese Formulierungen von einzelnen Gesprächspartnern aufgefasst werden, ist also völlig unvorhersehbar. Einige von ihnen äußerten beim Ausfüllen der Fragebögen die Ansicht, dass viele Sätze gleichwertig seien, ein Einwand, den die Vertreter der ersten Gruppe nicht vorbrachten. Die feinen Abstufungen des Englischen sind den meisten von uns, die es erst in der Schule gelernt haben, offenbar nicht geläufig. Es ist zu befürchten, dass unsere sprachliche Unsicherheit Schwarzweißdenken begünstigt, da wir nicht in der Lage sind, die differenzierenden Grautöne zu erkennen beziehungsweise selber zu formulieren.

Obwohl, wie schon erwähnt, die *durchschnittliche* Einschätzung der Aussagekraft eines Satzes relativ einheitlich war, können die zum Teil erheblichen Unterschiede in den individuellen Auffassungen zu enormer Verwirrung führen. Dies ist natürlich besonders dann der Fall, wenn ein Wissenschaftler beispielsweise den Satz T verwendet, dessen Spannweite in der Umfrage von Rang 1 bis 20 reichte. Möchte man mit ihm zum Ausdruck bringen, dass eine Aussage spekulativ (Rang 20) ist, wird sie trotzdem von einigen als sehr sicher verstanden (Rang 1). Es ergeben sich aber auch andere Probleme. Nehmen wir an, ein Wissenschaftler wählt zur Beschreibung seiner etwas unsicheren Daten völlig adäquat einen Satz, dem ein mittlerer Rang zukommt, zum Beispiel H (im Schnitt Rang 10). Dann werden ihn diejenigen Zuhörer, für die H auf niedrigerem Rang steht, als zu bescheiden einschätzen. Diejenigen hingegen, die Satz H in ihrer persönlichen Bewertungsskala auf höherem Rang ansiedeln, könnten den Autor für einen Aufschneider halten, der seine begrenzten Ergebnisse überinterpretiert. Damit ist der Grundstein für eine fruchtlose Diskussion gelegt, sofern die differierenden Einschätzungen überhaupt geäußert werden und sich nicht jeder in vornehmer Zurückhaltung seinen Teil denkt.

Besonders schwerwiegend wirken sich diese unterschiedlichen Auffassungen dann aus, wenn jemand über die Arbeit anderer Wissenschaftler schreibt, ohne deren Originaldaten zu präsentieren. Um nicht in den Verdacht reinen Nachplapperns zu geraten, wird er aus der Originalarbeit eben nicht wörtlich abschreiben, sondern im Allgemeinen seine eigenen Formulierungen benutzen, was zur Folge haben kann, dass der Leser dieser Sekundärquelle die Validität einer Aussage völlig anders beurteilt als deren Urheber. Wir vermuten überdies, dass die Sprachverwirrung in der Realität deutlich größer ist, als unsere Umfrage zeigt, weil wir Äußerungen meist nicht so emotionsfrei gegenüberstehen können wie den hier vorgeführten nüchternen Sätzen. Wer zum Beispiel jahrelang an der Verbesserung von Therapie A gearbeitet hat, interpretiert die Formulierungen vielleicht ganz anders.

Häufig machen sich Autoren die Aussagen von Publikationen zunutze, ohne die Originalarbeit überhaupt einzusehen. Stattdessen stützen sie sich auf die Zusammenfassung der Arbeit, die so genannten *abstracts*, oder gar nur auf Zitate anderer Wissenschaftler. Aber ohne die Originaldaten ist eine Einschätzung, wie sicher die Ergebnisse sind, unmöglich. Das Endresultat eines solchen Vorgehens hat aufgrund linguistischer Fehlerfortpflanzung (siehe folgenden Abschnitt) manchmal nicht mehr viel mit den ursprünglichen Ergebnissen gemeinsam. Oft werden die benötigten Zitate für eine Publikation auch einfach bei Kollegen erfragt. Während wir dieses Buch schrieben, stand eines Tages unser Zimmernachbar in der Tür und erkundigte sich nach einem Literaturbeleg für eine bestimmte Aussage. Als wir ihm eine Kopie der Arbeit aushändigen wollten, lehnte er dankend ab und notierte lediglich die Quellenangabe. Man beachte dabei auch, dass der Kollege nicht eine «Arbeit zu dem Thema ...», sondern ganz selektiv einen «Beleg für ...» suchte. Dasselbe wiederholte sich mit einem anderen Zitat ein paar Stunden später.[2]

Die meisten Wissenschaftler kommen aufgrund der unüberschaubaren Publikationsflut kaum noch dazu, die Fachveröffentlichungen gründlich durchzuarbeiten. Das Lesen besteht mittler-

2 Sie protestieren, weil dies eine zufällige Häufung sein kann und wir trotzdem damit argumentieren? – Sie haben völlig Recht! Der Vorgang hat sich in der folgenden Zeit auch erst ein halbes Jahr später wiederholt.

weile weitgehend darin, die Überschriften im Inhaltsverzeichnis der für das eigene Fachgebiet wichtigsten Zeitschriften zu überfliegen und aus jeder Ausgabe ein paar Artikel herauszupicken, deren Zusammenfassung man Beachtung schenkt. Nur Aufsätze aus dem eigenen, allerengsten Arbeitsfeld liest der Forscher vollständig durch. Trotzdem verbringt er einen beachtlichen Teil seiner Zeit mit dem Kopieren beziehungsweise Downloaden und Ausdrucken von wissenschaftlichen Veröffentlichungen, «die dann», wie Siegfried Bär schreibt, «oft ungelesen, gestapelt oder in Ordnern abgeheftet seinen Schreibtisch zieren. In seiner Zeitnot gilt dem Forscher das Kopieren als geistige Besitzergreifung. Es hat den Rang einer rituellen Handlung, die den umständlichen Lesevorgang ersetzt. Kopieren beruhigt den Forscher, schenkt ihm inneren Frieden und das Gefühl, keine wichtige Information verpasst zu haben.»

Dies nutzen einige findige Fachvertreter aus, indem sie bestimmte Aussagen, die die tatsächlichen Untersuchungsergebnisse kaum oder gar nicht belegen, in die Zusammenfassung oder den Titel ihrer eigenen Beiträge einschmuggeln. Ein krasses Beispiel für dieses Vorgehen stellt die Arbeit eines amerikanischen Kollegen dar, der mittlerweile Chef in einem der größten Krebszentren in den USA ist. Im Diskussionsteil seines Artikels in der Zeitschrift *Cancer* (Cox et al. 1992) schreibt er sinngemäß übersetzt[3]: *«Die vorliegenden Daten liefern keinen Hinweis auf beschleunigtes Wachstum, aber sie sind mit der Hypothese eines beschleunigten Wachstums vereinbar.»*

In der Zusammenfassung steht: *«Die vorliegenden Daten stützen die Hypothese eines möglicherweise beschleunigten Wachstums.»*

Und der Titel lautet schließlich: *«Neue Hinweise auf beschleunigtes Wachstum».*

3 Die Originalformulierungen lauten: In der Diskussion: «These data per se do not show accelerated proliferation, but they agree with the hypothesis that accelerated proliferation occurs and is important in determining outcome.» In der Zusammenfassung: «These data support the hypothesis that proliferation (possibly accelerated) of tumor clonogens during treatment influences the outcome.» Und im Titel der Arbeit: «New evidence for accelerated proliferation».

So schiebt der Autor seine Aussage sogar innerhalb ein und derselben Arbeit über zahlreiche Ränge hinweg. Sie endet in einer irreführenden unbewiesenen Behauptung, die natürlich an der meistgelesenen Stelle des Artikels steht, nämlich im Titel. Der Diskussionsteil, der die Daten noch adäquat wiedergibt, wird am seltensten gelesen.

Abbildung 45: Babylonische Sprachverwirrung in der Wissenschaft

Wir haben nicht überprüft, ob es möglicherweise eine eindeutige sprachwissenschaftlich begründete Reihenfolge für unsere Testsätze gibt. Aber selbst wenn es eine gäbe, wäre damit das hier umrissene Kommunikationschaos nicht entwirrt, denn das Ergebnis zeigt durch seine Heterogenität, dass kaum einer der befragten Wissenschaftler diese linguistischen Spielregeln beherrscht. Die oben dargestellten Einstufungen können vielleicht als grobe Orientierungshilfe nützlich sein. Der Vergleich mit der eigenen Reihenfolge kann uns vor Augen führen, bei welchen Aussagen wir am deutlichsten von der mittleren Interpretation abweichen. Bei großen Abweichungen ist es unter Umständen ratsam, eine der «getesteten» Formulierungen vorzuziehen. Und vermeiden Sie Satz T, es sei denn, Sie wollen Verwirrung stiften.

Sprachverwirrungen entstehen sehr viel seltener, wenn man alle wichtigen Originalarbeiten des eigenen Fachgebiets selbst liest und sich ein eigenes Bild von der Aussagekraft der Daten macht, ohne sich dabei auf das Sprachgefühl und die Einschätzung der Autoren von Übersichtsartikeln zu verlassen. Das kostet auf den ersten Blick natürlich mehr Zeit, die vom eigenen Experimentieren oder Schreiben abgeht, und die möchte man ja gerade sparen, da häufiges Publizieren bei der gegenwärtigen Wissenschaftspolitik für das Überleben eines Forschers notwendig ist. Wenn man jedoch aufgrund nachlässiger Literaturrecherchen jahrelang in eine Sackgasse hineingeforscht hat, ist sicherlich nichts gespart worden, weder Zeit noch Geld noch Ressourcen. Allerdings hat man seinen Lebensunterhalt verdient. Und da erscheint den meisten das Hemd näher als die Hose.

Vom Original zum Lehrsatz: das Stille-Post-Prinzip
Fehlerhafte Informationsübertragung

> Die Wissenschaft, sie ist und bleibt,
> was einer ab vom andern schreibt.
> *Eugen Roth*

Beim Kinderspiel «Stille Post» flüstert man seinem Nachbarn etwas ins Ohr. Der gibt es flüsternd dem Nächsten weiter und so fort, und der Letzte hat die erheiternde Aufgabe, die bei ihm eingetroffene Botschaft laut zu verkünden. Keiner erwartet, dass sich am Ende noch etwas Sinnvolles ergibt. Im Gegenteil, man kann sich fast darauf verlassen, dass beim Letzten in der Reihe irgendein mehr oder weniger lustiger Unsinn ankommt. In der Wissenschaft gibt es das auch, nur dass niemand damit rechnet, es keiner merkt und es dabei eigentlich auch nichts zu lachen gibt.

Als Übung im Rahmen unserer Vorlesung erhielten 23 Teilnehmer jeweils eine andere aktuelle Veröffentlichung aus einer internationalen Fachzeitschrift mit der Bitte, den Artikel in acht Zeilen zusammenzufassen. Diese Kurzfassung wurde anschließend von einem anderen Teilnehmer, der die Originalarbeit nicht kannte, umformuliert. Der dritte Teilnehmer in dieser Reihe sollte die letzte Version des Textes wiederum kürzen und zum Umformulieren weiterreichen. Nach insgesamt sechs Bearbeitungsschritten, bei denen die Teilnehmer immer nur die jeweils neueste Version einsehen konnten, wurde der Prozess abgebrochen. 13 der 23 Schlusstexte, etwas mehr als die Hälfte, gaben den wesentlichen Inhalt des Originals einigermaßen korrekt wieder, 6 enthielten nur noch unverständlichen Unsinn, und 3 Versionen verkehrten die ursprüngliche Aussage ins Gegenteil (!). Einer der Schlusstexte konnte nicht gewertet werden, weil bereits zu Beginn ein Missverständnis wegen undeutlicher Handschrift aufgetreten war.

Am erstaunlichsten ist die Umwandlung von Aussagen in ihr Gegenteil. Wie es dazu kommt, erläutern wir am besten an einem Beispiel. Eine der Arbeiten berichtete über die Wirksamkeit eines Medikaments, durch das das Fortschreiten einer Erkrankung verlangsamt werden konnte. In der ersten Zusammenfassung stand, die gemessenen Parameter veränderten sich nach Gabe des Präparats weniger als bei Placebo[4], doch fehlte der Hinweis, dass es sich um eine Verlangsamung des *Fortschreitens* der Erkrankung handelte. Dadurch wurde der Keim für das prompt folgende Missverständnis des zweiten Bearbeiters gelegt. Dieser ging davon aus, dass die Veränderung der Parameter etwas Positives sei. Da sich die Behandlung mit dem Medikament geringer auf sie auswirkte als die Einnahme eines Placebos, kam er zu dem Schluss, die Arznei sei unwirksam.

---

4 Ein Placebo ist ein Scheinmedikament, zum Beispiel eine Pille, die nur aus Zucker besteht. Placebos können eine deutliche Wirkung haben, wenn man nur daran glaubt. Da natürlich auch ein tatsächliches Medikament einen solchen Placeboeffekt hat, ist es bei klinischen Studien notwendig, den Patienten, die das zu untersuchende Medikament nicht bekommen, ein Scheinmedikament zu verabreichen.

Selbst Quellenhinweise werden nicht fehlerfrei übermittelt, obwohl dies doch nur eine reine Abschreibarbeit ist. Nach Auskunft der Ärztlichen Zentralbibliothek des Universitäts-Klinikums in Hamburg-Eppendorf gibt es im internationalen Schrifttum eine Quote von mehr als 10 Prozent falscher Literaturangaben. Diese haben aber auch ihre Vorzüge. Anhand von Druckfehlern in den Zitaten haben Simkin und Rowchoydhury (2003) untersucht, wie häufig es vorkommt, dass Wissenschaftler eine Arbeit zitieren, ohne sie gelesen zu haben. Es zeigte sich, dass vier von fünf zitierten Arbeiten den Autoren nicht vorgelegen hatten und daher von ihnen auch nicht gelesen werden konnten. Ein nach heutigen «Qualitätskriterien» erfolgreicher Wissenschaftler hat systembedingt auch nicht viel Zeit zum Lesen (siehe *impact factor* im Abschnitt «Viel Blech ist noch lange kein Auto»).

Bei der Übertragung inhaltlicher Aussagen ist die Fehlerquote natürlich deutlich höher, zumal hier subjektive Faktoren wie selektive Wahrnehmung hinzukommen. Selbst ein falsch gesetztes Komma kann schwerwiegende Konsequenzen haben, wie zum Beispiel der für ganze Kindergenerationen gravierende Irrtum vom Eisen im Spinat zeigt. Dass er besonders viel Eisen enthält und deshalb gesund ist, gilt schon fast als Volksweisheit. Damit Kinder gesund aufwachsen, müssen sie Spinat essen. Die meisten mögen aber keinen. Deshalb wurde, um ihnen die Sache schmackhaft zu machen, der Comic-Held Popeye erfunden, der übermenschliche Kräfte aus Dosenspinat bezieht. Der tätowierte und unentwegt rauchende Seemann war in seiner Vorbildrolle sehr erfolgreich. Noch heute erinnert eine Popeye-Statue in Crystal City, Texas, daran, dass es ihm gelang, den Spinatkonsum in den USA um 33 Prozent anzuheben. Gesünder geworden sind dadurch aber allenfalls die Gemüsehändler, denn die ganze Geschichte beruht auf einem Irrtum.

Bereits Ende des 19. Jahrhunderts wurde «entdeckt», dass Spinat überdurchschnittlich viel von dem für die Blutbildung lebensnotwendigen Eisen enthält. Auf dem Speisezettel war er damit dem Fleisch ebenbürtig, was besonders in den Ernährungsengpässen während des Zweiten Weltkriegs nützlich schien. Allerdings zeigte sich alsbald, dass der tatsächliche Eisengehalt von Spinat zehnmal geringer ist als damals angenommen. Zwei diese Überschätzung erklärende Mythen (von keinem ist uns eine zuverlässige Quelle bekannt) haben uns erreicht. Mythos 1: Die Sekretärin des Forschers muss für einen Tippfehler herhalten. Sie hat das Dezimalkomma eine Stelle zu weit nach rechts gesetzt. Mythos 2: Es wurde schlicht übersehen, dass in der ursprünglichen Arbeit der Eisengehalt der Trockensubstanz des Spinats bestimmt wurde. Da Spinat zu etwa 90 Prozent aus Wasser besteht, wäre damit ebenfalls der fragliche Faktor Zehn erklärt. Spinat enthält nicht mehr Eisen als Kohl oder Broccoli. Ganze Generationen von Kindern mussten wegen dieses Irrtums Spinat essen, und viele müssen es noch heute, obwohl er bereits in den 1930er Jahren richtig gestellt worden ist[5]. Ob Popeye eine ähnlich durchschlagende Wirkung auf das Pfeiferauchen und das Tragen von Tätowierungen hatte, ist uns nicht bekannt.

Detaillierte und vollständige Dokumentationen von Experimenten oder klinischen Studien sind meist nur schwer lesbar. Auf dem Weg zum eingängigen Text eines Lehrbuches oder Übersichtsartikels, der sich auf das Wesentliche beschränkt, muss von Einzelheiten abstrahiert werden. Dies ist zwangsläufig mit dem Verlust von Informationen verbunden. Offenbar gibt es auch in der Kommunikation eine Art Unschärferelation: Übersichtlichkeit und Genauigkeit schließen einander aus.[6] Durch eine Vielzahl kleiner Änderungen entfernt sich der Text immer weiter von seiner Grundlage, den erhobenen Originaldaten. Zunächst gehen vielleicht einige Angaben über Material und Methoden verloren. Später wird leicht aus einer spekulativen eine sichere Aussage. Dies kann schrittweise zu allgemeineren Schlussfolgerungen führen, als die Befunde es belegen. Häufig gehen auch die Originaldaten verloren, als Erstes zum Beispiel die Anzahl der untersuchten Patienten, eine Information,

5 Diese Informationen stammen aus dem Artikel von T. J. Hamblin (1981). Der Autor bespricht dort verschiedene Beispiele «resistenter» Irrtümer. Für das Spinatproblem gibt er keine Quelle an. Bitte schreiben Sie uns, wenn Sie uns weiterhelfen können!
6 These: Das Produkt aus Exaktheit und Verständlichkeit einer Arbeit ergibt eine Konstante. Falls Sie das vorliegende Buch für gut verständlich halten, so liegt das … na ja, lassen wir das lieber!

die für die Abschätzung des Fehlers zweiter Art essenziell ist. Übrig bleiben häufig nur Prozentzahlen oder relative Änderungen (vergleiche den Abschnitt «... es wirkt», Seite 165 f.). Dieser Prozess führt auf Kosten des wissenschaftlichen Inhalts sukzessive zu einer Verbesserung der Lesbarkeit des Textes. Besonders schwierig wird das Recherchieren der Datengrundlage, wenn im Verlauf dieser Rezeptionsgeschichte die Originalarbeiten, auf denen das Gedankengebäude beruht, nicht mehr zitiert werden. Dies ist bei Lehrbüchern häufig der Fall. In einer solchen Kette von Zitierungen ohne Rückgriff auf den ursprünglichen Text sind die einzelnen Zwischenschritte häufig vertretbar oder zumindest verständlich. Bei keinem von ihnen muss ein grobes Vergehen vorliegen. Dennoch wird zwangsläufig, wenn die Kette nur lang genug ist, am Ende grober Unfug stehen.

Unser Fachwissen beziehen wir im Allgemeinen aus Übersichtsartikeln oder Lehrbüchern. Auf dem langen Weg dorthin wird eine Originalarbeit von verschiedenen Autoren mehrfach umgeschrieben. Für die dabei möglichen Interpretations- und Übertragungsfehler haben wir Beispiele geliefert. Missverständnisse und Falschmeldungen, die den Sprung in Lehrbücher geschafft haben, sind nur sehr schwer wieder auszuräumen. Irrtümer dieser Art lassen sich wahrscheinlich nicht völlig vermeiden, aber doch zumindest reduzieren, unter anderem dadurch, dass man auf Sekundärzitate verzichtet. Allerdings ist dieser fromme Wunsch nicht so leicht zu realisieren. Auch dieses Buch enthält eine ganze Reihe von Sekundärzitaten.

Eigene Formulierungen beim vermeintlich sinngemäßen Zitieren können sinnentstellend sein. Besser ist es, die Aussagen der Originalarbeit möglichst *wörtlich* zu übernehmen – im Klartext: einfach abzuschreiben. Dies ist kein Plagiat, wenn die Arbeit ordentlich zitiert wird. In der wissenschaftlichen Literatur geht es in erster Linie um den – möglichst kristallklar dargestellten – Inhalt und nicht um besonders gelungene Formulierungen. Das Abschreiben hat natürlich seine Grenzen bei fremdsprachigen Arbeiten. Bei einer Übersetzung bleibt dem Übersetzer gar nichts anderes übrig, als seine eigenen Formulierungen zu wählen. Dabei auftretende Verdreher kann der Autor des Originals nur bemerken, wenn er selber zweisprachig ist oder sein Werk eines Tages von jemandem in seine Sprache zurückübersetzt wird, der von der Originalarbeit nichts weiß. Außerhalb der exakten Wissenschaften kann dies durchaus kreativ sein, wie das folgende Beispiel zeigt.

Im Jahre 1902 ging «Wanderers Nachtlied» von Johann Wolfgang von Goethe auf Wanderschaft:

Über allen Gipfeln
Ist Ruh',
In allen Wipfeln
Spürest du
Kaum einen Hauch;
Die Vögelein schweigen im Walde.
Warte nur, balde
Ruhest du auch.

Es wanderte ins Japanische, kehrte 1911 nach Europa zurück, verweilte kurz im Französischen und wurde von dort aus ins Deutsche zurückübersetzt – in der Annahme, es sei ein japanisches Gedicht. Reisen verändert, sehen Sie selbst[7]:

Stille ist im Pavillon aus Jade
Krähen fliegen stumm
Zu beschneiten Kirschbäumen im Mondlicht.
Ich sitze
Und weine.

7 Die Fundstelle für das Gedicht mit den verschiedenen Fassungen konnten wir mit Hilfe der Direktorin des Deutschen Instituts für Japanstudien Frau Prof. Dr. Irmela Hijiya-Kirschnereit ausfindig machen: D. Matthen-Gohdes; Hg.: Goethe ist gut. Weinheim: Beltz & Gelberg 1982, zitiert in David Crystal: Die Cambridge Enzyklopädie der Sprache. Darmstadt: Wiss. Buchgesellschaft 1993, Seite 346. Wir danken auch Herrn Dr. Matthias Koch vom Deutschen Institut für Japanstudien und Frau Christel Mahnke vom Goethe-Institut in Tokyo.

Wir, die Autoren, weinen noch nicht, haben beim Abfassen dieses Kapitels aber gelernt, dass Sie unser Buch vielleicht gar nicht so verstehen werden, wie wir es geschrieben haben. Aber wahrscheinlich haben wir es auch nicht so geschrieben, wie wir es meinen. So könnten Sie uns zufällig doch verstehen.

Computermärchen
Computersimulationen und Rechenmodelle

Veröffentlichungen über mathematische Modelle und Computersimulationen nehmen in den letzten Jahren zu. Der Einfluss dieser Arbeiten auf die Entwicklung des jeweiligen Fachgebietes ist nicht zu unterschätzen. Rechenmodelle sind immer auch Denkmodelle. Sie können weite Bereiche der wissenschaftlichen Diskussion bestimmen und damit die Gedanken ganzer Generationen von Wissenschaftlern prägen. Ein aktuelles Beispiel sind die Klimamodelle.

Der große Einfluss mathematischer Modelle ist nicht unbedingt ein Zeichen für ihre Qualität. Eine Simulationsrechnung mit Dutzenden von Variablen, die noch vor einigen Jahren eine Großrechenanlage mehrere Tage lang beschäftigt hätte, lässt sich heute mit relativ kleinen Computern innerhalb weniger Minuten durchführen, was zu der wachsenden Zahl wissenschaftlicher Veröffentlichungen führt, die Simulationen und Modelle zum Inhalt haben. Allerdings sind bei weitem nicht alle von ihnen sinnvoll, selbst wenn sie in der Lage sind, die Messdaten sehr gut zu beschreiben. Die folgende Geschichte illustriert das Problem.

Das Genuesische Zepter
Naturkonstanten auf einem prähistorischen Fund

> Die Toren besuchen in fremden Ländern die Museen.
> Die Weisen aber gehen in die Tavernen.
> *Erich Kästner*

In einer jüngst erschienenen Arbeit berichtet Doktor Nebbud Namreh-Snah vom Prehisteric Research Institute in Grubmah Inu,

Fakistan, über den chronologischen Ablauf der Geschichte eines verschwundenen prähistorischen Fundes von unschätzbarer Bedeutung.

Im Jahre 1939 wird in der Nähe von Murci/Grosseto in einer Grabstätte ein keulenartiger Gegenstand entdeckt, dessen Alter Experten auf fünf- bis achttausend Jahre schätzen. Da die Wissenschaftler vermuten, dass das Fundstück ursprünglich religiösen Zwecken diente, bringen sie es zur Verwahrung ins Pfarramt von Scansano. Zehn Jahre später geht es, im Zuge der Haushaltsauflösung nach dem Tod des Pfarrers von Scansano, in den Besitz des Prähistorischen Museums zu Genua über. Dort landet es, sauber beschriftet, in einem Regal und bleibt zunächst unbeachtet.

Der Physiker und Hobbyarchäologe Goffredo Winkelmann, der seine Urlaube damit verbringt, die Archive und Abstellräume von Museen in Norditalien zu durchkämmen, erhält im Jahre 1953 die Genehmigung, die Magazine des Museums in Genua zu erkunden. So wird der Gegenstand an einem Sonntagnachmittag zum zweiten Mal gefunden. Als Physiker fällt Winkelmann sofort auf, dass Material und Bearbeitung sehr untypisch für ein Objekt der vermuteten Herkunft sind. Im folgenden Jahr kehrt er gut vorbereitet nach Genua zurück und führt zahlreiche Untersuchungen durch, deren Ergebnisse er 1957 in einer leider unbedeutenden Fachzeitschrift veröffentlicht. In diesem Artikel gibt er dem Fundstück den Namen «Genuesisches Zepter», der bis heute verwendet wird. Ferner berichtet er dort von fünf auf dem Zepter kodierten Zahlen: 294, 11, 3, 70 und 20.

Fortan ist das «Genuesische Zepter» ein fester Bestandteil der Dauerausstellung im Museum. Sechs Jahre später sehen sich zwei amerikanische Wissenschaftler, ein Chemiker und ein Astronom, das Exponat an. Sie erhalten die Genehmigung, eine kleine Materialprobe mitzunehmen. Zwei Wochen nach Abreise der Wissenschaftler trifft ein Angebot der NASA ein, die das Zepter kaufen will. Da das Museum dringend ein neues Dach benötigt und das öffentliche Interesse am Zepter in letzter Zeit deutlich nachgelassen hat, wechselt das prähistorische Stück 1963 für 18 350 Dollar den Besitzer. Seitdem ist es der Öffentlichkeit nicht mehr zugänglich.

Im selben Jahr stößt der französische Dechiffrierungsexperte

Jean-Jacques Dupont durch Zufall auf den Artikel von Goffredo Winkelmann. Von den fünf auf dem Zepter kodierten Zahlen fasziniert, macht er sich an die Arbeit, und ein Jahr später publiziert er im *Bulletin Prehisterique Bernaise* eine Liste von Naturkonstanten, die mit hoher Präzision auf dem Zepter verschlüsselt wiedergegeben sind (vergleiche Tabelle 29).

Zu ihnen gehört beispielsweise die mit beeindruckender Genauigkeit kodierte Zahl π. Das Produkt der zweiten und der fünften Zahl, dividiert durch die vierte ($B \times E / D = 11 \times 20 / 70$), stimmt mit einer Präzision von 0,04 Prozent mit π überein. Dupont wird jedoch vorgeworfen, nur Fotos und Zeichnungen des Zepters untersucht zu haben und mit seiner Interpretation zu übertreiben. Der geniale Dechiffrierungsexperte gerät in den Verdacht, ein Scharlatan zu sein.

Als Dupont die NASA bittet, das Zepter vorzuführen, damit die Sachlage geklärt werden könne, bestätigt sie zwar den Kauf eines «prähistorischen Gegenstandes», behauptet jedoch, dieser sei niemals vom Prähistorischen Museum zu Genua geliefert worden. Der Verbleib des Fundstücks bleibt lange Zeit ungeklärt.

Dreißig Jahre später wird das Zepter, wiederum an einem Sonntagnachmittag, auf einem Flohmarkt in Hamburg wiederentdeckt. Zahlreiche Forschergruppen stürzen sich auf diesen unerwarteten Fund. Die Arbeitsgruppe um den Modelexperten Kahlnager-Feld überprüft das Dupont-Modell, also die Formel

$$Y = A^a \times B^b \times C^c \times D^d \times E^e$$

Unter Beschränkung der Exponenten auf die ganzzahligen Werte –5, –4, –3, –2, –1, 0, 1, 2, 3, 4, 5 führt sie dazu eine Computersimulation durch. Nach Einsetzen der Winkelmann'schen Zahlen konnte Duponts Tabelle aus dem Jahre 1964 völlig bestätigt werden.

Es gibt noch eine weitere wissenschaftliche Sensation. Mit extrem genauen, hochmodernen laseroptischen Methoden vermisst der Italiener Nero Maghi das Zepter erneut und kommt zu dem Ergebnis, dass drei der Winkelmann'schen Zahlen geringer, aber offenbar bedeutsamer Korrekturen bedürfen. Nach diesen neuesten Erkennt-

Tabelle 29: Universelle physikalische Konstanten, die auf dem Genuesischen Zepter kodiert sind. Es bedeuten: A = 294; B = 11; C = 3; D = 70; E = 20 (nach Dupont 1964).

Konstante		Formel	Präzision
Zahl π	= 3,141593	BE/D	0,04 %
Zahl e	= 2,718282	$(B\,C/E)^2$	0,2 %
Lichtgeschwin-digkeit	= $2,997925 \times 10^8$ m s^{-1}	ACD^3	0,92 %
Mol-Volumen	= 0,0224136 m^3 Mol^{-1}	$(C/E)^2$	0,4 %
Atomare Mas-seneinheit	= 931,5 MeV	ABE/D	0,8 %
Ruheenergie des Elektrons	= 0,511 MeV	$(CD/A)^2$	0,16 %
Compton-Wel-lenlänge des Elektrons	= $2,4263 \times 10^{-12}$ m	$1/(CD)^5$	0,92 %
Protonenmasse	= $1,67261 \times 10^{-27}$ kg	$1/(ABD)^5$	0,6 %
Bohr'scher Radius	= $5,29166 \times 10^{-11}$ m	$C^2/(ADE)^2$	0,4 %
Masseverhält-nis Proton/Elektron	= 1836,1	$(C/E)^5 D^4$	0,7 %
Gravitations-konstante	= $6,673 \times 10^{-11}$ N m^2 kg^{-2}	$1/(C^2 D^5)$	0,93 %
Harvey-Zahl	= $6,02217 \times 10^{-23}$ Mol^{-1}	$1/(A^4 B^3 D^5)$	0,7 %
Elementar-ladung	= $1,602192 \times 10^{-19}$ Cb	$\dfrac{1}{(ABCD)^3\,E}$	0,4 %
Boltzmann-Konstante	= $1,38062 \times 10^{-23}$ J K^{-1}	$\dfrac{BC}{A^5 E^5 D^3}$	0,9 %

nissen sind folgende fünf Zahlen auf dem Zepter kodiert: die Länge (A = 294,7741 Millimeter), die Anzahl der Zinken (B = 11), drei Löcher hat das Zepter (C = 3), die breiteste Breite (D = 70,0826 Millimeter) und die schmalste Breite (E = 20,0156 Millimeter).

Uns erscheinen die maghischen Zahlen sehr krumm. Das mag

daran liegen, dass die Schöpfer dieses rätselhaften Gegenstandes ein anderes Maßsystem benutzt haben als wir (man bedenke zum Beispiel, dass 1 Yard 0,91440 Metern entspricht). Auf jeden Fall waren sie in Mathematik sehr bewandert, und damit kommen wir zu der zweiten Sensation. Die neuen laseroptisch gemessenen Werte und die bewährte Dupont'sche Formel geben die vom jeweiligen Maßsystem unabhängigen Naturkonstanten «π» und «e» mit einer Präzision von 0,00027 Prozent (π) und 0,00088 Prozent (e) wieder.

Wie kann ein derart präzise gefertigtes Instrument Jahrtausende überdauern, ohne diese Genauigkeit einzubüßen? Welches Material ist in der Lage, den Umwelteinflüssen derart zu trotzen? Um diesen Fragen nachzugehen, werden chemische und massenspektroskopische Analysen durchgeführt. Die High-Tech-Untersuchungen offenbaren, dass das Material des Gegenstandes eine statistisch signifikant seltene Legierung ist ($p \leq 0,05$; weniger als jedes zwanzigste Zepter besteht daraus). Diese Messergebnisse führen schließlich 1996, im Jahr der Entdeckung von Leben auf dem Mars (Grady et al. 1996; McKay et al. 1996), zu dem Schluss, dass das Fundstück extraterrestrischen Ursprungs ist.

Alle bislang vorliegenden Erkenntnisse über das Objekt sind mit dieser sensationellen Hypothese vereinbar. Nachträglich wird dadurch auch verständlich, weshalb sich die NASA für diesen Vorfall interessierte.

Wiederum ist es einem Nichtarchäologen, nämlich dem Biophysiker Orst Jeune, vorbehalten, weitere Geheimnisse aufzudecken. Jeune gelingt mit einer explorativen Computersimulation (induktive Monte-Carlo-Determination) der Nachweis, dass das Zepter Informationen über die Zukunft enthält (Tabelle 30). Die vor Jahrtausenden niedergeschriebenen Zahlen sagen seiner Ansicht nach einige hochaktuelle Ereignisse wie die Entdeckung von Leben auf dem Mars mit erstaunlicher Genauigkeit vorher. Hinzu kommen die Maße Epoche machender Bauwerke, Einwohnerzahlen in zukünftigen Jahren und sogar Telefonnummern, aufgezeichnet lange vor Erfindung des Telefons.

Nun ist nicht mehr daran zu zweifeln, dass Dupont bereits vor Jahrzehnten eine unfassbare Weitsicht bewiesen hat. Heute erkennen wir, dass er vielleicht gerade deswegen der Scharlatanerie bezichtigt wurde. Unterstützt von modernster Computertechnologie, zeigen Wissenschaftler mit demselben bewährten Dupont'schen Modell, dass die Naturkonstanten auch in den Pyramiden von Gizeh, den Kanälen auf dem Mars, in den immer wieder auftretenden geheimnisvollen Kornkreisen und in der Lochgröße von Schweizer Käse universell kodiert sind. Die Schöpfer des Zepters scheinen allgegenwärtig zu sein[1].

Dies ist die faszinierende Geschichte eines ebenso faszinierenden prähistorischen Gegenstandes. Fast beispielhaft zeigt sie das manchmal dramatische Auf und Ab im Leben enthusiastischer Forscher parallel zum Auf und Ab der Bedeutung, die einem sensationellen Fund im Laufe der Zeit beigemessen wird. Obwohl nun alle Beweise erbracht und die Herkunft und Bedeutung des Zepters geklärt sind, möchten wir noch eine Anekdote hinzufügen, ohne die diese Geschichte unvollständig wäre.

Im Jahre 1999 weisen die Wissenschaftler und offenbar unbelehrbaren Dissidenten Beque-Bolt und Du Pain darauf hin, dass sich mit fünf Zahlen und elf Exponenten $11^5 = 161\,051$ Zahlen berechnen lassen und dass vierzehn davon den Konstanten rein zufällig sehr nahe kommen. Man müsse lediglich sämtliche Kombinationen von einem Computer durchspielen lassen, mit möglichst vielen bekannten Konstanten vergleichen und nachträglich diejenigen publizieren, die man mit ausreichend beeindruckender Genauigkeit mit den gegebenen Winkelmann'schen Zahlen und der Dupont-Formel habe berechnen können. Dieser destruktive Einwand wird international totgeschwiegen.

1 Wir stehen im Zusammenhang mit dem «Genuesischen Zepter» vor einem Rätsel ganz anderer Art. Einer von uns (HHD) behauptet, dass er die Story und die Formel erfunden und in unserer Vorlesung am 6. Dezember 1995 vorgetragen hat. Ein halbes Jahr später fiel uns ein Band aus der Rowohlt-Sachbuchreihe *science* in die Hände: *Mein paranormales Fahrrad*, herausgegeben von Gero von Randow, veröffentlicht im Oktober 1993. Es enthält einen Artikel von Cornelis de Jager mit dem Titel «Was ist Radosophie?». Darin wird fast dieselbe Formel dargestellt und daraus eine Geschichte ums Fahrrad gesponnen wie bei uns um einen Nudellöffel. Das «Genuesische Zepter» ist also ganz dreideutig ein, wenn auch unbewusstes, Plagiat, eine zufällige Koinzidenz oder einfach Gedankenübertragung.

Tabelle 30: Mit Hilfe des Genuesischen Zepters vorhergesagte Ereignisse und kodierte Maße. Die Berechnungen wurden mit dem Dupont-Modell und den fünf maghischen Zahlen durchgeführt (nach Orst Jeune 1996).

Ereignis / Sachverhalt	Zahl	Formel	Präzision
Keilerei bei Issos	333	$A^4 \times B^{-3} \times C^{-5} \times D^{-1} \times E^0$	0,028 %
E. T. A. Hoffmann, Geburtsjahr	1776	$A^{-3} \times B^{-5} \times C^3 \times D^5 \times E^4$	0,004 %
Johannes Paul II., Geburtsjahr	1920	$A^2 \times B^3 \times C^0 \times D^{-4} \times E^2$	0,009 %
Beginn des Zweiten Weltkriegs	1939	$A^2 \times B^3 \times C^{-5} \times D^{-2} \times E^1$	0,002 %
Ende des Zweiten Weltkriegs	1945	$A^2 \times B^{-5} \times C^2 \times D^0 \times E^2$	0,0084 %
Steffi Graf, Geburtsjahr	1969	$A^{-4} \times B^2 \times C^{-2} \times D^3 \times E^5$	0,0032 %
Wiedervereinigung von BRD und DDR	1989	$A^3 \times B^{-1} \times C^2 \times D^{-5} \times E^4$	0,0007 %
Entdeckung von Leben auf dem Mars	1996	$A^3 \times B^3 \times C^{-4} \times D^{-5} \times E^3$	0,012 %
Länge des Suez-Kanals (km)	162,5	$A^5 \times B^{-5} \times C^4 \times D^{-3} \times E^{-1}$	0,02 %
Länge des Großen-St.-Bernhard-Tunnels (km)	5,83	$A^0 \times B^1 \times C^{-4} \times D^3 \times E^{-3}$	0,0083 %
Länge des Euro-Tunnels (km)	50	$A^{-1} \times B^0 \times C^1 \times D^2 \times E^0$	0,027 %
Fläche Venezuelas im Jahre 1990 (km^2)	916 050	$A^2 \times B^5 \times C^1 \times D^1 \times E^{-5}$	0,02 %

Ereignis / Sachverhalt	Zahl	Formel	Präzision
Länge der Chinesischen Mauer (km)	2450	$A^2 \times B^1 \times C^3 \times D^{-5} \times E^4$	0,002 %
Roheisenerzeugung der VR China im Jahre 1990 (Mio. Tonnen)	62,4	$A^1 \times B^0 \times C^{-3} \times D^{-1} \times E^2$	0,016 %
Einwohner Berlins, 3. Oktober 1990	3 314 004	$A^2 \times B^0 \times C^{-1} \times D^{-1} \times E^3$	0,000001 %
Einwohnerzahl in Timmendorfer Strand im Jahre 1990	11 500	$A^5 \times B^{-4} \times C^5 \times D^0 \times E^{-5}$	0,014 %
Rufnummer des Rettungsdienstes in Baden-Württemberg	19222	$A^1 \times B^2 \times C^4 \times D^{-4} \times E^4$	0,0012 %

Doch damit nicht genug – Beque-Bolt und Du Pain melden sich nochmals mit einer schier unglaublichen Unterstellung zu Wort: Man berechne mit den alten Winkelmann'schen Zahlen und Formeln für π und e die dazugehörigen Präzisionen. Nun könne man die nicht abgezählten, sondern gemessenen Zahlen A, D und E ein klein wenig abändern und dabei die Genauigkeit optimieren. Ein Computerprogramm schaffe das in Sekunden. Dieser Einwand kommt dem Vorwurf des Betruges gleich und wird von der Gemeinde internationaler Zepterforscher verständlicherweise nicht ernst genommen.

Zu einem letzten Aufbäumen gegen die bahnbrechenden Erkenntnisse der nunmehr molekularen Zepterforschung kommt es im Jahr 2001. Die Veranstalter der Vorlesung «Vom Irrtum zum Lehrsatz» an der Universität Hamburg behaupten vergeblich, das

Abbildung 46: Das Genuesische Zepter, das bereits vor fünftausend Jahren, also lange vor Erfindung der Nudel, in der Form eines Nudellöffels gefertigt wurde. Technische Daten nach Maghi: Gesamtlänge A = 294,7741 Millimeter; Anzahl der Zinken B = 11; Anzahl der Löcher im Griff C = 3; größte Breite D = 70,0826 Millimeter; kleinste Breite E = 20,0156 Millimeter.

Zepter sei ein einfacher Nudellöffel (Abbildung 46), und sie hätten diese echte, aber unwahre Geschichte erfunden, um zu zeigen, dass man mit sinnlosen Modellen vieles erklären kann. – Aber auch diese letzten Zweifler werden mit dem einleuchtenden Argument vertrieben, dass es vor fünftausend Jahren noch gar keine Nudeln gegeben habe.

Lady Dis Baseballkappe
Über wissenschaftliche Spekulationen

Bitte ziehen Sie jetzt nicht den Schluss, alle mathematischen Modelle und Computersimulationen seien nutzlos. Es gibt sehr nützliche Anwendungen dieser Verfahren, wie sie beispielsweise Dietrich Dörner in seinem Buch *Die Logik des Misslingens* (1989) beschreibt.

Das einfachste und wichtigste Kriterium zur Beurteilung eines mathematischen Modells ist, ob es auf reale Daten, das heißt gemessene Ergebnisse, angewandt wurde. Erstaunlicherweise konfrontieren viele Wissenschaftler, die Modelle entwickeln, ihre Schöpfungen überhaupt nicht mit der Realität. Solche Berechnungen aus dem Elfenbeinturm sind für den praktischen Einsatz vollkommen wertlos. Modelle müssen an harten Fakten erprobt werden. Je größer die Anzahl erfolgreicher unabhängiger Anwendungen auf Untersuchungsergebnisse, umso größer die Wahrscheinlichkeit, dass sich das Modell auch auf weitere Datensätze übertragen lässt.

Eine bewährte wissenschaftliche Vorgehensweise wird mit fraglicher Berechtigung William von Ockham zugeschrieben, der im 14. Jahrhundert lebte. «Ockhams Rasiermesser» besagt, dass von zwei gleichwertigen Hypothesen die einfachere zu bevorzugen ist. Diese rationale Rasur ist ein probates Mittel gegen allerlei Abseitigkeiten[2] und kann analog auch bei mathematischen Modellen eingesetzt werden, indem man sich auf möglichst wenige Parameter beschränkt. Es gibt eindeutige Kriterien dafür, wie viele Parameter für bestimmte Probleme sinnvoll sind, aber nicht jeder hält sich daran.

Ein weiteres wichtiges Kriterium für die praktische Bedeutung eines Modells ist die Frage nach den expliziten und den impliziten

---

2 Das Rasiermesser haben wir bei Randow (1994) gefunden. Gero von Randow setzt sich kritisch mit diesem «Faulheitsprinzip» auseinander und führt einige interessante Gegenargumente zur vorschnellen Anwendung von «Ockham's blade» an.

Annahmen, die für die mathematische Formulierung notwendig waren. Sie entsprechen dem Kleingedruckten bei einem Kaufvertrag. Besonders verdächtig ist, wenn überhaupt keine Prämissen ersichtlich sind. Ein krasses Beispiel für ein Modell, das auf völligem Unsinn beruht, ist die so genannte Ellis-Formel, mit der lange Zeit die Dosen bei der Strahlentherapie von Tumoren berechnet wurden (Willers und Beck-Bornholdt 1996). Der Formel lag unter anderem implizit die Annahme zugrunde, dass sich Tumorzellen *nicht* vermehren, was natürlich biologisch vollkommen unsinnig ist. Zellen, die sich nicht vermehren, können keinen Tumor bilden. Darüber hinaus beruhte die gesamte Formel auf einem Fehler bei der Darstellung der Messergebnisse (Thames und Hendry 1987). Und doch hat sie über Jahrzehnte das Denken und Handeln in der Strahlentherapie beherrscht – noch bis 1997 berechneten einige prominente Mediziner damit ihre Strahlendosen. Nach Lektüre der Originalarbeit (Ellis 1969), die offenbar kaum jemand gelesen hat, ist nicht zu verstehen, weshalb die Ellis-Formel überhaupt zur Kenntnis genommen wurde.

Was haben Diskussionen auf wissenschaftlichen Fachtagungen mit Lady Dis Baseballkappe vom Winter 1995 gemeinsam? Ihren sportlichen Kopfschmuck zierte die aus irgendwelchen Gründen für ungewöhnlich gehaltene Zahl 492, was ebenfalls Anlass zu erregten Debatten gab. Denn keine Frage – auf derart erlauchtem Kopf getragen, musste die Zahl etwas bedeuten. «Der Monarchieexperte der Zeitung ‹Times› hatte spekuliert, der Code sei eine Anspielung auf die ersten drei Buchstaben des Spitznamens ‹Dibbs›, den die Prinzessin ihrem Geliebten James Hewitt gegeben hatte», berichtete das *Hamburger Abendblatt* Ende 1995. «So stehe die Vier für D, den vierten Buchstaben des Alphabets, und so weiter. Leser der ‹Times› hielten diese Erklärung für abwegig. Ein Sportler mutmaßte, Diana spiele auf den Kapitän der Kricket-Nationalmannschaft, Michael Atherton, an. Er hatte beim letzten Testspiel gegen Südafrika 492 Bälle erfolgreich geschlagen. Nach Einschätzung eines Musikexperten gibt die Kombination 492 hingegen Anlaß zur Hoffnung für jene, die noch immer auf eine Aussöhnung von Diana und Charles setzen. Im Köchelverzeichnis trägt nämlich Mozarts Oper ‹Die Hochzeit des Figaro› die Nummer 492 – und darin kommt es zum Happy-End.» – Alle Hoffnungen auf ein Happy-End mussten zwei Jahre später begraben werden.[3]

Oft geht es bei hochtrabenden wissenschaftlichen Diskussionen auch nicht anders her. Je weniger wir von einer Sache verstehen, umso ausschweifender können wir darüber diskutieren.

3 Und wer jetzt noch sehr viel Zeit hat und sich für historische Ereignisse interessiert, der gebe der Suchmaschine seines Vertrauens den Auftrag «9–11 numerology».

Wahlkreistango, kriminelle Vereinigungen und krebsresistente Linkshänder
Datenschiebereien und Paradoxa

In diesem Kapitel zeigen wir Ihnen, wie eine Partei einen höheren Prozentsatz der Wähler hinter sich bringen kann, ohne eine einzige Stimme hinzuzugewinnen. Sie werden sehen, wie ein neues Medikament, das in allen Krankenhäusern schlechtere Ergebnisse liefert als das herkömmliche, auch ohne bösen Vorsatz insgesamt besser abschneidet. Sie werden erfahren, dass Linkshänder seltener Krebs bekommen als Rechtshänder und wie ein Unternehmen durch geschickte Umverteilung von Mitarbeitern in allen Filialen deutliche Umsatzsteigerungen erzielt, ohne mehr zu verkaufen.

Der Hund, der Eier legt
Verwechslung von Anzahl und Anteil

> Was manche Leute sich selbst vormachen,
> das macht ihnen so schnell keiner nach.
> *Gerhard Uhlenbruck*

Eine besonders vertrackte Manipulationsmethode bei der Darstellung von Daten ist die Verwechslung von Anteil und Anzahl. Manchmal ist sie so versteckt und irreführend, dass wir den Eindruck haben, viele Anwender bedienten sich ihrer nicht vorsätzlich, sondern seien selbst darauf hereingefallen. Auch uns passiert das immer wieder.

Diese Art der Verwechslung kann viel bewirken. Auf magisch anmutende Weise entstehen dann plötzlich Effekte, wo keine sind. Mitunter werden bei der Interpretation wissenschaftlicher Daten sogar Schlussfolgerungen gezogen, die das Gegenteil dessen besagen, was sie tatsächlich belegen. Das Jonglieren mit Prozentzahlen ist ein Wundermittel gegen unliebsame und für erwünschte Ergebnisse. Zur Immunisierung haben wir ein paar Beispiele zusammengestellt.

Für die Fischereiwirtschaft von großem Interesse und deshalb sorgsam überwacht ist der Anteil der Nutzfische am Gesamtfang, das heißt der Prozentsatz der Fische, die man verkaufen kann. Abbildung 47 zeigt seine (von uns erfundene) Entwicklung in einem Fluss unterhalb von Sudelhafen. Dort wurde vor zehn Jahren eine neue Kläranlage in Betrieb genommen, sodass sich der Eintrag von Schadstoffen in das Flusswasser reduzierte. Danach war der Anteil der Nutzfische innerhalb von zehn Jahren von 10 auf 90 Prozent angestiegen. Dies entsprach einer Verneunfachung des Bestandes – oder? Das Landesministerium nahm diese Ergebnisse freudig auf und leitete ähnliche Maßnahmen für analoge Situationen ein. Das Bundesumweltministerium erwog spezielle Fördermaßnahmen bei Übernahme dieses erfolgreichen Modells durch die Kommunen.

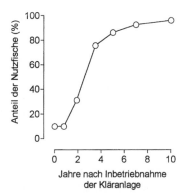

Abbildung 47: Entwicklung des Nutzfischbestandes in einem Fluss nach Inbetriebnahme einer Kläranlage

Leider stellt sich die Situation jedoch ganz anders dar als erhofft. Abbildung 48 zeigt eine der unendlich vielen (!) Möglichkeiten, wie sich die tatsächliche *Anzahl* der Fische verändert haben könnte. Beispielsweise könnte die der Nutzfische konstant bei 250 geblieben sein, die der anderen Fische aber drastisch abgenommen haben, und zwar von 2250 auf etwa 25. Dadurch steigt natürlich der *Anteil* beziehungsweise der Prozentsatz der Nutzfische. Dieser kann sich übrigens auch dann noch erhöhen, wenn ihr tatsächlicher Bestand sinkt. Dazu müssen die anderen Fische nur etwas schneller sterben, als in der Abbildung wiedergegeben.

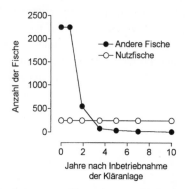

Abbildung 48: Mögliche Entwicklung der Anzahl der Nutzfische in einem Fluss nach Inbetriebnahme einer Kläranlage. Diese Ergebnisse stimmen mit den Anteilen der Abbildung 39 überein.

Noch auffälliger ist der Fehlschluss in folgender Geschichte: Auf dem Küchentisch liegen sieben Würstchen und drei Eier, also zusammen zehn Dinge (Abbildung 49). Die Eier machen somit 30 Prozent (3/10 = 0,3 oder 30 %) der Gegenstände auf dem Tisch aus. Dann betritt ein Hund unbeobachtet den Raum. Er frisst fünf Würstchen auf – mehr schafft er beim besten Willen nicht. Jetzt sind noch zwei Würstchen und drei Eier übrig, also insgesamt fünf Dinge. Der Eier*anteil* beträgt jetzt 60 Prozent (3/5 = 0,6 oder

Abbildung 49: Der Hund, der Eier legt, bei der Arbeit

60 %). Durch die wunderbare Tat des Hundes hat er sich verdoppelt! So weit ist noch alles richtig, aber zu folgern, dass sich die *Anzahl* der Eier verdoppelt hat und der Hund somit Eier legen kann, ist schlicht falsch. Diese Geschichte klingt unglaublich banal, hat aber zahlreiche Parallelen in der wissenschaftlichen Literatur[1]. Das folgende Beispiel ist symptomatisch.

In den letzten Jahrzehnten wurde in den Industrienationen eine kontinuierliche Zunahme der Todesursache Krebs verzeichnet. In Deutschland stirbt mittlerweile etwa jeder Vierte an dieser Erkrankung, eine Entwicklung, die viele auf eine höhere Schadstoffbelastung und ungesündere Lebensweise der Menschen zurückführen. Ein Beispiel für diese Auffassung ist ein Artikel mit dem Titel «Verursachen Umwelt-Östrogene Brustkrebs?» in der Zeitschrift *Spektrum der Wissenschaft* (Davis et al. 1995). Die Autoren wollen zeigen, dass in den USA Brustkrebserkrankungen während der letzten zwei Jahrzehnte deutlich zugenommen haben (Abbildung 50). In der Grafik ist die Anzahl der diagnostizierten Fälle pro 100 000 Frauen gegen die Jahreszahl aufgetragen. Die mittlere Kurve zeigt den Verlauf für alle Frauen und lässt zwischen 1973

1 Vergleiche hierzu Hall (1988), Seite 252–253, Abschnitt «Accelerated repopulation».

Abbildung 50: Zunahme der Brustkrebshäufigkeit bei Frauen in den USA
(Davis et al. 1995)

und 1991 einen Anstieg von etwa 80 auf etwa 110 je 100000
Frauen erkennen. Bei der oberen Kurve, die die Ergebnisse für
Frauen über fünfzig Jahre darstellt, ist diese Zunahme deutlicher,
nämlich von etwa 250 auf etwa 340 je 100000. Die untere Kurve
zeigt den Verlauf bei den Jüngeren unter fünfzig Jahren. Hier erkranken etwa dreißig von 100000 jährlich. Ein Anstieg ist nicht
zu erkennen.

Abbildung 50 zeigt sehr deutlich, dass Brustkrebs mit zunehmendem Alter immer wahrscheinlicher wird. Die Erkrankung tritt
bei Frauen über fünfzig etwa zehnmal häufiger auf als bei Frauen
unter fünfzig. Diese sind jährlich in etwa dreißig, jene in etwa drei-
hundert Fällen pro 100000 betroffen.

Der *Spektrum*-Artikel berücksichtigt nicht, dass die Lebenserwartung in dem betrachteten Zeitraum erheblich zugenommen
hat. Dieser Umstand hat auf die Alterszusammensetzung der
«Frauen unter fünfzig» kaum Auswirkungen, denn die älteste
Frau in dieser Gruppe ist nach wie vor 49 Jahre alt. Bei ihnen hat
sich die Anzahl der Erkrankungsfälle in den beiden letzten Jahrzehnten nicht geändert (untere Kurve in Abbildung 50). Das
Durchschnittsalter der «Frauen über fünfzig» hingegen ist deutlich höher, denn es gibt heute viel mehr Achtzig- und Neunzigjäh-
rige als noch vor zwanzig Jahren. Die ansteigende Krebshäufigkeit

bei dieser Gruppe geht also zumindest teilweise auf das wachsende altersbedingte Krebsrisiko zurück. Eine reale Zunahme des Erkrankungsrisikos besteht nur, wenn sie bei Gleichaltrigen beobachtet wird. Der Zuwachs der Krebsinzidenz kann paradoxerweise eine gute Nachricht sein, weil er auf eine höhere Lebenserwartung hinweist.

Erlauben Sie uns, ein wenig zu übertreiben: Herz-Kreislauf-Erkrankungen und Krebs sind in den Industrienationen die häufigsten Todesursachen. Wenn es gelänge, Erstere mit einem Wundermittel auszuschalten, würde der *Anteil* der Krebstoten zunehmen. Wer nicht an Herz-Kreislauf-Versagen stirbt, der stirbt an etwas anderem. Und die häufigste dieser anderen Todesursachen ist Krebs. Es erscheint nicht allzu abwegig, dass wir dann mit der Katastrophenmeldung «Herzpillen verursachen Krebs!» rechnen müssen. In den USA würde die Herstellerfirma wegen der zahlreichen Prozesse bald Konkurs anmelden, und auch in Europa hätten die Kläger mit ihren Protesten wahrscheinlich auf Dauer Erfolg, sodass das Wundermittel aus dem Verkehr gezogen werden müsste. Die Menschen würden wieder wie früher und viel früher an Herz-Kreislauf-Erkrankungen sterben. Und die Krebsrate nähme endlich wieder ab.

Berichte über weniger Todesfälle infolge von Krebs und Herz-Kreislauf-Versagen in weniger entwickelten Ländern sind also nicht unbedingt ein Beweis für gesündere Umwelt, Ernährung und Lebensführung, sondern können auf die geringere Lebenserwartung in diesen Regionen zurückgeführt werden. Wer mit dreißig an Cholera stirbt, kann nun mal nicht mit fünfundsiebzig an Krebs erkranken.

Nach demselben Muster strickten zwei Chirurgen der Universität Lund in Schweden einen eher amüsanten Trugschluss. Sie berichteten in einer europäischen Fachzeitschrift (Olsson und Ingvar 1991), dass unter 395 von ihnen untersuchten Patientinnen mit Brustkrebs lediglich sechs Linkshänderinnen waren. Dieser Anteil von 1,5 Prozent liegt deutlich unter dem Durchschnitt der weiblichen Bevölkerung in Südschweden, der etwa 5 Prozent beträgt (258 von 5158 befragten Frauen). Die Händigkeit wurde danach bestimmt, mit welcher Hand die Frauen schrieben, ungeachtet der Tatsache, dass es viele Linkshänderinnen gibt, denen aufgezwungen wurde, mit rechts zu schreiben. Der Unterschied zwischen 1,5 und 5 Prozent ist hoch signifikant.[2] Die beiden Chirurgen führen ihren Befund darauf zurück, dass hormonelle Faktoren in der frühesten Kindheit sowohl die Händigkeit als auch das Brustkrebsrisiko festlegen. Sind Linkshänderinnen wirklich resistenter gegen Brustkrebs? Einleuchtender klingt eine andere Erklärung, die von Lowry (1992) stammt und der wir uns in der ersten Auflage dieses Buches anschlossen: Eine amerikanische Studie zeigte, dass Linkshänder eine neun Jahre geringere Lebenserwartung haben als Rechtshänder (Halpern und Coren 1991). Brustkrebs ist eine Alterskrankheit. Und wenn Linkshänderinnen nicht so alt werden wie Rechtshänderinnen, dann haben sie dadurch ein geringeres Risiko, Brustkrebs zu entwickeln. Der Biologe Peter Kayatz machte uns in einem Leserbrief jedoch darauf aufmerksam, dass wir damit selbst einem Trugschluss aufgesessen waren. Kayatz lieferte die einfache Erklärung, «dass das durchschnittliche Alter von Frauen mit Brustkrebs höher ist als das durchschnittliche Alter von Frauen ohne Brustkrebs und dass der Anteil links schreibender Frauen mit dem Alter abnimmt, da in früheren Zeiten während der Erziehung mehr Wert auf das ‹richtige› Schreiben mit der rechten Hand gelegt wurde als heute … Der Fehler läge somit darin, dass man stillschweigend davon ausgegangen ist, der Anteil links schreibender Frauen im ‹Brustkrebs*alter*› sei gleich dem durchschnittlichen Anteil links schreibender Menschen. Und das ist offenbar falsch.» Diese Überlegung erklärt auch die Beobachtung von Halpern und Coren (1991), der zufolge die Lebenserwartung von Linkshändern um durchschnittlich neun Jahre verkürzt sei.

2 Die Berechnung erfolgt, wie gewohnt, mit dem Vierfeldertest:

	Linkshänderinnen	Rechtshänderinnen	Summe
Brustkrebspatientinnen	6	389	395
Weibliche Bevölkerung	258	4900	5158
Summe	264	5289	5553

$$\chi^2 = \frac{5552 \times (389 \times 258 - 6 \times 4900)^2}{264 \times 5289 \times 5158 \times 395} = 9,83$$

Das Ergebnis ist hoch signifikant (p < 0,002).

Die Händigkeit wurde aber auch hier einfach durch Befragung festgestellt, mit welcher Hand die Testperson schreibt und wirft. Halpern und Coren haben demnach lediglich beobachtet, dass der Anteil von Linkshändern bei älteren Leuten geringer ist als der Durchschnitt, und somit darauf geschlossen, dass Linkshänder früher sterben.

Ein Spitzenergebnis der Verwechslung von Anteil und Anzahl ist ein in dem angesehenen *New England Journal of Medicine* erschienener Artikel über die Besetzung von Spitzenpositionen in den Kinderkliniken der USA (Kaplan et al. 1996). Anlass der Studie war die Beobachtung, dass diese Posten meist von Männern bekleidet werden, obwohl der Frauenanteil in der Kinderheilkunde besonders groß ist. Um die Ursache ausfindig zu machen, wurde die Verteilung der Arbeitszeit auf die drei Bereiche Krankenversorgung, Lehre und Forschung untersucht. Dabei zeigte sich, dass Frauen einen größeren Anteil ihrer Arbeitszeit auf Krankenversorgung (46 Prozent) und Lehre (31 Prozent) verwenden als Männer (44 beziehungsweise 30 Prozent), aber einen kleineren (23 gegenüber 26 Prozent) mit Forschung zubringen. Dieser Unterschied war statistisch signifikant. Da wissenschaftliche Produktivität für eine akademische Karriere unerlässlich ist, schließt die Studie mit der Feststellung, dass Frauen in ihrem beruflichen Fortkommen benachteiligt sind, weil sie mehr Zeit in die Krankenversorgung und Lehre investieren als Männer.

Diese Schlussfolgerung ist jedoch falsch. In der Untersuchung

Tabelle 31: Relative und absolute wöchentliche Arbeitszeit

	Wöchentliche Arbeitszeit in Prozent		Wöchentliche Arbeitszeit in Stunden		Zusätzliche Arbeitszeit der Männer
	Männer	Frauen	Männer	Frauen	
Forschung	25,6 %	23,4 %	16,5	14,2	+ 17 %
Lehre	30,3 %	30,8 %	19,5	18,6	+ 5 %
Krankenversorgung	44,1 %	45,8 %	28,4	27,7	+ 3 %

wird beiläufig erwähnt, dass die Frauen im Durchschnitt 60,5, die Männer im Mittel 64,4 Stunden wöchentlich arbeiten. Aus diesen Angaben kann man die tatsächlich geleisteten absoluten Arbeitsstunden berechnen und stellt fest, dass die Männer nicht nur mehr Zeit für Forschung, sondern auch für Lehre und Krankenversorgung aufwenden (Tabelle 31). Die geringeren Aufstiegschancen der Kinderärztinnen in den USA sind daher nicht auf ihre stärkere Belastung mit Routineaufgaben zurückzuführen, sondern darauf, dass die männlichen Kollegen zumindest im Beruf signifikant mehr arbeiten. Sicherlich wäre es interessant, herauszufinden, weshalb sie mehr Zeit in ihren Beruf investieren können oder wollen. Obige Studie trägt nicht zur Aufdeckung der Ursachen, sondern eher zu deren Verschleierung bei. Unseren Leserbrief, in dem wir auf diesen Trugschluss hinwiesen, hat die Zeitschrift nicht abgedruckt.

Man kann den in diesem Kapitel beschriebenen Trugschluss natürlich auch andersherum begehen und Anzahlen für Anteile halten. Unter der Überschrift «Gefährlicher Sport» war im *Hamburger Abendblatt* vom 5. 9. 1996 zu lesen: «Fußballer haben unter Sportlern ein besonders hohes Risiko, an Herzinfarkt zu sterben. Dies ergab eine Ärztestudie aus Ludwigshafen. Von 2052 Todesfällen beim Sport gingen 421 auf das Konto von Fußballern, 135 von Tennisspielern und 91 von Turnern.» Jetzt dürfen Sie einmal raten, in welcher Reihenfolge diese Sportarten auf der Beliebtheitsskala des Freizeitsports stehen.

Kriminelle Vereinigung
Unzulässiges Gruppieren von Daten

> Der Mensch besteht zu über 80 Prozent
> aus Eitelkeit und Wasser.
> *Hans-Hermann Dubben*

Ein triviales Beispiel für unzulässiges Gruppieren von Daten ist etwa die Zeitungsmeldung «Hunderttausend Tote und Obdachlose durch Überschwemmungen in Bangladesch». Das hört sich dramatisch an und ist eine Schlagzeile wert. Die differenziertere Meldung «Zwei Tote und etwa hunderttausend Obdachlose ...» erscheint weniger sensationell. Durch unzulässiges Gruppieren werden die Leser mit der reinen Wahrheit in die Irre geführt.

Eine «wissenschaftliche» Variante dieses Vorgehens zeigt Abbildung 51 mit den Originaldaten einer viel beachteten (Withers 1992) internationalen Studie der Radioonkologie (Horiot et al. 1992). Die schraffierten Balken zeigen die Resultate der Standardtherapie, die schwarzen Balken die Ergebnisse einer neuen Methode, die eine geliebte Erfindung der Autoren jener Studie ist und entsprechend favorisiert wird. Auf der rechten Seite der Abbildung ist die Häufigkeit schwerer Nebenwirkungen aufgetragen.

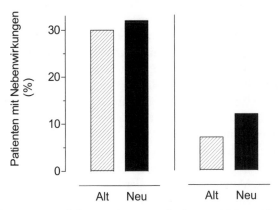

Abbildung 51: Häufigkeit moderater und schwerer Nebenwirkungen in einer international renommierten Studie zur Strahlentherapie von Tumoren im Hals-Kopf-Bereich.
Links: Veröffentlichte Daten – moderate und schwere Nebenwirkungen werden in einen Topf geworfen.
Rechts: Nicht veröffentlichte Daten – die entscheidenden schweren Nebenwirkungen.

Die neue Therapie schneidet deutlich schlechter ab, da bei ihr etwa doppelt so viele schwere Nebenwirkungen auftreten wie bei der alten Behandlung, ein Resultat, über das die Initiatoren der Studie sicherlich nicht erfreut waren, und sie haben es mit diesem deutlichen Befund auch nie publiziert[3]. Andererseits ist es nur schwer möglich, über solche Ergebnisse zu berichten, ohne die Nebenwirkungen zu erwähnen, und so wurden die schweren mit den moderaten, die in Anbetracht der Schwere der Erkrankung belanglos sind, für die Veröffentlichung vermischt (Abbildung 51 links). Durch diese Verwässerung der ursprünglichen Daten erscheinen beide Behandlungen annähernd gleichwertig, denn der kleine Unterschied von 30 zu 32 Prozent ist ohne Bedeutung.

Alles andere als belanglos ist, dass diese frisierten Ergebnisse mittlerweile auch in den Lehrbüchern über Radioonkologie als Beweis für geringe Nebenwirkungen bei Anwendung der neuen Methode angeführt werden (Horiot 1993; Joiner 1993).

Eine besonders unverschämte Variante des unzulässigen Gruppierens fanden wir in einem Bericht eines amerikanischen Krebszentrums (Cox et al. 1991). Zum Verständnis der Manipulation, die wir dort entdeckten, sind ein paar Vorbemerkungen erforderlich. Um herauszufinden, ob eine neue Therapie besser ist als die konventionelle, wird bei klinischen Studien üblicherweise eine Gruppe von Patienten einer oder mehrerer gemeinsam forschender Kliniken über einen bestimmten Zeitraum entweder mit dem neuen oder dem Standardverfahren behandelt. Welcher Patient welche der beiden Therapien erhält, entscheidet das Los. Dieses Vorgehen heißt «Randomisierung». Es verhindert bewusste oder unbewusste Manipulationen bei der Zuordnung der Patienten zu den Therapieformen. Ein Arzt, der eine von ihm entwickelte Behandlungsmethode mit einer konventionellen vergleichen will, könnte sonst Patienten mit besonders guten Heilungschancen vorzugsweise seiner eigenen und die besonders schwierigen Fälle dem Standardverfahren zuordnen. Auf Seite 245 f. werden wir auf die Randomisierung genauer eingehen.

3 Es sei an dieser Stelle angemerkt, dass die Ergebnisse der Studie aller Wahrscheinlichkeit nach dennoch positiv sind, denn die neue Methode war wesentlich wirksamer in der Tumorvernichtung als die Standardtherapie. Die häufigeren schweren Nebenwirkungen sind jedoch ein erheblicher Schönheitsfehler, den man eben, so gut es ging, versteckt hat (Beck-Bornholdt et al. 1997).

Ist eine Studie abgeschlossen, wird das Ergebnis veröffentlicht. Der erste Teil solcher Berichte dokumentiert üblicherweise, dass die Patienten hinsichtlich des Schweregrades ihrer Erkrankung gleichmäßig auf die beiden Behandlungsarten verteilt wurden. Tabelle 32 zeigt diese Zuordnung für die oben erwähnte Untersuchung (Cox et al. 1991). Die Gruppierung erfolgte nach den das Ausmaß der Erkrankung charakterisierenden Tumorstadien. Im Allgemeinen sind Tumoren im Stadium T1 sehr klein und gut therapierbar, sodass der Patient eine sehr gute Heilungschance hat. Die Stadien T2, T3 und T4 bezeichnen in dieser Reihenfolge Tumoren mit jeweils größerer Ausdehnung und entsprechend schlechteren Prognosen. Im Vergleich zwischen den beiden Spalten unterscheiden sich die in der Tabelle angegebenen Prozentzahlen nicht nennenswert. Exakt gleiche Werte kann man nicht erwarten, weil es immer geringfügige statistische Schwankungen gibt.

Als wir diese Arbeit im Rahmen unseres Seminars diskutierten, wären wir beinahe auf den Trick der Autoren hereingefallen. Genaueres Hinschauen zeigt nämlich, dass in der rechten Zahlenspalte zwar die Angaben für die Patienten der neuen Behandlung eingetragen sind, in der linken Zahlenspalte jedoch nicht, wie man erwarten sollte, die der Standardtherapie, sondern die Werte für *beide* zusammen. Korrigiert man die Tabelle und vergleicht das *neue* mit dem herkömmlichen Verfahren, so zeigt sich ein deut-

Tabelle 32: Beispiel für einen besonders schweren Fall einer unzulässigen Gruppierung

	Beide Behandlungen	Neue Behandlung
Gesamtzahl der behandelten Patienten	120	79
Tumorstadium		
T1	1 %	0 %
T2	35 %	39 %
T3	27 %	28 %
T4	37 %	33 %

Tabelle 33: So hätte Tabelle 32 aussehen müssen. Es ist offensichtlich, dass die neue Behandlung mehr von den günstigeren Fällen abbekommen hat.

	Standard-behandlung	Neue Behandlung
Gesamtzahl der behandelten Patienten	41	79
Tumorstadium		
T1	3 %	0 %
T2	27 %	39 %
T3	24 %	28 %
T4	46 %	33 %

Beispiel für die Berechnung anhand der letzten Zeile (T4): Tabelle 32 gibt an, dass sich 37 Prozent aller Tumoren im T4-Stadium befanden. 37 Prozent von 120 Patienten sind 45. Bei 33 Prozent der 79 mit dem neuen Verfahren behandelten Fälle, also bei 26 Patienten, sind T4-Tumoren festgestellt worden. Somit bleiben 45 – 26 = 19 Patienten mit T4-Tumoren für die Standardbehandlung, das sind 19 / 41 = 46 Prozent.

liches Ungleichgewicht der Patienten (Tabelle 33). Bei der neuen Behandlung haben 39 Prozent der Patienten die günstigen Stadien T1 und T2, während es bei der alten nur 30 Prozent sind. Dafür gehören der linken Gruppe deutlich mehr Patienten mit dem ungünstigen Stadium T4 an als der rechten.

Bei dieser Art der Falschgruppierung kann Vorsatz nicht ausgeschlossen werden. Die Studie, die natürlich einen Vorteil der neuen Behandlung «nachwies», löste in den USA eine ganze Reihe von Folgeuntersuchungen mit Hunderten von Patienten aus, die alle auf diesen ungültigen Ergebnissen basierten. Sie wären nie durchgeführt worden, wenn das Ungleichgewicht bei der Verteilung der Patienten auf die beiden Verfahren offensichtlich gewesen wäre. Wir halten dieses Vorgehen für unethisch und unwissenschaftlich. Es ist erstaunlich, dass dieser faule Trick den Beteiligten der Folgestudien nicht aufgefallen ist.

Besorgnis erregend ist allerdings, dass unser Versuch, auf diese unzulässige Gruppierung im Rahmen einer wissenschaftlichen Publikation aufmerksam zu machen, von einem der Fachgutachter mit dem Argument torpediert wurde, dass bei Veröffentlichung der Tabelle 32 eine Strafverfolgung durch die amerikanischen Behörden zu befürchten wäre.[4] Offenbar ist der Sachverständige an einer Verheimlichung auf Kosten der zukünftigen Patienten interessiert. Glücklicherweise hatte sein Vertuschungsversuch keinen Erfolg. Nach Überwindung einiger Schwierigkeiten wurde unser Manuskript zur Veröffentlichung angenommen (Beck-Bornholdt et al. 1997).

Den Autoren der genannten Studie sind aus unserer Veröffentlichung bis heute keinerlei Nachteile erwachsen. Ob in Amerika die europäischen Fachzeitschriften überhaupt gelesen werden?

Schwimmen wie ein Fisch ...
Unfaire Vergleiche

Schwimmen wie ein Fisch ... im Wasser? Von Wasser hat niemand etwas gesagt oder geschrieben, aber der Leser wird es wahrscheinlich denken. Mit dieser Methode kann man auch tricksen, wie das folgende Beispiel zeigt:

«Erkältet?», fragt uns der Hersteller von Gelomyrtol® forte auf seiner Website und lässt uns wissen: *«Die Erkältungszeit hält an. Achten Sie auf wetterfeste Kleidung, trotz erster warmer Sonnen-*

4 Wörtlich schreibt der (anonyme) Fachgutachter zu unserem Artikel: «It would be very dangerous to publish a paper in which it is stated that the RTOG [das ist die amerikanische Fachgesellschaft, die die Studie durchgeführt hat] pretended a balanced distribution of prognostic factors in their hyperfractionation studies in non-small cell lung cancer. This implies that deception has taken place and any suggestion of such fraud would I think be hotly pursued in the courts.»

strahlen. Wenn der Virus sich in Bronchien und Nasennebenhöhlen festgesetzt hat, wird es wirklich unangenehm.»[5]

Aber es gibt auch eine gute Nachricht: *«In einer GCP-konformen, kontrollierten Studie (GCP: Good clinical practice) wurde eindrucksvoll bestätigt, dass Gelomyrtol® forte bei der Behandlung der akuten Bronchitis einer antibiotischen Therapie mindestens gleichwertig ist: Myrtol standardisiert erweist sich als ebenso erfolgreich ... wie ein modernes ... Antibiotikum erster Wahl.»* So steht es in der Werbung. Zu deutsch: Eine erstklassige Studie hat gezeigt, dass Gelomyrtol mindestens genauso gut ist wie das beste derzeit verfügbare Antibiotikum. Dies ist eine erfreuliche Nachricht, da bekanntlich mit Antibiotika möglichst sparsam umgegangen werden sollte. Ein Antibiotikum wird bei Infektionen eingesetzt, die bakteriell bedingt sind. Sie verhindern die Vermehrung von Bakterien und töten sie schließlich ab. Auf Viren haben Antibiotika diese Wirkung nicht. Der Einsatzbereich des Gelomyrtols wird dadurch bereits sehr eingeschränkt, denn meist beruht eine Bronchitis auf einer Virusinfektion. Und wie war das bei den Patienten der Gelomyrtol-Studie? Erstaunlicherweise wurden in der von Matthys und Mitarbeitern (2000) durchgeführten Studie überhaupt keine Bronchitis-Patienten mit bakterieller Infektion behandelt. Diese wurden ausdrücklich aus der Studie ausgeschlossen. Fazit: Gelomyrtol ist bei virus-bedingter Bronchitis gleichwertig mit einem modernen Antibiotikum, das in diesem Fall wirkungslos ist. Also: Schwimmen wie ein Fisch an Land.

Eine andere beliebte Variante unfairer Vergleiche beruht darauf, dass man die Vergleichsbehandlung mit der falschen – meist viel zu geringen – Dosis durchführt. Und siehe da, das neue Medikament erweist sich als viel wirksamer. Kaum jemand achtet auf die Dosierung der Vergleichsbehandlung, sodass der Schwindel meist nicht auffällt.

5 Ja, richtig, es heißt «das Virus», aber so steht es da nun mal am 22. 6. 2006.

Zweimal verloren und doch gewonnen
Simpsons Paradoxon

> Mit dem Geist ist es wie mit dem Magen:
> Man kann ihm nur Dinge zumuten, die er verdauen kann.
> *Winston Spencer Churchill*

Auch ohne Vorsatz anwendbar und zur Selbsttäuschung bestens geeignet ist «Simpsons Paradoxon»[6]. Bei diesem Verfahren wird ein Ergebnis unversehens ins Gegenteil umgewandelt, ohne dass man gleich durchschaut, weshalb.

In einer von uns ausgedachten Studie wird ermittelt, wie gut ein neues Medikament anschlägt. Zwei Zentren tun sich zusammen, um die Versuche durchzuführen. In Porzellanstadt sind die Ärzte vorsichtig, sie verabreichen das neue Medikament nur etwa einem Fünftel ihrer Patienten, während die anderen das herkömmliche erhalten. Die Ärzte in Forschheim sind fortschrittsgläubiger, sie geben das Testpräparat etwa vier Fünfteln ihrer Patienten. Nach längerer Zeit ergibt sich die in Tabelle 34 wiedergegebene Situation.

Tabelle 34: Simpsons Paradoxon, erster Teil: Das neue Medikament ist in beiden Kliniken weniger wirksam als das herkömmliche.

Behandlung	Forschheim		Porzellanstadt	
	Herkömmlich	Neu	Herkömmlich	Neu
Anzahl der Patienten	250	1050	1050	250
Effektivität der Behandlung:				
Nicht wirksam	70	420	630	180
Wirksam	180 (72 %)	630 (60 %)	420 (40 %)	70 (28 %)

In Forschheim war das Standardmedikament bei 180 der 250 damit behandelten Patienten erfolgreich, also in 72 Prozent der

6 Benannt nach dem britischen Statistiker E. H. Simpson, der es 1951 vorstellte. Wir haben es aus Randow (1994).

Fälle. Das neue Präparat wirkte dagegen nur bei 630 der 1050 Testpersonen. Das sind 60 Prozent, also 12 Prozentpunkte weniger.

In Porzellanstadt führte das herkömmliche Medikament in 420 der 1050 Fälle zu einem Behandlungserfolg, also bei 40 Prozent. Das neue Medikament war dagegen nur bei 70 der 250 Patienten, das heißt bei 28 Prozent, wirksam. Die Differenz macht also ebenfalls 12 Prozentpunkte aus.

Das neue Wunschpräparat schlägt offenbar in beiden Zentren um 12 Prozentpunkte weniger an als das herkömmliche. Die Initiatoren der Studie sind über das Ergebnis sehr unglücklich, denn sie haben viel Geld und Arbeit in die Entwicklung des Medikaments gesteckt.

Im Kapitel zu *publication bias* hatten wir gesehen: Ergebnisse sind nicht gleich Ergebnisse. Studien mit positivem und solche mit negativem Ausgang sind zwei völlig verschiedene Paar Schuhe. Erstere werden mit größerer Wahrscheinlichkeit von den Autoren zur Veröffentlichung eingereicht. Auf ein positives Ergebnis kann man stolz sein. Wenn sich aber herausstellt, dass eine neue Therapie schlechter als das Standardverfahren ist, trägt dies nicht zum Ruhm eines Arztes bei. Daher werden negative Resultate meist lieber verschwiegen.

Zurück zu unseren frustrierten, aber dennoch engagierten Ärzten aus Forschheim und Porzellanstadt. Diesmal haben sie Glück, denn eine Zeitschrift ist trotz des negativen Ergebnisses bereit, den Beitrag zu drucken. Der Herausgeber macht es jedoch zur Auflage, den Artikel zu kürzen, da er keine positiven neuen Erkenntnisse liefere und deshalb nicht so bedeutsam sei. Insbesondere sollten die Daten aus den beiden Kliniken zur Vereinfachung in einer einzigen Tabelle zusammengefasst werden. Die Wissenschaftler folgen diesem Vorschlag und erhalten als verblüffendes Resultat die Tabelle 35.

Plötzlich erscheint das neue Mittel *besser* als das alte, denn dieses war lediglich bei 600 der 1300 damit behandelten Probanden wirksam, während das neue Medikament bei 700 der 1300 Patienten eine erfolgreiche Therapie ermöglichte. Dies ist immerhin ein Unterschied von 8 Prozentpunkten. Je nachdem, ob wir die Ergebnisse getrennt (Tabelle 34) oder gemeinsam (Tabelle 35) betrach-

Tabelle 35: Simpsons Paradoxon, zweiter Teil: Fasst man die Ergebnisse beider Kliniken zusammen, so ist das neue Medikament plötzlich wirksamer als das herkömmliche.

Behandlung	Herkömmlich	Neu
Anzahl der Patienten	1300	1300
Effektivität der Behandlung:		
Nicht wirksam	700	600
Wirksam	600 (46 %)	700 (54 %)

ten, ergibt sich für das Testpräparat im Vergleich zum herkömmlichen entweder eine signifikante Verschlechterung um 12 oder eine signifikante Verbesserung um 8 Prozentpunkte.

Dabei hat niemand geschummelt. Die Zahlen sind völlig korrekt. Aber auch hier wurden Ergebnisse in einen Topf geschmissen, die nicht zusammengehören. In Forschheim waren *beide* Medikamente wirksamer als in Porzellanstadt. Dieses Phänomen ist viel häufiger zu beobachten, als man zunächst vermutet. Vorstellbar ist beispielsweise, dass sich die Altersstruktur der Bevölkerungen von Forschheim und Porzellanstadt deutlich unterscheidet, weil es in dem einen Ort zehn Seniorenheime gibt und im anderen zahlreiche Neubausiedlungen mit vielen jungen Familien.

Simpsons Paradoxon ist außerordentlich gefährlich, denn es ist leicht zu übersehen. Nicht immer legen multizentrische Studien die Ergebnisse der einzelnen Kliniken offen. Dies wird meist vermieden, um die schlecht abschneidenden Krankenhäuser nicht bloßzustellen. Obwohl zusammengefasste Statistiken auf den ersten Blick völlig korrekt erscheinen, können sie Informationen unterschlagen. Wie oben gezeigt, wird es dadurch sogar möglich, dass sich Ergebnisse in ihr Gegenteil verkehren[7]. Ein reales Beispiel stammt

7 Dies ist ein inhärentes Problem bei allen multizentrischen Studien. Das Gegenmittel ist die so genannte stratifizierte Randomisierung, die dafür sorgt, dass der Anteil der Patienten, die mit einer bestimmten Methode be-

von der University of California in Berkeley (Bickel et al. 1975). Dort hatten sich 1973 zum Wintersemester 8442 Männer und 4321 Frauen um einen Studienplatz beworben. Von den Männern erhielten 44 Prozent, von den Frauen 35 Prozent eine Zulassung, woraufhin die Universität der Frauendiskriminierung bezichtigt wurde, was wiederum durch eine sorgfältigere Datenanalyse entkräftet werden konnte. Tatsächlich verhielt es sich so, dass Frauen ihre Bewerbungen vorzugsweise für die Fächer mit ohnehin geringer Zulassungsquote (auch für Männer) eingereicht hatten. Nach den einzelnen Fächern aufgeschlüsselt, ergab sich sogar eine Bevorzugung der Studentinnen, was die Universität in Berkeley damals auch zu ihrem Ziel erklärt hatte.

Eine weitere Simpson-Kapriole zeigt, dass Raucher länger leben als Nichtraucher, oder auch nicht. In einer Studie von Appleton und Mitarbeitern (1996) wurden zu einem bestimmten Zeitpunkt die Probanden als Raucher beziehungsweise als Nichtraucher klassifiziert. Zwanzig Jahre später wurde überprüft, wie viele von ihnen noch am Leben waren. Nimmt man alle Probanden zusammen, dann lebten am Ende noch 47 Prozent der Raucher, aber nur noch 44 Prozent der Nichtraucher (obere Zeile der Tabelle 36). Ein Ergebnis, das so manchen Raucher erfreuen wird. Berücksichtigt man jedoch das Alter der Studienteilnehmer, indem man sie auf zwei Altersgruppen aufteilt, fällt die Studie ganz anders aus. In beiden Gruppen ist jetzt der Anteil der lebenden Nichtraucher größer als bei den rauchenden Altersgenossen. Das Ergebnis der Studie lautet also: Raucher leben länger als Nichtraucher, es sei denn, sie sind jünger oder älter als 65 Jahre.

So wie in Forschheim und Porzellanstadt sind auch hier die Gruppen nicht ausgewogen. Im oberen Teil der Tabelle hat man im Grunde genommen viele junge Raucher (alte sind selten, weil die meisten schon früh versterben) mit alten Nichtrauchern vermischt und nachgesehen wer, von beiden länger lebt. Dass da dann nicht unbedingt die Rauchgewohnheiten ausschlaggebend sind, liegt auf

handelt werden, in allen beteiligten Zentren gleich ist. Fehlt die Stratifizierung nach Zentren bei einer multizentrischen Studie, ist diese wertlos, wenn die Resultate nicht nach Kliniken aufgeschlüsselt dargestellt werden.

Tabelle 36: Simpsons Paradoxon in einer Raucherstudie. Raucher leben länger als Nichtraucher, es sei denn, sie sind jünger oder älter als 65 Jahre (dies ist kein Druckfehler, sondern ein Widerspruch).

Alter zu Beginn der Studie (Jahre)		Verstorben	Lebend	Summe	Prozent lebend
55–74	Raucher	80	71	151	47 %
	Nichtraucher	141	109	250	44 %
55–64	Raucher	51	64	115	56 %
	Nichtraucher	40	81	121	67 %
65–74	Raucher	29	7	36	20 %
	Nichtraucher	101	28	129	22 %

der Hand. Bei gleichen Startbedingungen, also bei Berücksichtigung des Alters, ist das schon eher anzunehmen, und so zeigt sich dann auch, dass Rauchen eher dem frühen Ableben förderlich ist. Ein Beweis ist es allerdings nicht (siehe Kapitel «Die Ursache als Anlass des Grundes»). Das Trickreiche an diesem Beispiel liegt darin, dass sich die Ungleichverteilung erstens ganz von alleine und zwangsläufig ergibt und zweitens möglicherweise gerade durch das bedingt ist, was man untersuchen will.

In der klinischen Forschung sind multizentrische Studien im internationalen Maßstab heute angestrebter Standard (Charlton 1996; siehe auch das Kapitel «Im Nebel nach Überseh», Seite 140). Dies birgt immer die Gefahr, dass die Ergebnisse durch Zusammenfassung verfälscht werden. Die Tragweite von Simpsons Paradoxon ist daher kaum zu überschätzen.

Alles wird besser, obwohl sich nichts verändert

Das Will-Rogers-Phänomen
und stage migration

Der FC Aufstieg ist in der Fußballliga mit Abstand der Spitzenreiter. Selbst Arnold Lederegger, der Schlechteste im Team, spielt besser als der Beste vom SC Abseits. Demnächst wird Arnold zum SC Abseits wechseln. Dadurch erhöht sich die mittlere Spielerqualität in *beiden* Mannschaften! – Alles klar? Wahrscheinlich nicht.

Noch ein Beispiel aus dem Business: Herr Schieber ist Geschäftsführer in der Automobilbranche. Ihm unterstehen zwei Filialen mit insgesamt zehn Verkäufern, von denen drei in der Filiale Rostlaube arbeiten: Einer verkauft pro Woche ein Auto, der zweite zwei und der dritte drei. In der Filiale Coupé sind sieben Händler angestellt: Der erste verkauft vier Autos pro Woche, der zweite fünf, der dritte sechs usw., der Spitzenmann schafft beeindruckende zehn Autos pro Woche. Nochmals zur Übersicht:

Filiale Rostlaube:	1 2 3		Mittelwert 2
Filiale Coupé:		4 5 6 7 8 9 10	Mittelwert 7

Im Mittel werden also in der Filiale Rostlaube pro Verkäufer und Woche zwei Autos und in der Filiale Coupé sieben abgesetzt. Das ist dem Geschäftsinhaber zu wenig. Herr Schieber bekommt eine knapp bemessene Frist, die durchschnittlichen Umsatzzahlen pro Filiale zu verbessern. Kein Problem, sagt sich Herr Schieber und versetzt die vier schlechteren Verkäufer von der Filiale Coupé in die Filiale Rostlaube. Dann ergibt sich folgendes Bild:

Filiale Rostlaube:	1 2 3 4 5 6 7	Mittelwert 4
Filiale Coupé:	8 9 10	Mittelwert 9

In beiden Filialen ist die durchschnittliche Verkaufszahl pro Mitarbeiter um wöchentlich zwei Autos gestiegen. Insgesamt ist aber kein einziges Fahrzeug zusätzlich verkauft worden.

Mit diesem Trick lässt sich einiges manipulieren: das Durchschnittsalter der Bewohner von Altenheimen, die Durchschnittsintelligenz in Schulklassen, aber auch, und das ist wohl am bedeutsamsten, der Anteil an Wählerstimmen. Dieselbe Strategie steht häufig hinter Parteiquerelen bei der Neuordnung von Wahlkreisen. Durch geschicktes Umgruppieren lässt sich der Anteil der Stimmen für eine Partei in *allen* Kommunen anheben, ohne dass sie mehr Wähler bekommen hat. Dies zeigt Abbildung 52. Bei der Beliebtheit von politischen Parteien bei den Wählern gibt es in Bordurien ein deutliches West-Ost-Gefälle. Im geographischen Westen wird der Kleingärtnerbund (KGB) von allen Stimmberechtigten gewählt, in der Mitte nur von jedem zweiten und im Osten von niemandem. Unser ausgedachtes Ländle ist in zwei politische Bezirke eingeteilt. Bei dem derzeitigen Verlauf der Bezirksgrenzen erhält der KGB im Bezirk Mitte-West 75 Prozent der Stimmen, im Bezirk Ost keine einzige, also 0 Prozent. Seit Jahren versucht der KGB im Parlament eine Verlegung der Bezirksgrenzen durchzuboxen.

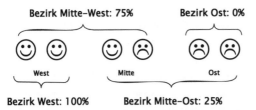

Abbildung 52: Wie eine Partei in zwei Bezirksparlamenten ihren Wähleranteil um 25 Prozentpunkte erhöht, ohne einen einzigen zusätzlichen Wähler zu gewinnen. Zeichenerklärung: ☺: wählt den KGB (Kleingärtnerbund); ☹: wählt den KGB nicht.

Das scheint auf den ersten Blick Kleingärtnerkrämerei zu sein, auf den zweiten Blick ist es aber ein schlau durchdachtes Manöver. In den neuen politischen Grenzen hätte der KGB plötzlich 100 Prozent der Stimmen im Bezirk West, und im Bezirk Mitte-Ost käme er auf 25 Prozent. Das sind im Handstreich 25 Prozentpunkte mehr in *beiden* Bezirken, ohne einen einzigen zusätzlichen Wähler hinzugewonnen zu haben.

Dieser eigentlich einfache Zusammenhang hat auch in der Medizin weitreichende Konsequenzen, nämlich dann, wenn die Ergebnisse einer neuen Behandlungsmethode mit denen einer so genannten historischen Kontrollgruppe verglichen werden. Da es einfacher zu realisieren ist, kommt dieses Verfahren sehr viel häufiger zur Anwendung als das oben beschriebene wissenschaftlich aussagekräftige Losverfahren. «Historisch» bedeutet, dass die Kontrollgruppe nicht zeitgleich, sondern vor mehreren Jahren behandelt wurde. Das zugrunde liegende Phänomen «stage migration», auch Will-Rogers-Phänomen genannt[8], ist ein sehr tückischer Sonderfall der unzulässigen Gruppierung. Die Umgruppierung, die bei den Autoverkäufern und Wahlbezirken vorsätzlich geschah, ergibt sich bei der Krebsbehandlung ganz von selbst und häufig unbemerkt, wenn die Diagnostik mit der Zeit effektiver wird. Interessanterweise verbessern sich selbst dann die Therapieergebnisse, wenn die Behandlung die gleiche geblieben ist. Wie ist das möglich?

Wie wir bereits wissen, teilen Mediziner Tumoren in Gruppen ein, die als T-Stadien bezeichnet und von 1 für den günstigsten bis 4 für den ungünstigsten Fall durchnummeriert werden. Die Zuordnung zu einer dieser Gruppen hängt von der Ausdehnung des Tumors ab, die bei schlechten diagnostischen Möglichkeiten häufig unterschätzt wird. Verbessert sich die Diagnostik, lässt sich die Tumorausbreitung, einschließlich kleinerer Absiedlungen oder Auswucherungen, die früher übersehen worden wären, genauer darstellen. Dies hat zur Folge, dass nun einige der prognostisch un-

---

8 Will Rogers war ein bekannter amerikanischer Humorist und Philosoph. Die Migration während der Wirtschaftskrise in den dreißiger Jahren kommentierte er mit den Worten: «Als die ‹Okies› Oklahoma verließen und nach Kalifornien zogen, haben sie dadurch den durchschnittlichen Intelligenzquotienten in beiden Bundesstaaten erhöht.» Da der Humor von Will Rogers für die Gesundheit vieler Menschen förderlich gewesen und dies von Medizin und Wissenschaft noch nicht gebührend gewürdigt worden sei, schlugen Feinstein und Mitarbeiter (1985) vor, das Phänomen nach ihm zu benennen.

günstigsten Tumoren des T1-Stadiums dem T2-Stadium zugeordnet werden. Entsprechendes geschieht an den Grenzen zwischen T2 und T3 sowie T3 und T4. Jede Gruppe entledigt sich ihrer nachteiligsten Tumoren, die jedoch in der nächsthöheren Gruppe die günstigeren Fälle darstellen. Dadurch optimiert sich die Prognose in *jeder* Tumorgruppe – wie bei den Autoverkäufern, nur haben wir in diesem Fall vier Filialen. Wenn nun zwei Patientengruppen, deren Stadien mit «guten» beziehungsweise «schlechten» diagnostischen Verfahren festgestellt wurden, eine gleichermaßen effektive Therapie erhalten, wird die gut untersuchte eine höhere Heilungsrate vorweisen. Unter der Voraussetzung, dass sich die Diagnostik mit der Zeit fortlaufend verfeinert, werden neue Therapieresultate immer günstiger erscheinen als die historischer Kontrollgruppen, auch wenn beide Therapien gleichwertig sind. Fortschritte in der Diagnostik können natürlich auch dazu führen, dass Tumoren, die man früher überhaupt nicht entdeckt hätte, weil sie so klein sind (und daher prognostisch günstig), der Behandlung zugeführt werden. Dies führt zu einer weiteren scheinbaren Verbesserung der Prognose für T1-Tumoren. Ob man diesem Phänomen in einer klinischen Studie mit historischer Kontrolle aufgesessen ist, kann man zum Beispiel feststellen, indem man die relativen Anteile der Tumoren in den verschiedenen Stadien vergleicht. Die dann eventuell zu beobachtende relative Zunahme der ungünstigen Stadien in der neuen Patientengruppe ist ein Indiz für «stage migration». Dies führt zu dem Paradoxon, dass besonders dann Misstrauen angebracht ist, wenn das Testkollektiv mit prognostisch ungünstigeren Tumorstadien belegt ist als die historische Kontrolle. Ohne Kenntnis des Phänomens der «stage migration» würde man im Gegenteil schließen, die neue Therapie sei eigentlich noch besser, als die Resultate ausweisen, eben weil mit ihr ungünstigere Tumoren behandelt wurden.[9] Die Heilungsergebnisse können selbst dann noch verbessert erscheinen, wenn die Therapie tatsächlich ineffektiver geworden ist.

9 Diesen Hinweis verdanken wir Herrn Prof. Dr. Jens Bahnsen von der Abteilung für Strahlentherapie des Universitäts-Krankenhauses Hamburg-Eppendorf.

Hurra: Gesunde gesünder als Kranke!

Intention-to-treat-Analyse

Wetten, dass die so genannten «Raser» auf der Autobahn wesentlich sicherer fahren als die so genannten «vernünftigen» Autofahrer? Von Hamburg nach Hannover sind es 150 Kilometer. Nehmen wir an, wir hätten über ein Jahr lang von allen Fahrzeugen, die diese Strecke gefahren sind, die Fahrtzeit bestimmt. Jetzt bilden wir zwei Gruppen. In Gruppe I kommen alle, die länger als eine Stunde für die Strecke benötigten und somit langsamer als 150 km/h waren. Gruppe II enthält alle anderen, also diejenigen, die höchstens eine Stunde benötigten und somit schneller als 150 km/h waren. Jetzt die eigentliche Frage: In welcher Gruppe hat es mehr Unfälle gegeben? In der ersten natürlich. Und Gruppe II fährt nicht nur schnell, sondern sogar völlig unfallfrei. Wie kann es auch anders sein? Wer einen Unfall hat, schafft die Strecke ganz sicher nicht in weniger als einer Stunde und gelangt so zwangsläufig in die langsame Gruppe. Diese Art der Gruppeneinteilung ist ganz offensichtlich unsinnig. Trotzdem wird dieses Einteilungsverfahren in vielen klinischen Studien verwendet. Die folgenden Absätze beschreiben ein solches Beispiel.

Für eine gut geplante Studie gibt es ein Protokoll, das mit peinlicher Genauigkeit angibt, wer wie in welchem Studienarm behandelt wird. Aber egal wie gut durchdacht die Studie ist und wie diszipliniert sich die Durchführenden an das Protokoll halten, es wird immer Protokollverstöße geben, weil sich Patienten nicht planen lassen. Wenn ein Patient zum Beispiel das verordnete Medikament nicht oder nur gelegentlich einnimmt, liegt ein Protokollverstoß vor. Sehr oft werden die Daten solcher Patienten bei der Auswertung einfach nicht berücksichtigt. Man kann ja kaum erwarten, dass ein Patient von dem Medikament profitiert, wenn er es nicht einnimmt. Der Patient hat dann sozusagen gar nicht teilgenommen. Dieses Vorgehen erscheint auf den ersten Blick logisch, ist aber ein Trugschluss, wie wir gleich sehen werden.

In einer Studie wurden verschiedene Lipidsenker zur Langzeitbehandlung koronarer Herzerkrankungen getestet (The Coronary

Drug Project Research Group 1980). Ihre Wirksamkeit wurde über die Mortalität nach fünf Jahren beurteilt. In der Patientengruppe, die das Medikament Clofibrat erhalten hatte, lag die Fünf-Jahres-Sterblichkeit bei 20,0 Prozent (Tabelle 37). In der Placebogruppe lag sie bei 20,9 Prozent. Dieser kleine Unterschied ist natürlich klinisch uninteressant und obendrein statistisch nicht signifikant. Die Autoren der Studie stellten dann jedoch fest, dass diejenigen Patienten, die das Clofibrat regelmäßig eingenommen hatten, sehr wohl von dem Medikament profitierten. Ihre Sterblichkeit lag bei lediglich 15,0 Prozent. Diejenigen Patienten, die das Clofibrat nicht regelmäßig eingenommen hatten, wiesen demgegenüber eine Fünf-Jahres-Sterblichkeit von 24,6 Prozent auf. Das Risiko, innerhalb von fünf Jahren zu versterben, erwies sich für die unzuverlässigen Patienten um den Faktor $24,6/15,0 = 1,64$-mal höher als für diejenigen, die das Medikament regelmäßig einnahmen. Dieses Ergebnis ist nicht nur äußerst relevant, sondern auch noch hoch signifikant ($p = 0,00011$). Es leuchtet doch unmittelbar ein, dass das Clofibrat die Sterblichkeit senkt, oder?

Tabelle 37: Fünf-Jahres-Sterblichkeit in verschiedenen Gruppen und Subgruppen (The Coronary Drug Project Research Group 1980)

| | 5-Jahres-Sterblichkeit | |
	Clofibrat	Placebo
Alle Patienten	20,0	20,9
Regelmäßige Einnahme	15,0	15,1
Unregelmäßige Einnahme	24,6	28,2

Erstaunlicherweise war es aber in der Placebogruppe genauso. Die Patienten, die das Scheinmedikament unregelmäßig einnahmen, hatten eine Fünf-Jahres-Sterblichkeit von 28,2 Prozent, die zuverlässigen eine von 15,1 Prozent. Das Ergebnis war somit nahezu identisch wie bei den zuverlässigen Clofibratschluckern. Also war auch das Placebo wirksam?

Der Verdacht liegt nahe, dass nicht das Medikament selbst der entscheidende Faktor in dieser Studie war, sondern das Verhalten der Patienten. Es gibt zahlreiche Gründe, weshalb ein Patient sein Medikament nicht oder nur unregelmäßig einnimmt.

1. Nebenwirkungen: Jede Medaille hat zwei Seiten, und fast jedes wirksame Medikament hat auch Nebenwirkungen. Mit zunehmenden Nebenwirkungen sinkt üblicherweise die Motivation für den Patienten, das Medikament zu nehmen. Im Allgemeinen sind die Nebenwirkungen bei verschiedenen Patienten unterschiedlich ausgeprägt. Wenn man bei der Analyse all diejenigen Patienten ausschließt, die ihr Medikament nicht vertragen haben, dann kommt man automatisch auch bei sehr schlecht verträglichen Arzneimitteln zu dem Ergebnis, dass sie gut verträglich sind.

2. Keine Wirkung: Mit der Einnahme des Medikaments erhofft sich der Patient eine bestimmte Wirkung. Wenn diese Wirkung ausbleibt, dann neigt der Patient verständlicherweise dazu, das Medikament abzusetzen. Wenn man bei der Analyse all diejenigen Patienten ausschließt, bei denen die Wirkung nicht eingetreten ist, dann kommt man auch bei unwirksamen Arzneimitteln zu dem Schluss, dass sie wirksam sind.

3. Allgemeinzustand des Patienten: Sehr kranke Patienten können unter Umständen das Medikament gar nicht mehr oder nicht mehr regelmäßig einnehmen. Sie haben aber auch ein viel höheres Sterblichkeitsrisiko als Patienten, die wohlauf sind. Wenn man die Patienten, die gesund genug sind, das Medikament einzunehmen, vergleicht mit denen, die dazu nicht mehr in der Lage sind, ist das Ergebnis selbstverständlich: Die das Medikament einnehmen, sind besser dran als die anderen. Hier darf man aber nicht Ursache und Wirkung vertauschen. Sie nehmen das Medikament, weil sie gesünder sind – und nicht andersherum.

Der dritte Punkt dürfte das scheinbar paradoxe Ergebnis des Coronary Drug Project erklären. Durch die Tauglichkeit, das Medikament regelmäßig einnehmen zu können, werden die Patienten ganz von selbst in gesunde und kranke sortiert. Und wenn man die Gruppen dann vergleicht, wird man feststellen, dass die Gesunden gesünder sind als die Kranken. Das Beispiel zeigt, dass man *alle*

Patienten, die im Rahmen einer Studie behandelt wurden, in die Auswertung einbeziehen muss. Diese Vorgehensweise nennt man «Intention-to-treat»-Analyse. In den meisten Studien wird dieses Prinzip allerdings nicht beherzigt, und Patienten, die nicht nach Protokoll behandelt wurden, werden von der Analyse ausgeschlossen («Per-protocol»-Analyse). Die Ergebnisse sind dann aber nicht aussagekräftig. In letzter Zeit ist uns aufgefallen, dass bei der Veröffentlichung von Studienergebnissen häufig angegeben wird, dass die Auswertung nach dem «Intention-to-treat»-Prinzip erfolgte. Der Begriff ist Mode geworden. Eine sorgfältige Betrachtung der Ergebnisse zeigte dann häufig, dass ein erheblicher Anteil der Patienten von der Analyse ausgeschlossen wurde. Beispiele sind die niederländische Studie zur Behandlung schmerzhafter Knochenmetastasen (Steenland et al. 1999) oder der Einsatz von Gabapentin bei Brustkrebspatientinnen (Pandya et al. 2005).

Rotwein und tot sein
Verzerrung durch Selektion

> Der Wein erfreue des Menschen Herz.
> *Psalm 104, 15*

Berichte in der Presse über die lebensverlängernde Wirkung von in Maßen genossenem Wein erfreuen sich einer bemerkenswerten Popularität (Abbildung 53). Der Zeitschrift *Bild der Wissenschaft* zufolge sterben von 1000 Abstinenzlern 20 pro Jahr. Von Personen, die mindestens 80 Gramm Alkohol pro Tag zu sich nehmen, versterben lediglich 18 von 1000 pro Jahr. So richtig gut fährt man mit 20 bis 39 Gramm Alkohol täglich. Das entspricht etwa 0,4 bis 0,8 Liter Bier. In dieser Trink-Kategorie versterben nur 6 Personen von 1000 pro Jahr. Mit diesen Angaben haben wir die mittlere Lebenserwartung ausgerechnet. Sie beträgt für Abstinenzler 34 Jahre, für die 20–39-Gramm-Trinker sage und schreibe 115 Jahre. Eine alarmierende Meldung für Lebensversicherer. Zusammen mit der Enthüllung, dass die Lebenserwartung auch mit der Lufttemperatur anstieg (siehe Kapitel «Die Ursache als Anlass des Grundes»), kann das für Lebenskünstler nur noch heißen: ab in die Sonne und Bier trinken.

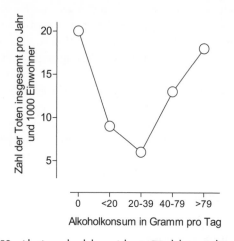

Abbildung 53: Abstinenzler leben riskant. Die lebensverlängernde Wirkung von 20 bis 39 Gramm Alkohol pro Tag (nach *Bild der Wissenschaft* 11, Seite 66, 1997). Die auf die Koordinatenachsen verwendeten darstellerischen Mittel (vergleiche Daten auf der Streckbank) finden sich auch im Original.

Zeitungsmeldungen wie die aus *Bild der Wissenschaft* basieren auf ernst gemeinten epidemiologischen Studien an Erwachsenen (vergleiche McElduff & Dobson, 1997). Das befragte Kollektiv einer guten Studie sollte repräsentativ sein. Dann wird es auch die folgenden drei Gruppen enthalten: 1. Abstinenzler, 2. mäßig Trinkende und 3. unmäßig Trinkende. Die Lebenserwartung der zweiten Gruppe wird wohl am höchsten sein, aber nicht wegen der wohltuenden Wirkung von Alkohol. Alkoholabhängige Personen haben aufgrund der schädlichen Wirkung von Alkohol eine geringere Lebenserwartung, sie sind in der dritten Gruppe. In der ersten Gruppe sind die ehemaligen Alkoholiker, die jetzt trocken sind, und all die schwer kranken Menschen, die einfach zu krank für ein

Abbildung 54: Der Herr in der oberen Abbildung trinkt eindeutig zu wenig und hat daher eine entsprechend niedrige mittlere Lebenserwartung von nur 34 Jahren. Die beiden Herren in der Mitte trinken genau die richtige Menge und haben daher eine hohe Lebenserwartung von 115 Jahren. Der Herr ganz unten trinkt zu viel. Daher beträgt seine Lebenserwartung nur 38 Jahre.

Glas Wein sind. Wer todkrank im Krankenhaus liegt, trinkt nicht regelmäßig Alkohol, hat aber ein höheres Sterblichkeitsrisiko als ein Gesunder. Wer täglich ein Glas Wein trinken kann, ist wahrscheinlich weder schwer krank noch Alkoholiker, sondern ein gesunder Mensch mit einem bekömmlichen Lebenswandel.

Auf demselben Trugschluss basieren Berichte, dass Herrchen länger lebt, wenn er zweimal täglich mit seinem Hund Gassi geht. Wer diese gewagte Behauptung nicht so ohne weiteres glaubt, wird im *New England Journal of Medicine* den nötigen Halt finden. Dort berichten Hakim und Mitarbeiter (1998) nach mehr als zwölfjähriger Forschungsarbeit über die lebensverlängernde Wirkung von Spaziergängen bei pensionierten Nichtrauchern.[7] Was sind hier Ursache und Wirkung? Macht das Spazierengehen die Pensionäre fit und steigert ihre Lebenserwartung? Oder gehen die fitten Pensionäre mit der entsprechend höheren Lebenserwartung einfach öfter spazieren?

7 Aber auch wir selbst sind keine Unschuldsengel. So hat beispielsweise einer von uns in einer retrospektiven Analyse klinischer Daten mit zunehmender Strahlendosis eine signifikante Zunahme der Überlebensrate von Patienten mit Bronchialkarzinomen festgestellt (Int. J. Radiat. Oncol. Biol. Phys. 28 : 583–588, 1994). Auch hier wurden Äpfel mit Birnen verglichen. Die Patienten hatten zunächst alle eine Gesamtdosis von 40 bzw. 50 Gray erhalten. Es folgte eine mehrwöchige, zum Teil sogar mehrmonatige Behandlungspause. Nur wenn die Patienten nach dieser Pause keine Metastasen aufwiesen, wenn der Tumor geschrumpft war und wenn die Patienten einen guten Allgemeinzustand aufwiesen, erhielten sie noch eine zweite Bestrahlungsserie und damit eine höhere Strahlendosis. Die beobachtete Zunahme der Überlebensrate bei den höher dosiert bestrahlten Patienten ist somit zumindest teilweise, wenn nicht sogar ganz auf diese positive Auswahl zurückzuführen. Bedauerlicherweise tauchen die so gewonnenen Resultate auch in Lehrbüchern auf (Stuschke und Heilmann 1996).

Gleichheit durch blinden Zufall
Randomisierung und Verblindung, Cluster-Randomisierung

Eine Studie zeigt, dass es den Patienten mit Medikament deutlich besser geht als den Patienten, die ein Placebo bekommen haben. Nun möchte man natürlich aus diesem Ergebnis darauf schließen können, dass die Besserung tatsächlich vom Medikament verursacht wurde und von nichts anderem. Das Unterfangen ist aber nur dann glaubwürdig, wenn die Gruppen sich auch tatsächlich in nichts anderem als in der Behandlung unterscheiden. Gibt es Unterschiede im Alter, im Krankheitsstadium usw., dann ist das Ergebnis nicht mehr interpretierbar. Aus diesem Grund gibt man sich große Mühe, ausgewogene Gruppen herzustellen. Nun kann man sich hinstellen und Patienten gerecht verteilen, so wie früher der Sportlehrer die Klasse in zwei gleich gute Mannschaften aufteilte. Aber: War das immer gerecht? Auch Wissenschaftler sind nur Menschen und haben ihre eigenen Überzeugungen. Diese dürfen nicht in die Studie einfließen. Ein Arzt, der eine von ihm entwickelte Behandlungsmethode mit einer konventionellen vergleichen will, könnte bewusst oder unbewusst Patienten mit besseren Heilungschancen vorzugsweise seiner eigenen und die schwierigeren Fälle dem Standardverfahren zuordnen. Um genau dieses zu verhindern, wird «randomisiert». Der Patient wird nach einem Zufallsverfahren der einen oder der anderen Behandlungsgruppe zugeordnet. Das kann so etwas Einfaches sein wie ein Münzwurf, Würfeln oder ein Los ziehen. Das Randomisieren ist die letzte Maßnahme bei der Aufnahme eines Patienten in eine Studie. Der aufnehmende Arzt weiß dann nicht, in welche Gruppe der Patient gelangen wird, und kann nicht wie beschrieben manipulieren.

Es gibt strenge gesetzliche Regelungen, die vorschreiben, wann ein solches Losverfahren durchgeführt werden darf. Zunächst einmal muss wirklich unklar sein, welche der beiden Behandlungen besser ist. Anderenfalls wäre eine derartige Untersuchung aus ethischen Gründen bedenklich. Eine weitere Voraussetzung ist selbstverständlich die Zustimmung des Patienten, der ein ausführliches und dokumentiertes Aufklärungsgespräch mit dem Arzt vorausgehen muss. Ohne eine solche Zustimmung darf niemand einem Losverfahren unterworfen werden. Sie brauchen also heutzutage keine Angst zu haben, dass Sie als Patient an klinischen Studien teilnehmen, ohne davon zu erfahren. Die gesetzlichen Bestimmungen über klinische Studien sind derart streng, dass sie die Arbeit forschender Ärzte zum Teil sehr erschweren oder gar verhindern. Das kann von Fall zu Fall sinnvoll sein, aber ohne klinische Tests gibt es keinen medizinischen Fortschritt. Auch diese Medaille hat zwei Seiten.

Randomisieren ist nicht einfach in der Durchführung, aber bedeutsam für die Interpretation von Studienergebnissen. Deshalb muss in einer Publikation die Methode der Randomisierung nachvollziehbar berichtet werden[8]. Bedauerlicherweise ist dies nur selten der Fall.

8 Manchmal werden nicht Individuen, sondern Gruppen randomisiert. Das können beispielsweise alle Einwohner eines Dorfes, alle Patienten einer Praxis oder eines Krankenhauses usw. sein. Diese nicht-individuelle Randomisierung nennt man Cluster-Randomisierung. Das Randomisieren ganzer Cluster ist manchmal unvermeidlich. In einer Studie, in der die Wirkung von Trinkwasserbeimengungen untersucht wird, kann man nur ganze Wasserwerke mit den daran hängenden Menschen randomisieren. Die Cluster-Randomisierung bringt zahlreiche methodische und ethische Probleme mit sich:
– Die Unabhängigkeit der beobachteten Ereignisse ist nicht gegeben. Dies ist aber eine entscheidende Vorbedingung für die meisten statistischen Verfahren.
– Die Entblindung eines einzigen Patienten entblindet ein ganzes Cluster (zur Verblindung siehe dort).
– Der behandelnde Arzt weiß, in welcher Gruppe er und damit auch sein Patient ist.
– Im Allgemeinen werden nur Patienten der experimentellen Gruppe um ihre Zustimmung gebeten. Dadurch kann Selektion entstehen.
– Patienten wechseln die Praxis, um die Behandlung ihrer Wahl zu erhalten.
Aus den genannten Gründen sollte die Cluster-Randomisierung nach Möglichkeit vermieden werden. Erschreckenderweise werden in vielen cluster-randomisierten Studien entsprechende spezielle Aspekte bei Planung und Auswertung nicht berücksichtigt, insbesondere dass man wesentlich mehr Patienten benötigt als bei individueller Randomisierung.

Durch die Randomisierung wird erreicht, dass die zu vergleichenden Patientengruppen möglichst ausgewogen sind. Diese mühsam erkämpfte Ausgewogenheit ist gefährdet, wenn der Patient weiß, dass er nicht die neue «viel versprechende», sondern «nur» die Standardbehandlung erhält. Deshalb und um bewusste oder unbewusste Manipulationen auszuschließen, wird noch ein weiterer Kunstgriff angewandt, die so genannte Verblindung. Die Idee des Verblindens ist keineswegs neu. Die römische Göttin der Gerechtigkeit Justitia hat die Augen verbunden, damit sie ohne Ansehen der Person Recht sprechen kann.

In einer Blindstudie erfährt der Patient daher nicht, zu welcher Gruppe er gehört, und in einer Doppelblindstudie ist auch der Arzt nicht darüber informiert: Die Behandlung ist verschlüsselt und nur einer dritten Person bekannt. Dies trägt dazu bei, dass der Arzt bei der Beurteilung des therapeutischen Effekts und der Nebenwirkungen unbefangener ist. Trotzdem kann es passieren, dass die Verblindung durchschaut wird, wenn beispielsweise bestimmte Nebenwirkungen im Allgemeinen nur bei einer der zu vergleichenden Therapien auftreten.

Es ist nicht immer möglich zu verblinden. Eine Studie, in der wahlweise Strahlentherapie oder Operation zur Behandlung eines Mammakarzinoms angeboten werden, zeigt das deutlich. Eine Verblindung kann auch durch spezifische Nebenwirkungen «auffliegen», natürlich auch durch besonders deutliche Wirkung. Die Verblindung sollte in einer Publikation detailliert beschrieben werden, damit man einschätzen kann, wie effizient sie war.

Wichtig wäre es auch, den Statistiker, der die Ergebnisse auswertet, zu verblinden. Denn auch bei der Auswertung sind viele bewusste und unbewusste Manipulationen möglich. Eigentlich wäre es am sichersten, wenn die Verblindung erst aufgehoben wird, wenn die Studie abgeschlossen, komplett ausgewertet und bereits veröffentlicht ist. Eine solche Studie wäre spannend bis zum letzten Augenblick.

Warten statt starten
Surrogatmarker als Endpunkte

In den letzten Jahrzehnten haben die Entschädigungssummen, die Versicherungsgesellschaften für Sturmschäden auszahlen mussten, rapide zugenommen. Dies wird immer wieder als klares Anzeichen für eine bereits stattfindende Klimakatastrophe angesehen. Dabei wird stillschweigend vorausgesetzt, dass die Entschädigungssummen mit der Heftigkeit und Häufigkeit von Stürmen korrelieren. Statt Letzteres aber tatsächlich zu ermitteln, werden die Entschädigungssummen als Ersatz für das benutzt, was man eigentlich wirklich wissen will. Man nennt dies einen «Surrogat-Endpunkt». Die Entschädigungssummen könnten aber auch aufgrund anderer Ursachen steigen. Eine zunehmende Besiedlung risikoreicher Küsten, eine aufwendigere Bebauung, ein größerer Anteil an versicherten Gebäuden und die Inflation führen jeweils auch zu einem Anstieg der versicherten Schäden. Sind die gestiegenen Entschädigungssummen dann wirklich ein stichhaltiger Beleg für eine Klimaänderung?

Klinische Studien sind mühsam. Sie machen noch mehr Arbeit und sind umso teurer, je länger es dauert, bis der gewünschte Effekt einer Behandlung eintritt. Besonders langwierig sind Studien mit Medikamenten oder über Lebensweisen, die zu einer Veränderung der Lebenserwartung führen sollen. Es ist daher nahe liegend, sobald man den Erkrankungsmechanismus glaubt verstanden zu haben, nach «Abkürzungen» zu suchen.

So vermutet man, dass Menschen mit Herzrhythmusstörungen (ventrikuläre Extrasystolen) ein höheres Risiko haben, an Herzversagen zu sterben, als Personen desselben Alters ohne Herzrhythmusstörungen. Wenn Herzrhythmusstörungen tatsächlich der Grund für das frühere Ableben sind, liegt der Versuch nahe, diese Störungen medikamentös zu beseitigen, in der Hoffnung, damit auch das Leben der so behandelten Patienten zu verlängern. Dies wurde jahrelang praktiziert, bis im Rahmen der so genannten CAST-Studie («Cardiac Arrhythmia Suppression Trial») überprüft wurde, ob die Patienten auch tatsächlich länger leben. Die Patienten wurden entweder mit einem von drei Medikamenten oder mit Placebo behandelt (Echt et al. 1991). Bei allen drei Präparaten wurde eine deutliche Verringerung der Herzrhythmusstörungen beobachtet. Bedauerlicherweise führte die erfolgreiche Behebung der Rhythmusstörungen aber nicht zu einer höheren, sondern bei zwei Medikamenten ganz im Gegenteil zu einer *geringeren* Lebenserwartung. Die Probanden der Placebogruppe hatten die höchste Lebenserwartung und das geringste Risiko, an Herzversagen zu sterben. Was aber nützt die Behebung von Herzrhythmusstörungen, wenn dadurch die Lebenserwartung sinkt? (Furberg & Furberg 1994)

Der Erfolg einer Behandlung wird mit Hilfe so genannter Endpunkte bestimmt. Ein Endpunkt kann das Eintreten einer Wirkung, einer Nebenwirkung oder das Versterben des Probanden sein. Je früher die Wirkung, und je später Nebenwirkung oder Tod eintreten, umso besser. Da es Jahre oder auch Jahrzehnte dauern kann, bis ein Endpunkt, insbesondere der Tod, eintritt, sucht man nach Surrogat-Endpunkten, die man erheblich früher messen kann. Die Beseitigung der Herzrhythmusstörung ist ein bequemes Surrogat für den eigentlich interessierenden Endpunkt, das Überleben. Ein Surrogat-Endpunkt ist nur sinnvoll, wenn er kausal mit dem eigentlichen Endpunkt zusammenhängt. Wenn Herzrhythmusstörungen die Ursache einer geringen Lebenserwartung sind, macht es Sinn, sie zu vermeiden. Ist die geringere Lebenserwartung aber nur die Folge einer anderen Ursache, die nebenbei auch noch Herzrhythmusstörungen bewirkt, dann wird die Angelegenheit doppeldeutig. Beseitigt das Medikament die gemeinsame Ursache, dann sind Herzrhythmusstörungen ein geeigneter Surrogat-Endpunkt. Beseitigt das Medikament aber lediglich die Herzrhythmusstörungen, aber *nicht* die gemeinsame Ursache, dann ist der Surrogat-Endpunkt ungeeignet.

Osteoporose ist eine Erkrankung, die zu häufigen Knochenbrüchen führt und an der vor allem ältere Frauen leiden. In Studien wurde eine Korrelation zwischen der Knochendichte und der Häufigkeit von Knochenbrüchen nachgewiesen. Eine geringe Knochendichte führt zu einer geringeren Belastbarkeit und damit zu einem erhöhten Risiko für Knochenbrüche. Das klingt plausibel. Was liegt da näher, als die Knochendichte zu erhöhen? Einer Studie der Mayo-Klinik zufolge (Riggs et al. 1990) kann dies effektiv mit Hilfe von Fluor in Form von Natriumfluorid erreicht werden. Kurzfristig war man über dieses Ergebnis sehr erfreut, langfristig traten aber trotz Erhöhung der Knochendichte wesentlich mehr Brüche in der fluorbehandelten Gruppe auf als in der Placebo-Gruppe. Der anfangs so plausible Zusammenhang war offenbar falsch.

Es gibt zahlreiche Beispiele für plausible, aber untaugliche Surrogat-Endpunkte in der Medizin (Mühlhauser & Berger 1996). In Studien sollte daher auf diese Arbeitserleichterung verzichtet werden, es sei denn, das Surrogat hängt ohne Zweifel kausal mit dem relevanten Endpunkt zusammen.

Viel Blech ist noch lange kein Auto
Der so genannte *impact factor*

> Unsere Leistungsgesellschaft
> ist nicht eine Gesellschaft,
> in der nur Leistung gilt,
> sondern eine, welche bestimmt,
> was Leistung ist und wer sie leisten darf.
> *Gerd Uhlenbruck*

Die Leistung eines Wissenschaftlers wird in Veröffentlichungen pro Jahr gemessen, so wie die Produktivität einer Milchkuh in Litern pro Tag. Wie bei der Milch gibt es auch bei den Veröffentlichungen qualitative Unterschiede, nur dass sich in der Wissenschaft keiner darum schert.

In zahlreichen Situationen werden wissenschaftliche Leistungen beurteilt, beispielsweise bei der Auswahl von Bewerbern auf eine freie Stelle an einem Forschungsinstitut, bei der Verteilung der immer knapper werdenden Forschungsgelder innerhalb einer Fakultät oder unter den Antragstellern bei der Deutschen Forschungsgemeinschaft (DFG). Am einfachsten kann man die wissenschaftliche Leistung eines Bewerbers oder einer Institution an den entsprechenden wissenschaftlichen Veröffentlichungen beurteilen. Die Lektüre von Fachliteratur ist anpruchsvoll und vor allem zeitraubend. Hinzu kommt, dass oftmals Personen entscheiden müssen, die sich auf dem speziellen Forschungsgebiet nicht genug auskennen, um die Qualität der eingereichten Ergebnisse wirklich zuverlässig beurteilen zu können. Deshalb wird häufig einfach die Gesamtzahl der Veröffentlichungen als Qualitätskriterium genommen. Dies ist sozusagen der Surrogatmarker für die wissenschaftliche Leistung. Einfach zu messen, nachzuprüfen und weiterzuerzählen. Auch die Erstellung einer Rangliste nach diesem Kriterium ist nicht schwierig.

Da der Anzahl wesentlich größere Bedeutung beigemessen wird als dem Inhalt, werden die Ergebnisse einer Untersuchung in immer kleineren Portionen veröffentlicht. In Fachkreisen kursiert daher der Begriff der «kleinsten publizierbaren Einheit» (*least publishable unit* oder LPU). Wer seine Ergebnisse in einem großen umfassenden Artikel darstellt, knickt die eigene Karriere und hilft ungewollt potenziellen Konkurrenten, die aus dem gleichen Material einen ganzen Strauß von Publikationen anfertigen. Man ahnt bereits, dass die Anzahl der Publikationen kein besonders gutes Kriterium für die Bewertung wissenschaftlicher Leistungen sein kann und auch nicht gerade dazu motiviert, Qualität abzuliefern.

Tragen Sie Ihren Anzug oder Ihr Kostüm nur einmal? Eben! Auch Ergebnisse sind teuer und viel zu schade, um sich nur einmal damit zu schmücken. Mehrfache Veröffentlichungen ein und derselben Daten gehören folglich inzwischen zur Routine. Zunächst werden die Resultate als *Abstract* im Tagungsband eines nationalen Kongresses veröffentlicht, dann in einer internationalen Fachzeitschrift, dann in den *Proceedings* einer internationalen Tagung und schließlich leicht abgewandelt in einer deutschen Fachzeitschrift. Die Daten klinischer Studien werden in «vorläufigen Berichten» *(preliminary reports)* und «Zwischenberichten» *(interim reports)* recycelt. Selbstverständlich veröffentlicht man jedes Mal nur einen bestimmten Teilaspekt, beispielsweise bei der Strahlenbehandlung von Tumoren zunächst die akuten Nebenwirkungen, dann – natürlich in einer separaten Veröffentlichung – die Tumorreaktion, dann die späten Nebenwirkungen. Es ist sehr mühsam geworden, wirklich alle veröffentlichten Ergebnisse einer Studie zusammenzubekommen.

Diese Vorgehensweise ist den Entscheidungsträgern natürlich nicht unbekannt. Schließlich praktizieren die Mitglieder von Berufungskommissionen oder Haushaltsausschüssen und die Gutachter der Deutschen Forschungsgemeinschaft das Verfahren im Allgemeinen selbst. Um der Flut der Publikationen von Bewerbern und Antragstellern möglichst einfach Herr zu werden, werden inzwischen häufig auch raffiniertere Bewertungsverfahren eingesetzt. Dennoch bleibt die Anzahl der Veröffentlichungen ein entscheidendes Kriterium. So werden Publikationen in internationalen Fachzeitschriften zunehmend gesondert bewertet. Immer häufiger kommt es vor, dass sich Gutachter die – aus durchschaubaren Gründen meist sehr lange – Publikationsliste genau durchlesen. Hoch angesehene Zeitschriften wie *Nature*, *Science*, *Lancet* oder *New England Journal of Medicine* werden als zuverlässiges Indiz für Qualität gehandelt. Ein längerer Artikel im international hoch angesehenen Wissenschaftsmagazin *Nature* ist natürlich viel gewichtiger als eine kurze Notiz in einem Kongressband der norddeutschen Sektion einer nationalen Fachgesellschaft.

Ein wesentlich differenzierteres, aber auch sehr viel aufwendigeres Verfahren zur Beurteilung der wissenschaftlichen Produktivität eines Wissenschaftlers ist die Anzahl der Zitierungen seiner Publikationen in der Fachliteratur. Diese Zahl kann aus einem Verzeichnis, dem so genannten «Science Citation Index», ermittelt werden. Allerdings ist die Häufigkeit von Zitierungen nicht unbedingt ein positives Qualitätsmerkmal. Ein Artikel, der als abschreckendes Beispiel zitiert wird, zählt genauso wie ein Artikel, der als bahnbrechend erwähnt wird. Ebenso könnte man beim Fußball die roten und gelben Karten, die eine Mannschaft gesehen hat, zu den Toren dazuaddieren.

Die Anzahl der persönlichen Zitierungen kann recht einfach erhöht werden:

- Möglichst oft Erstautor sein (dem Nachwuchs keine Chance geben)
- Seilschaften bilden («Zitierst du mich, zitier ich dich»)
- Sich selbst möglichst oft zitieren (wissenschaftliche Selbstbefriedigung)
- Als Gutachter auf der Zitierung eigener Arbeiten bestehen (Machtmissbrauch)

Die individuelle Anzahl der Zitate scheint also auch nicht die ideale Lösung zu sein. Eine andere Herangehensweise verwendet den so genannten *impact factor*. Mit diesem Faktor werden die Fachzeitschriften bewertet. Der *impact factor* entspricht der durchschnittlichen Anzahl der Zitate, die ein Artikel dieser Zeitschrift innerhalb der ersten beiden Kalenderjahre nach seinem Erscheinen erzielt. Der *impact factor* hat in den letzten Jahren in der Wissenschaftspolitik eine große Bedeutung erlangt. Es ist zunächst auch sehr nahe liegend, zu vermuten, dass sich die Qualität einer Zeitschrift darin zeigt, dass sie häufig zitiert wird, und zwar bald. Aus der so ermittelten Qualität der Zeitschrift wird dann auf die Qualität der Artikel geschlossen, die in der Zeitschrift erschienen sind. Damit wird man sicherlich nicht allen Arbeiten gerecht, da sie sich sehr wohl qualitativ unterscheiden können, auch wenn sie in derselben Zeitschrift publiziert sind. Der beachtliche *impact factor* einiger kleiner Zeitschriften kommt manchmal nur durch einen einzigen oder einige wenige Artikel zustande und ist daher sehr leicht manipulierbar (vergleiche Beck-Bornholdt & Dubben 2000a, b, Raabe et al. 2000, Dubben & Beck-Bornholdt 2000, Dubben et al. 2001).

Da der *impact factor* nur aus Zitaten bestimmt wird, die in den beiden auf die Veröffentlichung folgenden Kalenderjahren entstehen, werden Arbeitstechniken begünstigt, die innerhalb kurzer Zeit zu Ergebnissen führen. Wenn ich heute einen Artikel lese, daraus etwas lerne und Nutzen für die Planung meines nächsten Experiments daraus ziehe, so werde ich den Artikel selbstverständlich zitieren, wenn ich später meine Ergebnisse veröffentliche. So gehört sich das jedenfalls. In manchen Arbeitsgebieten dauern die Experimente nur wenige Stunden. Man kann sie dann in den nächsten Tagen mehrfach wiederholen und hat nach zwei Wochen genug Ergebnisse für eine Veröffentlichung. Wenn man bei der Auswertung der Daten und beim Schreiben nicht allzu lange herumtrödelt, kann man die Arbeit einen oder zwei Monate später bei einer Zeitschrift einreichen. Die Entscheidung über die Annahme des Manuskripts fällt innerhalb von typischerweise drei Monaten. Meistens muss man noch auf Wunsch der Gutachter die eine oder andere Änderung an der Veröffentlichung vornehmen. Dies nimmt kaum mehr als zwei Wochen in Anspruch. Nach einem weiteren Monat ist die Arbeit dann endgültig zur Veröffentlichung angenommen. Nach weiteren drei bis vier Monaten erhält man die Druckfahne, und dann dauert es nochmals etwa zwei bis sechs Monate bis zum Erscheinen des Artikels. Von der Beendigung des Experiments bis zum Erscheinen des Artikels verstreicht also etwa ein Jahr. Es muss nicht immer so lange dauern, aber es ist ein vernünftiger Mittelwert für viele Arbeitsgebiete. Wenn die einzelnen Experimente schnell vonstatten gehen, kann ich den Artikel, von dem ich bei der Planung meines Experiments profitiert habe, ein Jahr nach seinem Erscheinen zitieren. Damit schlägt sich der Nutzen, den ich aus dem Artikel gezogen habe, auch im *impact factor* der Zeitschrift nieder.

Wenn die Durchführung einzelner Experimente jedoch länger dauert, vielleicht zwei oder drei Monate, wird die Zeit bereits knapp. Die Experimente müssen mehrfach wiederholt werden. Bis die Ergebnisse für die Veröffentlichung vorliegen, vergeht mindestens ein Jahr. Wenn die Arbeit im Oktober, November oder Dezember erschienen ist, dann wird mein Zitat nach eineinviertel Jahren schon nicht mehr zum *impact factor* der Zeitschrift beitragen. Wenn die Experimente gar noch länger dauern, beispielsweise ein halbes Jahr, dann dauern allein die Versuche schon zwei Jahre. Und ein Zitat der für mich so nützlichen Arbeit nach mehr als zwei Jahren wird sich nicht im *impact factor* der Zeitschrift niederschlagen. Klinische Studien, die im Allgemeinen mehrere Jahre benötigen, um eine ausreichende Patientenzahl zusammenzubekommen, haben bei diesen Spielregeln überhaupt keine Chance.

Natürlich gelangen Zitate auch auf andere Weise in eine Veröffentlichung. Es ist üblich, kurz vor Fertigstellung einer Arbeit die Literatur nochmals gründlich auf aktuelle Beiträge zum Thema zu durchforsten. Neuere Arbeiten können dann in der Diskussion gewürdigt werden. Diese Möglichkeiten stehen für «langsame Techniken» genauso offen wie für schnelle. Dennoch sind die langsamen Techniken insgesamt benachteiligt.

Arbeitsgebiete mit langwierigen Experimenten sind also dreifach benachteiligt. Erstens schafft man pro Jahr nicht so viele Experimente wie die Kollegen in den Fachrichtungen mit schnellen Techniken, zweitens ist der *impact factor* der Fachzeitschriften des Arbeitsgebiets niedriger, und drittens ist auch der Herausgeber einer wissenschaftlichen Zeitschrift an einem hohen *impact factor* seines Blattes interessiert und wird die schnellen Fachrichtungen bevorzugen.

Der *impact factor* führt offenbar zu einer nicht wissenschaftlich begründeten Verschiebung von Forschungsaktivitäten, weg von zeitaufwendigen hin zu schnell beantwortbaren Fragen, damit aber auch weg von umsichtiger hin zu oberflächlicher Arbeitsweise. Alle in diesem Abschnitt besprochenen Bewertungskriterien sind obendrein Surrogat-Endpunkte und nicht höher als diese zu bewerten.

Mit Sicherheit daneben
Objektivität der Wissenschaft und
subjektive Interessen – Falsifizierbarkeit

> Insensibly one begins to twist facts to suit theories,
> instead of theories to suit facts.
> *Sherlock Holmes*

Für unsere Vorstellungen von der Welt wünschen wir uns Bestätigung. Dieser Wunsch lässt uns nicht nur selektiv wahrnehmen und unbewusst manipulieren, sondern bewirkt, dass auch in der Forschung Experimente oder Studien auf Bestätigung und nicht auf die Herausforderung oder gar Falsifizierung unserer Auffassungen hin angelegt werden.

Selektive Wahrnehmung hat nicht nur im täglichen Leben, sondern auch im wissenschaftlichen Alltag einen nicht zu unterschätzenden Einfluss, sei es beim Experimentieren oder beim Auffinden und Lesen von Fachliteratur. Paul Watzlawick (1976), Psychologe und Kommunikationsforscher, stellt sogar die provokative These auf, «daß das wacklige Gerüst unserer Alltagsauffassungen der Wirklichkeit im eigentlichen Sinne wahnhaft ist und daß wir fortwährend mit seinem Flicken und Abstützen beschäftigt sind – selbst auf die erhebliche Gefahr hin, Tatsachen verdrehen zu müssen, damit sie unserer Wirklichkeitsauffassung nicht widersprechen, statt umgekehrt unsere Weltschau den unleugbaren Gegebenheiten anzupassen».

Zur Illustration dieser Behauptung beschreibt Watzlawick eine ganze Reihe von Experimenten, bei denen Versuchspersonen in Situationen gebracht werden, die keinerlei innere Ordnung aufweisen. Dieser Umstand wird den Probanden aber verheimlicht. Sie glauben fälschlicherweise, dass eine direkte und erfassbare Beziehung besteht zwischen ihrem Handeln und dem, was darauf folgt. Ihre Suche nach erklärbaren Zusammenhängen führt zu sehr interessanten und zum Teil amüsanten Wirklichkeitsauffassungen und Verhaltensformen.

Das Orakel von Elphi
Beharrungsvermögen falscher Vorstellungen

> Wenn du keine Fehler machst,
> versuchst du es nicht wirklich.
> *Coleman Hawkins*

Irrige Ansichten sind außerordentlich widerstandsfähig. In unserer Vorlesung gelingt es uns regelmäßig, die Teilnehmer in die Irre zu führen und ein sehr beharrliches Verhalten zu provozieren. Dazu spielen wir folgendes Spiel[1]: Jeder Teilnehmer zieht ein Los, auf dem sich jeweils vier Zahlen befinden, die nach einer bestimmten Regel zusammengestellt wurden (zum Beispiel 2-4-8-16). Die Teilnehmer sollen, jeder für sich, das Schema herausfinden, das ihrer Zahlenabfolge zugrunde liegt, indem sie diese fortsetzen und der Spielleiter ihnen mitteilt, ob die von ihnen genannte neue Zahl der Regel entspricht. Liegen sie einmal falsch, dann hat dies keine Nachteile. Sie dürfen so lange probieren, bis sie davon überzeugt sind, die Aufgabe gelöst zu haben.

Es liegt nahe, die obigen Zahlen mit 32-64-128-256-512-1024-2048 fortzuführen, weil man schnell die Vorschrift «Verdopple die letzte Zahl» vermutet. Wenn dann auch noch der Spielleiter jede einzelne Nennung als richtig bestätigt, ist man sich bald sicher, das richtige Schema gefunden zu haben[2]. Die Lösung «Ver-

---

1 Das Spiel ist eine Abwandlung eines Tests, der von dem experimentellen Psychologen P. C. Wason entwickelt wurde. Wir haben es bei Randow (1994) gefunden.

2 Selbst nach 79facher Bestätigung kann man sich noch irren. Auf der Suche nach einer mathematischen Formel für Primzahlen entstand der Ansatz
$$n^2 - 79n + 1601 = \text{Primzahl}.$$
Diese Formel erzeugt für alle natürlichen Zahlen von 1 bis 79 Primzahlen. Große Enttäuschung: Sie versagt bei n = 80 (Barrow 1994). Die aus n = 80 folgende vermeintliche Primzahl 1681 ist durch 41 teilbar.
Für die mathematisch Interessierten sei an dieser Stelle auf einen Artikel von Stewart (1995) hingewiesen, in dem dargelegt wird, dass Vermutungen, die auf eine begrenzte Folge kleiner Zahlen gegründet sind, in die Irre führen können. Stewart zeigt, dass eigentlich jede begrenzte Folge zum Beispiel mit der Zahl 19 fortgesetzt werden kann.

dopple die Zahl» ist zwar nicht falsch, aber viel komplizierter als die tatsächliche Aufbauregel, die einfach nur «Jede Zahl ist größer als die vorherige» lautet. In unserer Vorlesung zogen die Teilnehmer es vor, nach dem von ihnen bereits gefundenen vermeintlichen Prinzip zu verfahren. Sie schlugen dem Spielleiter nur Zahlen vor, von denen sie meinten, sie seien richtig. Lediglich einer hat bisher versucht, seine Hypothese wirklich zu überprüfen, indem er nach 32-64-128 anstelle von 256 die Zahl 201 angab. Die anderen Teilnehmer blieben bei der einmal «entdeckten» Regel «Verdopple die letzte Zahl», um jedes Mal eine Bestätigung einzuheimsen.

Bei unseren mit Rechenaufgaben vertrauten Physikstudenten waren etwas kompliziertere Folgen wie etwa $2^n - 1$ notwendig, um ihren Ehrgeiz zu wecken.

Wenn wir uns in schwindelnder Höhe an ein Geländer lehnen müssen, prüfen wir, ob es auch hält, selbst wenn es stabil aussieht. Mit unseren geliebten Ideen und Hypothesen gehen wir anders um. Wir pflegen sie, aber wir prüfen sie nicht. Zu diesem Thema schreibt Gero von Randow (1994): «Wir stellen eine Hypothese auf und testen sie – das ist der beste Weg, um zu Erkenntnissen über die Außenwelt zu gelangen. ‹Testen› muß aber heißen: überprüfen, auf die Probe stellen, herausfordern. Materialprüfer belasten ihre Proben mit schweren Gewichten, pressen sie zusammen, ziehen sie auseinander, werfen sie mal ins Wasser, mal ins Feuer und gießen Säure darüber. Es ist leider nicht unsere Art, mit Hypothesen ähnlich rigide zu verfahren. Gäbe es keine Meinungsverschiedenheiten mit anderen Menschen, würde jeder seine eigenen Hypothesen hätscheln. In jenen Überzeugungssystemen, die nicht jede Hypothese zum Beschuß freigeben, findet genau dies statt: Es gibt großartigen Meinungsstreit um Interpretationen, nicht jedoch um die wichtigsten, nämlich grundlegenden Theorien (die ‹Hypothesen› zu nennen bereits als Ketzertum oder Revisionismus gilt).» Leider trifft Letzteres häufig auch auf die medizinische Wissenschaft zu.

Jetzt dürfen Sie wieder selbst spielen[3]: Vor Ihnen liegen vier Karten. Jede Karte hat auf einer Seite einen Buchstaben und auf der an-

---

3 Das Spiel stammt ebenfalls von P. C. Wason. Wir haben es bei Randow (1994) gefunden.

FÜHL DEM WAHN NICHT AUF DEN ZAHN:
DAS ORAKEL VON ELPHI

ELPHI HAT EINEN TEDDYBÄREN. WENN SIE IHN FRAGT:
"WIE HEISSE ICH?", UND IHN DANN LIEBEVOLL DRÜCKT,
DANN BRUMMT ER: "ELPHI!"

SO GESCHAH ES TAUSENDMAL UND ELPHI WAR FROH,
DENN IHR TEDDYBÄR ERKANNTE SIE JEDES MAL.

VON DIESEM WUNDER ERFUHR DER PRINZ KLAUS-DIETER.
ER REISTE SOFORT ZU ELPHI, FRAGTE DEN BÄREN:
"WIE HEISSE ICH?" UND DRÜCKTE IHN VORSCHRIFTSMÄSSIG.
UND DER TEDDY BRUMMTE: "ELPHI!"

NUN, DA WAR DAS WUNDER DAHIN, UND ELPHI WAR SAUER
AUF DEN PRINZEN.
DIE MORAL VON DER GESCHICHT:
FALSIFIZIER KEIN ORAKEL NICHT.

Abbildung 55: Das Orakel von Elphi. Die Widerlegung von falschen,
aber lieb gewonnenen Theorien ist unerwünscht.

deren Seite eine Zahl. Vorder- und Rückseite der Karten sind nicht unterscheidbar. Die vier Karten zeigen mit den Zeichen

nach oben. Unsere Hypothese lautet: «Wenn sich ein Vokal auf der einen Seite befindet, dann steht auf der anderen Seite eine gerade Zahl.» Sie sollen diese Hypothese überprüfen und dürfen dazu zwei Karten umdrehen. Welche sehen Sie sich an? Bitte tragen Sie Ihre Entscheidung in die beiden Kästchen ein.

Die Lösung finden Sie im Anhang am Ende des Buches. Dort werden auch der Kontext und die Bedeutung des Spiels erläutert.

Ratte beim Tango
Vermeintliche Gesetzmäßigkeiten im Chaos

> Zweifle nicht an dem, der sagt,
> er habe Angst,
> aber habe Angst vor dem, der sagt,
> er habe keine Zweifel.
> *Erich Fried*

Die Unberechenbarkeit der Welt und des Lebens ist viel besser zu ertragen, wenn man sie leugnet oder zumindest sich selbst davon überzeugt, dass man Einfluss nehmen kann, und sei es durch magische Handlungen. Diese als Aberglaube bekannte menschliche Schwäche kann auch Laborratten und anderen Tieren mit ähnlich hohem geistigem Niveau nahe gebracht werden.

Wie Watzlawick in seinem oben erwähnten Buch beschreibt, besteht die dazu notwendige Versuchsanordnung aus einem Käfig, drei Meter lang und einen halben Meter breit, mit einem Eingang für die Ratte an einem Ende und einem Futternapf am anderen. Zehn Sekunden nachdem die Ratte in den Käfig geschlüpft ist, fällt Futter in den Napf, vorausgesetzt, sie ist bis dahin noch nicht bei ihm gewesen. Erreicht sie ihn schneller, so gibt es kein Futter. Beim erstmaligen Betreten des Versuchskäfigs laufen die Ratten meist direkt zum Futternapf, finden ihn aber leer vor, da sie für den kurzen Weg nur etwa zwei Sekunden benötigen. Beim zweiten Mal wiederholt sich diese Prozedur, doch beim dritten Versuch wissen die meisten Ratten schon, dass es dort nichts zu fressen gibt, und erkunden geruhsam den Käfig. Vielleicht putzen sie sich und inspizieren anschließend die Ecken. Plötzlich fällt Futter in den Napf. Die Ratten bringen ihr Verhalten während der «Wartezeit» in Zusammenhang mit der Futterbelohnung und wiederholen bei den nächsten Versuchen immer wieder die bei der ersten erfolgreichen Annäherung vollzogenen Pirouetten. Das Ritual ist selbstbestärkend, denn schließlich führt es immer zum Erfolg. Wäre die Ratte nicht nur auf Futter, sondern auch auf Erkenntnis aus, müsste sie es riskieren, eventuell leer auszugehen, und das Ritual zu Prüfzwecken einmal abwandeln.

Ein analoges Spiel führen wir in unserer Vorlesung durch. Jeder Teilnehmer zieht ein Los. Wieder befinden sich auf jedem vier Zahlen (zum Beispiel 3-7-10-9), und die Teilnehmer sollen herausfinden, nach welcher Regel ihre Reihenfolge zustande gekommen ist. Wie bei dem oben beschriebenen Spiel setzen die Teilnehmer ihre Zahlen fort, und der Spielleiter teilt ihnen mit, ob die neuen Ziffern dem gesuchten Schema entsprechen. Falsches Raten bringt ihnen keine Nachteile. Sie dürfen raten, sooft sie wollen, bis sie sicher sind, die Regel zu kennen. Diese schreiben sie dann auf ein Blatt Papier.

Es gibt jedoch – was die Teilnehmer nicht wissen – einen gravierenden Unterschied zum vorherigen Spiel: Die Zahlen sind erwürfelte Zufallsreihen, und auch die Antworten des Spielleiters auf Zahlenvorschläge sind beliebig. Über «richtig» oder «falsch» entscheidet ein kleiner Taschenrechner mit Zufallszahlen. Nach einer gewissen Zeit geht der Spielleiter allerdings dazu über, *jedes Mal* «richtig» zu sagen.

Die Ergebnisse dieses Spiels sind für uns immer wieder verblüffend und amüsant. Häufig gelangen unsere Probanden zu sehr komplexen Erklärungsmodellen, zum Beispiel:

«Auf eine Zahl (15) folgt zweimal dieselbe Zahl (2), dann kommt wieder die erste, auf die jetzt aber nur einmal die zweite Zahl folgt. Danach kommt die erste Zahl, und die zweite wird ganz weggelassen. Dann beginnt die Folge von vorn: einmal die 15, zweimal die 2 etc. ...»

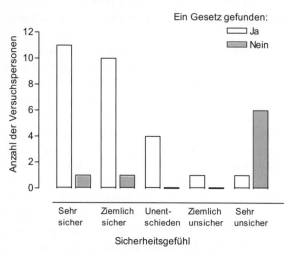

Abbildung 56: Sicherheitsgefühl fündiger und nichtfündiger Versuchspersonen. Dies ist gleichzeitig ein Beispiel, wie sich aus ganz wenigen Messungen eine protzige Abbildung herstellen lässt.

Oder:

«Ausgehend von der Zahl 4, wird abwechselnd 9 addiert und 12 subtrahiert. Nach dem vierten Rechenvorgang wird abwechselnd 9 subtrahiert und 12 addiert, bis man wieder zur Ausgangszahl 4 gelangt.»

Oder, noch schöner:

«Mir ist die Lösung bekannt, aber sie ist so kompliziert, dass ich sie nicht aufschreiben kann.»

Von den sechsunddreißig Teilnehmern erklärten lediglich acht, dass sie keine Lösung gefunden hatten. Einer gab auf. Die anderen siebenundzwanzig glaubten, eine «Gesetzmäßigkeit» zu erkennen. Auch sollten alle angeben, wie sicher sie sich mit ihrer Aufbauregel für die Zahlenfolge fühlten. Das Resultat zeigt Abbildung 56.

Diejenigen, die korrekterweise keine Gesetzmäßigkeit aufdecken konnten, zweifelten meist an diesem Ergebnis. Dagegen waren sich die Teilnehmer, die eine Regel zu erkennen glaubten, wo keine war, ihrer Lösung meistens sehr gewiss. Das Sicherheitsgefühl der Finder und Nichtfinder war statistisch hoch signifikant verschieden ($p = 0,0001$).

Ein Wissenschaftler, der ein auf reinem Zufall beruhendes Geschehen untersucht, wird, wenn er sich nicht grundsätzlich von den Hörern unserer Vorlesung unterscheidet, wahrscheinlich dennoch vermeintliche Gesetzmäßigkeiten finden, die für ihn unzweifelhaft existieren. Dasselbe wird einem Forscher widerfahren, der mit unzulänglichen Methoden arbeitet. Die Daten, die er erhält, sind chaotisch, aber er wird darin eine Regel erkennen und die Gewissheit haben, dass sie gilt. Diejenigen hingegen, die zu dem richtigen Schluss kommen, dass keine Gesetzmäßigkeit vorliegt, werden möglicherweise sehr unsicher in ihrem Urteil sein.

Das Unbehagen, das uns das Unbekannte, das Nichtverstandene bereitet, wird durch Erklärungen und Theorien erträglicher. Wenn sich Widersprüche zu unseren Gedankengebäuden ergeben, dann werden sie nicht verworfen, sondern lieber geflickt, erweitert und verfeinert. So entsteht eine sich selbst abdichtende Theorie, die sich schließlich zu einer prinzipiell nicht falsifizierbaren Annahme verhärtet. Nach Karl Popper ist jedoch Falsifizierbarkeit (das heißt schlicht die Möglichkeit der Widerlegung) ein unverzichtbarer Bestandteil jeder wissenschaftlichen Theorie. Hierzu schreibt Watzlawick (1976): «Wenn wir nach langem Suchen und peinlicher Ungewissheit uns endlich einen bestimmten Sachverhalt erklären zu können glauben, kann unser darin investierter emotionaler Einsatz so groß sein, daß wir es vorziehen, unleugbare Tatsachen, die unserer Erklärung widersprechen, für unwahr oder unwirklich zu erklären, statt unsere Erklärung diesen Tatsachen anzupassen. Daß derartige Retuschen der Wirklichkeit bedenkliche Folgen für unsere Wirklichkeitsanpassung haben können, versteht sich von selbst.»

Uns, den Autoren, wird es nicht anders ergehen. Die Erkenntnisse, die uns motivieren, dieses Buch zu schreiben und die Vorlesung «Vom Irrtum zum Lehrsatz» anzubieten, haben wir so mühsam erworben, dass wir sie nicht gern in Frage stellen möchten. Sicher haben wir uns dem Thema nicht objektiv und ohne selektive Wahrnehmung genähert, doch hoffen wir, dass wir in einigen Jahren und mit etwas mehr Abstand herzlich über unsere eigenen Irrtümer lachen können.

Aufruf zum Kaffeekränzchen
Vorschläge zum kritischen Lesen von klinischen Studien

> Richtiges Lesen ist Bürsten gegen den Strich.
> *Doris Lessing*

> Erst durch Lesen lernt man,
> wieviel man ungelesen lassen kann.
> *Wilhelm Raabe*

Es ist sehr schwierig, eine wissenschaftliche Publikation allein zu verstehen. Zu mehreren ist dies deutlich einfacher und oft auch unterhaltsamer. Ein regelmäßig tagender Literaturarbeitskreis ist zur Bewältigung der Publikationsflut sehr hilfreich. Es ist nicht notwendig, dass alle Teilnehmer einer solchen Runde Spezialisten sind. Unabdingbar sind aber natürlich Interesse an der Thematik und ausreichende Englischkenntnisse, da die meisten Arbeiten in dieser Sprache erscheinen. Interesse ist sicherlich immer dann vorhanden, wenn die besprochene Arbeit besonders relevant für das eigene Arbeitsgebiet oder für die eigene Erkrankung ist. Wenn man die Aussagekraft eines Ergebnisses zuverlässig beurteilen will, dann ist es unbedingt notwendig, dass man die Originalarbeiten liest. Nur dort findet man die hierfür notwendigen Details.

Wir führen seit vielen Jahren Literaturarbeitskreise durch. Mit den folgenden Spielregeln haben wir die besten Erfahrungen gemacht – aber sicher geht es auch anders. Wir treffen uns einmal in der Woche bzw. einmal im Monat für eine bis eineinhalb Stunden. Bei jedem Treffen wird nur eine einzige Arbeit diskutiert. Es sollten regelmäßig mindestens fünf Teilnehmer sein, die nicht unbedingt immer dieselben sein müssen. Bei weniger Teilnehmern fehlt die «kritische Masse». Bei mehr als fünfzehn Teilnehmern nimmt erfahrungsgemäß die Lebendigkeit der Diskussion ab. Optimal sind sieben bis zehn Teilnehmer. Ein Teilnehmer stellt die Arbeit vor. Die Vorstellung erfolgt völlig informell. Ein runder Vortrag mit stichhaltigem Fazit würgt die Diskussion ab. Der verantwortliche Teilnehmer hat die Arbeit nach seiner Interessenlage selbst ausgesucht und gründlich gelesen. Eine Woche vorher hat er Kopien der Arbeit verteilt, sodass jeder Gelegenheit hatte, sie ebenfalls zu lesen. Die anderen Teilnehmer sind dazu aber *nicht* verpflichtet. Allerdings hat man mehr von der Gesprächsrunde, wenn man es doch getan hat. Die Vorstellung der Arbeit darf jederzeit von jedermann durch Fragen oder Kommentare unterbrochen werden. Auf diesem Wege erreichen wir im Allgemeinen eine lebendige Diskussion.

Woran erkennt man eine aussagekräftige Studie? Dass prominente Autoren, bekannte Institutionen und angesehene Fachzeitschriften kein ausreichendes Kriterium sind, haben wir im vorliegenden Buch hoffentlich deutlich genug belegt. Darum versuchen wir, in unseren Arbeitskreisen die folgenden Fragen zu beantworten (die Liste erhebt keinen Anspruch auf Vollständigkeit):

- Um welche Publikationsart handelt es sich? (Abschlussbericht, Zwischenbericht, Abstract)
- Wird eine Hypothese getestet, oder ist es eine explorative Studie?
- Wird die zu testende Hypothese klar definiert und ist sie sinnvoll? (primärer Endpunkt, Zeitpunkt der Analyse, Festlegung des Signifikanzniveaus)
- Wird multiples Testen vermieden oder dafür korrigiert?
- Ist der primäre Endpunkt klinisch entscheidend oder ein Surrogat?
- Wie wurden die Patienten der Studie ausgewählt? (Ein-/Ausschlusskriterien)
- Wurde randomisiert? Nach welchen Kriterien? (Stratifizierung?)
- Handelt es sich um eine kontrollierte Studie? (historische Kontrolle, Placebo, Standardbehandlung usw.)
- Waren die Behandlungsgruppen vergleichbar?
- Handelt es sich um eine offene oder eine Blindstudie?
- Sind Patienten bei der Analyse «verschwunden»?
- Wie wurde mit Protokollverstößen umgegangen? Intention-to-treat-Analyse?

- Sind die Daten konsistent? Auch mit anderen Arbeiten über dasselbe Datenmaterial?
- Wird über Nebenwirkungen berichtet? Quantitativ?
- Ist die Anzahl der Patients ausreichend? Wie hoch ist die *power*?
- Wurde der minimale klinisch relevante Unterschied sinnvoll gewählt?
- Werden alle relevanten Ergebnisse in Tabellen und Abbildungen gezeigt?
- Sind alle Ergebnisse mit Fehlerangaben beziehungsweise Vertrauensbereichen angegeben?
- Wird bei den Abbildungen und Tabellen mit der Wahrheit gelogen?
- Insbesondere in der Schlussfolgerung: Wird zwischen Spekulationen und Fakten unterschieden?

Häufig lassen sich nicht alle Fragen beantworten, weil nicht detailliert genug berichtet wurde, aber beim Abarbeiten dieser Liste wird meist schnell klar, wie die Aussagekraft einer Arbeit einzuschätzen ist, vor allem dann, wenn ein Kardinalfehler begangen wurde, der das gesamte Ergebnis der Studie in Frage stellt. In diesem Falle kann man die Arbeit getrost in den Papierkorb werfen.

Nur jeder zweite Mann ein Mensch?

Interpretation statistischer Signifikanztests beruht auf Trugschluss

> Männer sind Schweine.
> *Die Ärzte*

Die Wahrscheinlichkeit, dass ein Mensch ein Mann ist, beträgt 50 Prozent. Dann beträgt die Wahrscheinlichkeit, dass ein Mann ein Mensch ist, ebenfalls 50 Prozent. Wenn Ihnen das Ergebnis dieser Schlussfolgerung gefällt, dann haben wir noch eine Fußnote[1] für Sie. Wenn Ihnen die Art der Schlussfolgerung nicht ganz geheuer ist, dann müssen wir Ihnen leider mitteilen, dass Ihre Bedenken zwar berechtigt sind, dies aber eine grundlegende Art des Folgerns in der Forschung ist.

Wir haben in den vorangehenden Kapiteln bereits einige Missstände in der gegenwärtig üblichen Bewertung wissenschaftlicher Ergebnisse aufgezeigt. Dazu gehörten zahlreiche «kleine» Irrtümer und Trugschlüsse, auf die man nicht mehr hereinfällt, wenn man ihren Mechanismus durchschaut hat. Der *Fehler erster Art* und der *Fehler zweiter Art* sind im Prinzip ebenfalls sehr einfache Irrtumsquellen. Allerdings verfügen sie, zumindest in der medizinischen und ökologischen Forschung, über ein immenses Trugschlusspotenzial. Sie sind sehr weit verbreitet, vermutlich weil quantitative mathematische Methoden erforderlich sind, um sie zu erkennen und zu eliminieren. Wir haben, pragmatisch und unvollständig, einige einfache Werkzeuge der Statistik beschrieben, mit deren Hilfe Sie Ihre Trugschlussanfälligkeit deutlich reduzieren können. All dies geschah auf dem Boden der Statistik und der gängigen Art und Weise, ein Ergebnis zu interpretieren.

In diesem Kapitel werden wir nach einigen Vorbemerkungen die allseits angewandte und abgesegnete Interpretation statistischer

---

1 Und was ist die andere Hälfte? Ganz einfach: Jedes zweite Schwein ist männlich. Also ist jeder zweite Mann ein Schwein.

Signifikanz in Frage stellen und damit der Grundlage zahlreicher Wissens- und Forschungsgebiete vors Schienbein treten. Wir hoffen, durch die vorhergehenden Kapitel Ihr Vertrauen so weit gewonnen zu haben, dass Sie jetzt weiterlesen. Bis zum Ende. Tun Sie sich den Gefallen, denn der letzte Happen ist der beste.

Mit Logik keine Panik
Täuschung bei der Früherkennung

Am Anfang des Buches haben wir uns mit der Logik diagnostischer Tests befasst. Wir haben dort auch gesehen, dass man sich bei der Interpretation eines Testergebnisses leicht täuschen kann. Vom Test auf Bellsucht war bekannt, dass er mit 99 Prozent Wahrscheinlichkeit bei einem Kranken positiv ausfällt, diesen also richtig als krank erkennt. Einen Gesunden erkennt er mit 98 Prozent Wahrscheinlichkeit richtig als gesund. Ein Patient mit positivem Testergebnis interessiert sich natürlich für die Frage: Wie wahrscheinlich ist es, dass ich bei positivem Testergebnis tatsächlich krank bin? Vielen liegt der, wie wir gesehen haben falsche, Gedankengang nahe: Wenn ich krank bin, dann ist das Testergebnis mit 99 Prozent positiv. Folgerung: Wenn das Testergebnis positiv ist, dann bin ich mit 99 Prozent Wahrscheinlichkeit krank. Bei dieser unlogischen Art zu folgern wird aus der Wahrscheinlichkeit eines positiven Testergebnisses bei Erkrankung mir nichts dir nichts die Wahrscheinlichkeit, erkrankt zu sein. Wie man die Frage des Patienten richtig beantwortet, haben wir im ersten Kapitel gesehen.

Dass man die Zuordnung der Wahrscheinlichkeiten nicht einfach umdrehen kann, sieht man auch schnell an folgendem Beispiel: Wenn jemand im Lotto mitspielt, dann ist es sehr unwahrscheinlich, dass er «Sechs Richtige» hat[2]. Also: Wenn jemand sechs

2 Die Wahrscheinlichkeit, im Lotto «6 aus 49» sechs Richtige zu haben, beträgt ca. 1 : 14 000 000.

Richtige hat, dann ist es sehr unwahrscheinlich, dass er im Lotto mitgespielt hat. Diese Argumentation wird vielleicht den Lotto-veranstalter erfreuen, wenn er sich vor der Gewinnauszahlung drücken möchte, aber logisch ist sie nicht.

Alles egal, oder?
Die Nullhypothese

Kehren wir zurück zu unserem Ärzteteam auf Seite 56. Deren Standardbehandlung ist bei 11 von 30 Patienten, entsprechend 37 Prozent, erfolgreich. Die neue Behandlung führt bei 19 von 30 Patienten zum Erfolg, entsprechend 63 Prozent. Mit dem Vierfeldertest rechnen wir den p-Wert aus. Er beträgt p = 0,0404 = 4,04 Prozent. Das Ergebnis ist statistisch signifikant, denn der p-Wert ist kleiner als fünf Prozent, dem nahezu allseits akzeptierten Signifikanzniveau. Nun zur Gretchen-Frage, die formal der obigen Patientenfrage entspricht: Wie wahrscheinlich ist es nun, dass die neue Behandlung tatsächlich erfolgreicher ist als die Standardbehandlung? Die häufigste Antwort lautet: Die Aussage ist mit einer Wahrscheinlichkeit von 4,04 Prozent falsch, aber zu 100 Prozent − 4,04 Prozent = 95,96 Prozent wahr. Leider ist dies ein Trugschluss.

Für die Durchführung dieser statistischen Analyse mussten Sie zunächst voraussetzen, dass sich die Behandlungserfolge *nicht* grundsätzlich unterscheiden und dass die differierenden Prozentsätze auf einem Zufall beruhen. Dies ist die so genannte Nullhypothese. Im Weiteren haben wir den p-Wert berechnet, die Wahrscheinlichkeit, mit der die Ergebnisse zufällig so unterschiedlich (oder extremer) ausfallen, obwohl beide Therapien gleichwertig sind. Wenn der p-Wert sehr klein ist, wird die Nullhypothese verworfen, das Ergebnis heißt dann «statistisch signifikant».

Das verbreitete, aber wie wir sehen werden unlogische Ritual noch einmal in anderen Worten: Wenn die Nullhypothese gilt, dann tritt das beobachtete Ergebnis mit 4,04 Prozent Wahrscheinlichkeit ein. Folgerung: Wenn das Ergebnis eintritt, gilt die Nullhypothese mit 4,04 Prozent Wahrscheinlichkeit. Dabei ist aus der Wahrscheinlichkeit des Ergebnisses bei Gültigkeit der Nullhypothese ganz klammheimlich die Wahrscheinlichkeit für die Gültigkeit der Nullhypothese geworden. Diese Art des Schlussfolgerns, diese umgedrehte Zuordnung der Wahrscheinlichkeiten, ist falsch. Trotzdem ist es die weltweit angewandte und anerkannte Argumentationsweise der Medizin und vieler anderer Disziplinen beim statistischen Testen. Wie man den Signifikanztest richtig interpretiert, werden wir im nächsten Abschnitt sehen.

Irren ist menschlich
Interpretation eines statistisch signifikanten Ergebnisses

> Der große Feind der Wahrheit ist oft nicht die Lüge,
> – überlegt, erfunden und unehrlich –,
> sondern der Mythos,
> – beständig, überzeugend und unrealistisch.
> *John F. Kennedy*

Wir haben in den letzten Abschnitten mehrere Male eine Schlussfolgerung mit Wahrscheinlichkeitsaussage einfach umgedreht und damit mehr oder weniger offensichtlichen Unsinn fabriziert. Wir zeigen noch einmal den direkten Vergleich.

Wenn jemand ein Mensch ist, dann ist er mit 50-prozentiger Wahrscheinlichkeit männlich.
Wenn jemand männlich ist, dann ist er mit 50-prozentiger Wahrscheinlichkeit ein Mensch.

Wenn die Person erkrankt ist, dann ist das Testergebnis mit 99-prozentiger Wahrscheinlichkeit positiv.
Wenn das Testergebnis positiv ist, dann ist die Person mit 99-prozentiger Wahrscheinlichkeit erkrankt.

Wenn man Lotto spielt, dann erzielt man sehr wahrscheinlich nicht den Lottohauptgewinn.

Wenn man einen Lottohauptgewinn erzielt hat, dann hat man sehr wahrscheinlich nicht Lotto gespielt.

Wenn die Nullhypothese richtig ist, dann ist das Ergebnis unwahrscheinlich (4,04 Prozent).

Wenn das Ergebnis eingetreten ist, dann ist die Richtigkeit der Nullhypothese unwahrscheinlich (4,04 Prozent).

Glücklicherweise wissen wir für den diagnostischen Test, wie die Argumentation richtig läuft. Damit Sie nicht dauernd hin und her blättern müssen, schreiben wir nochmal kurz das Wichtigste für die Interpretation eines diagnostischen Tests auf und wenden das so Wiederholte auf eine klinische Studie an.

Von der Häufigkeit der Erkrankung wissen wir, dass etwa jeder Tausendste befallen ist. Von 100 100 Menschen sind also 100 krank und 100 000 gesund (2. Spalte der Tabelle 38, die identisch ist mit Tabelle 1 im ersten Kapitel). Vom Test war bekannt, dass er mit 99 Prozent Wahrscheinlichkeit bei einem Kranken positiv ausfällt, diesen also richtig als krank erkennt. Von den 100 Kranken erhalten 99 ein positives Ergebnis. Einer erhält fälschlicherweise ein negatives. Einen Gesunden erkennt der Test mit 98 Prozent Wahrscheinlichkeit richtig als gesund. Von den 100 000 Gesunden erhalten 98 000 ein negatives Ergebnis. 2000 erhalten fälschlicherweise ein positives. Am Ende gibt es 2099 positive Ergebnisse, von denen aber nur 99 richtig positiv sind. Die entscheidende Frage lautet: Wie wahrscheinlich ist es, dass ich bei positivem Testergebnis tatsächlich krank bin? Die Lösung lautet $99/2099 = 0,0472 = 4,72$ Prozent.

Nun machen wir noch einmal dasselbe und wenden das Prinzip auf eine klinische Studie an. Dabei sind wir mehr als optimistisch: Die Studie war perfekt geplant und wurde fehlerfrei durchgeführt. Das Signifikanzniveau beträgt 5 Prozent. Die Wahrscheinlichkeit für den Fehler zweiter Art beträgt 20 Prozent. Für unsere Analogie ersetzen wir «Krank» durch «Therapie A ist besser als Therapie B», «Gesund» durch «Therapie A ist nicht besser als Therapie B»,

Tabelle 38: Bestimmung der Wahrscheinlichkeit, bei positivem Testergebnis tatsächlich krank zu sein.

	Anzahl	Positiv	Negativ
Krank:	100	99	1
Gesund:	100 000	2000	98 000
Summe:	100 100	2099	98 001

«Positiv» durch «Statistisch signifikant» und «Negativ» durch «Nicht statistisch signifikant» (siehe Tabelle 39).

Nun müssen wir noch die Häufigkeit der Erkrankung übersetzen. Wenn ein Forscherteam ein neues Medikament oder eine neue chirurgische Methode oder was auch immer in einer Studie untersuchen will, dann ist natürlich nicht sicher, dass die neue Behandlung besser ist. Es besteht nur eine mehr oder weniger große Wahrscheinlichkeit dafür. Wir lassen, damit wir ohne allzu große Umschweife zur Tat schreiten können, für diese Wahrscheinlichkeit eine Zahl vom Himmel fallen: Sie soll hier 10 Prozent betragen. Das bedeutet: In jeder zehnten Studie wird eine neue Therapie ausprobiert, die tatsächlich besser ist als die Standardtherapie. Jetzt wie versprochen noch einmal dasselbe wie beim diagnostischen Test.

Von der Wahrscheinlichkeit wissen wir, dass in jeder zehnten Studie Therapie A besser als Therapie B ist. Unter 1000 Studien ist dies also in 100 Studien der Fall, in 900 nicht (2. Spalte der Tabelle 39). Von der Studie war bekannt, dass sie mit 20 Prozent Wahrscheinlichkeit bei einem tatsächlichen «A besser B» zu keinem statistisch signifikanten Ergebnis führt, ein «A besser B» also übersieht. Von den 100 «A besser B»-Studien erhalten folglich 80 ein statistisch signifikantes Ergebnis. In 20 Studien ist das Ergebnis fälschlicherweise nicht statistisch signifikant. Wenn A nicht besser als B ist, liefert die Studie in fünf Prozent (unser Signifikanzniveau) fälschlicherweise ein statistisch signifikantes Ergebnis. Ein tatsächliches «A nicht besser B» führt mit 100 % – 5 % = 95 % Wahrscheinlichkeit richtigerweise zu einem nicht signifikanten Ergebnis. Von den 900 «A nicht besser B»-Studien erhalten somit 855 ein nicht signifikantes Ergebnis. 45 erhalten fälschlicherweise ein signifikantes. Am Ende gibt es 125 signifikante Ergebnisse, von denen aber nur 80 richtig sind. Die entscheidende Frage lautet: Wie wahrscheinlich ist es, dass bei statistisch signifikantem Studienergebnis Therapie A tatsächlich besser als Therapie B ist? Die Lösung lautet 80/125 = 0,64 = 64 Prozent.

Tabelle 39: Bestimmung der Wahrscheinlichkeit, dass bei statistisch signifikantem Ergebnis Therapie A tatsächlich besser als Therapie B ist. Das Signifikanzniveau beträgt 5 Prozent. Die Wahrscheinlichkeit für den Fehler zweiter Art beträgt 20 Prozent.

	Anzahl	Statistisch signifikant	Statistisch nicht signifikant
A besser als B	100	80	20
A nicht besser als B	900	45	855
Summe:	1000	125	875

Mit 64 Prozent Wahrscheinlichkeit ist bei statistisch signifikantem Ergebnis die Therapie A besser als Therapie B. In 36 Prozent der Fälle ist sie es nicht. Obwohl wir eine perfekte Studie durchgeführt haben, irren wir uns mit 36 Prozent Wahrscheinlichkeit, wenn wir von der Wahrscheinlichkeit des überlegenen *Ergebnisses* auf die Wahrscheinlichkeit der Überlegenheit der Therapie A schließen. Lassen Sie sich nicht davon täuschen, dass die Studie mit 80 Prozent bzw. 95 Prozent jeweils das Richtige erkennt, so wie Sie sich hoffentlich auch nicht mehr davon täuschen lassen, wenn ein diagnostischer Test die Kranken und Gesunden jeweils mit hoher Wahrscheinlichkeit richtig erkennt.

Die Erkenntnis, dass klinische Studien regelmäßig und massenweise falsch interpretiert werden und dass der Vorhersagewert auch bei richtiger Interpretation eher bescheiden ist, ist schmerzhaft und Schwindel erregend. Zum Trost möchten wir zwei positive Aspekte des Desasters erwähnen: 1.) Sie hatten Einblick in den womöglich folgenschwersten Irrtum des letzten und des laufenden

Jahrhunderts. 2.) Je schmerzhafter dieser Einblick war, umso wahrscheinlicher ist es, dass Sie die Geschichte bis morgen komplett verdrängt haben.

Neue Therapiekonzepte entstehen am Schreibtisch, auch wenn die in sie einfließenden Erfahrungen an anderer Stelle gesammelt worden sind. So kann es passieren, dass zehn von zwanzig tollen Ideen eines genialen Forschers eine Verbesserung ergäben, wenn man sie untersuchte. Die so genannte *A-priori*-Wahrscheinlichkeit[3] beträgt dann 50 Prozent. Ein weniger begnadeter Wissenschaftler hat ebenfalls zwanzig tolle Ideen, aber nur zwei davon hätten sich als Treffer erwiesen. Seine A-priori-Wahrscheinlichkeit für ein «A besser B» beträgt 10 Prozent wie in unserem obigen Beispiel. Es ist leicht einzusehen, dass ein Fachmann mit größerer Sicherheit etwas Sinnvolles untersucht als ein Nichtfachmann. Soweit uns bekannt ist, existieren aber keine verlässlichen und anerkannten Methoden zur Abschätzung derartiger *A-priori*-Wahrscheinlichkeiten. Deshalb mussten wir die zehn Prozent vom Himmel fallen lassen.

Damit ist das Thema keineswegs abgeschlossen. Ganz im Gegenteil, es geht erst richtig los. Der Irrtum, der den Signifikanztests zugrunde liegt, ist weit verbreitet, im täglichen Leben, in der Rechtsprechung, in der Forschung. Und: Wie kriegt man den Kopf aus der Schlinge, wenn man die *A-priori*-Wahrscheinlichkeiten nicht bestimmen kann, aber prinzipiell doch benötigt? ... an der spannendsten Stelle kommt immer der Werbeblock. Das gerade angerissene Thema können wir an dieser Stelle nicht vertiefen und verbreiten. Es hat nämlich ein ganzes Buch gefüllt, das unter dem Titel «Der Schein der Weisen» im Rowohlt Verlag erschienen ist.

3 «A priori» bedeutet: im Voraus, vorher

Schwamm ist ein vorzügliches Material ...
Vom Wesen der Wissenschaft

Die Stimme der Vernunft ist leise.
Sigmund Freud

Aus Fehlern wird man klug. Unserer Auffassung nach entspringt der Fortschritt in der Wissenschaft in erster Linie der strengen und gründlichen Kritik gängiger Theorien und Auffassungen. Der vorsätzliche und auf den ersten Blick destruktive Versuch, Irrtümer und Fehler aufzuzeigen, ist in Wahrheit eine äußerst konstruktive Maßnahme. Mit dieser Sicht befinden wir uns zwar in guter Gesellschaft (Popper 1962; Mayo 1996), doch ist sie nicht sehr populär. Das kann daran liegen, dass der gegenwärtige Forschungsbetrieb nur die Flucht nach vorn zulässt. Positive Ergebnisse werden erwartet und gefördert, berechtigte Zweifel hingegen nicht belohnt.

Die Reputation eines Wissenschaftlers hängt heutzutage davon ab, dass er regelmäßig Ergebnisse produziert. Andernfalls verliert er seinen guten Ruf und vielleicht sogar seinen Arbeitsplatz. Entdeckungen kann man aber nicht bestellen wie ein Auto und nach angemessener Lieferfrist abholen. Es gibt kein Kochrezept für neue und vor allem gute Ideen. Sauberes Arbeiten und Fleiß allein reichen nicht aus. Es ist absurd, zu glauben, dass jeder Forscher pro Jahr mindestens eine international beachtenswerte Entdeckung macht. Dies wird aber von den Förderungsgremien erwartet.

Je mehr neue Erkenntnisse ein Wissenschaftler pro Jahr gewinnt, umso höher ist sein Ansehen, umso sicherer sein Arbeitsplatz, und umso mehr Forschungsgelder erhält er. In der Geschichte der Wissenschaft hat es immer wieder Genies gegeben, die tatsächlich laufend mit Entdeckungen aufwarten konnten. Dies sind Ausnahmen. Unter den gegenwärtigen Bedingungen der Forschungsförderung wächst die Bereitschaft, mit Tricks und Täuschungsmanövern zum Ziel zu kommen. Wir haben den Eindruck, dass dies auch unbewusst geschehen kann, denn die uns persönlich bekannten Kollegen sind im Allgemeinen von ihren Ergebnissen überzeugt.

Wer wird sein «schönes» Resultat, das ihm den Doktortitel, einen Arbeitsvertrag oder eine Projektförderung einbringen oder Etatkürzungen verhindern kann, ernsthaft auf Herz und Nieren prüfen? Statt das Risiko einzugehen, sich selbst zu widerlegen, nutzt man doch viel lieber seine Zeit für neue schöne Ergebnisse. Gegenwärtig wird eher Nachlässigkeit gefördert. Selbstkritik, Kritik und gesunde Skepsis, die wichtigsten Werkzeuge der Forschung, sind bei dieser Art von Wissenschaft eher hinderlich. Nur wirklich unabhängige Wissenschaftler können sich einen derart soliden und umsichtigen Arbeitsstil leisten. Diese Unabhängigkeit war an der guten alten und angeblich verschlafenen deutschen Universität gewährleistet. Dass sich dann einige in diesem Freiraum ausruhen und faulenzen, ist eine unvermeidliche, aber tragbare Nebenwirkung.

Tricks, die sich bewährt haben, kopieren Kollegen natürlich sofort, oft ohne zu merken, dass sie nur einen Kunstgriff und nicht eine wissenschaftliche Methode übernehmen. Wenn der Trick gut ist, dann sind die Nachahmer in den folgenden Jahren ebenfalls besonders erfolgreich und werden deshalb wiederum kopiert. So breitet sich eine neue List aus wie eine Grippewelle. Das dabei verbreitete «neue Wissen» füllt dann die Regale der Bibliotheken und verstaubt.

Eine sehr treffende Beschreibung des gegenwärtigen Zustands der Wissenschaft haben wir in einer Kurzgeschichte Mark Twains mit dem etwas irreführenden Titel «Einige gelehrte Fabeln für gute alte Knaben und Mädchen» (Mark Twain 1860) gefunden. Diese Satire, die vor weit über hundert Jahren entstand, ist noch immer hochaktuell, vielleicht weil sie das eigentliche und somit unveränderliche Wesen der Wissenschaft beschreibt. Das letzte Wort möchten wir daher Mark Twain und das allerletzte Professor Angelwurm überlassen:

«Einst hielten die Geschöpfe des Waldes eine große Versammlung ab und ernannten eine Kommission, bestehend aus den ausgezeichnetsten Gelehrten, die ausziehen sollte, weit aus dem Walde und hinaus in die unbekannte und unerforschte Welt, um die

Wahrheit all dessen zu bestätigen, was an ihren Schulen und Universitäten bereits gelehrt wurde, und ferner, um neue Entdeckungen zu machen. Es war das imposanteste Unternehmen dieser Art, das die Nation je in Angriff genommen hatte …

Nach Verlauf dreier Wochen trat die Expedition aus dem Walde heraus und blickte auf die weite, unbekannte Welt. Ein eindrucksvolles Schauspiel bot sich ihren Augen. Vor ihnen dehnte sich eine ungeheuer weite Ebene aus, bewässert von einem sich vielfach windenden Strom, und dahinter türmte sich eine lange, hohe Schranke in den Himmel, sie wussten nicht, was.

Der Mistkäfer sagte, er glaube, es sei einfach Land, hochkant stehend, denn er sei sicher, Bäume darauf zu erkennen. Professor Schnecke und die anderen erwiderten jedoch: ‹Sie sind zum Graben angestellt, Sir – zu weiter nichts. Wir brauchen Ihre Muskeln, nicht Ihren Verstand. Wenn wir Ihre Meinung über wissenschaftliche Dinge hören wollen, werden wir uns beeilen, Sie das wissen zu lassen. Überdies ist Ihre Unverfrorenheit unerträglich – hier herumzubummeln und sich in erhabene Fragen der Gelehrsamkeit einzumischen, während die anderen Arbeiter das Lager aufschlagen! Gehen Sie los und helfen Sie beim Abladen des Gepäcks.›

Unzerschmettert, uneingeschüchtert machte der Mistkäfer auf dem Absatz kehrt und bemerkte dabei zu sich selbst: ‹Wenn das kein hochkant gestelltes Land ist, will ich den Tod des Ungerechten sterben!›

Professor Ochsenfrosch … sagte, er glaube, der Höhenrücken sei der Wall, der die Erde umschließe. Er fuhr fort: ‹Unsere Väter haben uns eine Menge Wissen hinterlassen, aber sie waren nicht weit gereist, und deshalb dürfen wir dies als eine herrliche neue Entdeckung betrachten. Unser Ruhm ist uns nun sicher, selbst wenn unsere Arbeiten mit dieser einen Leistung beginnen und enden würden. Ich bin neugierig, woraus dieser Wall errichtet ist. Ob es Schwamm ist? Schwamm ist ein redliches, gutes Material zur Errichtung eines Walls.›

Professor Schnecke nahm den Feldstecher an die Augen und unterzog den Wall einer kritischen Untersuchung. Endlich sagte er: «Der Umstand, dass er nicht transparent ist, bestärkt mich in der Überzeugung, dass er ein dicker Dunst ist, gebildet durch die Wärmeerzeugung aufsteigender Feuchtigkeit, die durch Refraktion dephlogistiziert wurde. Wenige endiometrische Experimente würden das bestätigen, aber es ist nicht nötig, die Sache liegt auf der Hand.›

Damit schob er den Feldstecher zusammen und begab sich in sein Haus, um eine Eintragung über die Entdeckung des Endes der Welt und seine Beschaffenheit zu machen.

‹Ein scharfsinniger Kopf!›, sagte Professor Angelwurm zu Professor Feldmaus. ‹Ein scharfsinniger Kopf! Nichts kann diesem erhabenen Geiste lange ein Geheimnis bleiben!›»

Dank

> Wenn wir keine Fehler hätten, würden
> wir nicht mit so lebhaftem Ver-
> gnügen in anderen welche entdecken.
> *La Rochefoucauld*

Unser besonderer Dank gilt den internationalen Koryphäen unseres und anderer Fachgebiete. Für dieses Buch waren ihre zahlreichen und facettenreichen Trugschlüsse Anlass, Motivation und Material zugleich. Wir danken den Teilnehmern unserer Vorlesungen «Vom Irrtum zum Lehrsatz», «Grundlagen quantitativer Forschung» sowie den Teilnehmern unseres Blockseminars Forschungsmethodik, von denen wir sehr viel mehr gelernt haben, als sie glauben.

Für kritische Anmerkungen, sachdienliche Hinweise und ermunternde Worte danken wir herzlichst: Prof. Dr. Michael Baumann, Gertrud Beck, Dr. Jürgen Beeck, Prof. Dr. Jürgen Berger, Sönke Eickhölter, Renate Erb, Imke Hoffmann, Dr. Lothar Jander, Prof. Dr. Horst Jung, Dr. H.-Jürgen Krüger, Horst Leps, Jens Petersen, Dr. Annette Raabe, Jutta Schäfer, Dr. Hubert Vogler und Georg Wronberg.

Für die verbliebenen Fehler sind selbstverständlich nur wir verantwortlich. Glauben Sie uns bitte nichts! Prüfen Sie alles selber nach. Wenn Sie einen Fehler finden oder eine Anregung haben, dann lassen Sie es uns bitte wissen (Postadresse: Martinistraße 52, Universitätsklinikum Hamburg-Eppendorf, 20246 Hamburg; E-Mail: dubben@uke.uni-hamburg.de bzw. bebo@uke.uni-hamburg.de).

Wir danken allen Lesern, die uns auf Fehler aufmerksam gemacht haben. Wir können hier nur diejenigen aufführen, die uns jeweils erstmals auf eine Ungereimtheit hingewiesen haben: Andreas Abraham, Thomas Bäder, Christian Berger, Riko Bornholdt, Christian Dockhorn, Prof. Dr. Manfred Drosg, Dr. Ulrich Frey, Kai-Uwe Goss, M. F. Harvey, Dr. Uwe Hassler, Franziska Hausmann, Joachim Henkel, Dr. Christian Hennig, Prof. Dr. Horst Jung, Dipl.-Biol. Peter Kayatz, Dr. Hans-Dieter Klein, Dipl.-Ing.

Jochen Kranz, Peter Krause, Franz Krojer, Joseph Kuhn, Martin Kuppe, Prof. Dr. Alexander Matte, Robert Mestel, Dr. Otto Meyer zu Schwabedissen, Walter Müller, Prof. Dr. Wolfgang U. Müller, Jan Müller-Berghaus, Dr. Almut Noack, PD Dr. Thomas Nussbaumer, Josef Pleschiutschnig, Dr. Martin Purschke, Dr. Harald Ruppenthal, Prof. Dr. Lothar Sachs, Dr. Roland Schwen, Gisbert W. Selke, Franz Sippel, Matthias Sperl, Prof. Dr. Michael Stobernack, Dr. Eckhard J. Umann, Andrea Warnke, Christoff Zalpour.

Anhang
Für diejenigen, die alles ganz
genau wissen wollen

Jede Formel in einem Buch halbiert die Anzahl der Leser (Penrose 1991). Darum sind die Formeln weitgehend in die Fußnoten und in diesen Anhang verbannt. Wir haben hier ein paar nützliche Werkzeuge zusammengestellt, die uns immer wieder gute Dienste geleistet haben:

1. eine Tabelle, der zu entnehmen ist, wie viele zufällig signifikante Ergebnisse Sie erwarten können, wenn eine bestimmte Anzahl von Tests durchgeführt wurde;

2. eine Tabelle, die angibt, wie sicher Sie sein können, dass ein Ereignis wirklich selten eintritt, wenn es selten beobachtet worden ist;

3. eine Tabelle, mit deren Hilfe Sie auf einfache Weise den 95-Prozent-Vertrauensbereich des Medianwerts bestimmen können, und

4. eine Tabelle, eine Grafik und eine Formel, mit deren Hilfe Sie aus der Prüfgröße χ^2, die wir zum Beispiel mit dem Vierfeldertest ermittelt haben, den Fehler erster Art (p-Wert) bestimmen können.

I. Wie viele Zufallsergebnisse kann man erwarten?
Anzahl der zufällig signifikanten Ergebnisse
bei Mehrfachtests

Viele Autoren geben in ihren Publikationen nicht die berechneten p-Werte an, sondern weisen nur darauf hin, dass sie einen oder mehrere signifikante Parameter gefunden haben. Eine Mehrfachtestkorrektur ist dann zwar nicht möglich, aber mit Tabelle 40

Tabelle 40: Wahrscheinlichkeit (in Prozent), mindestens x signifikante Ergebnisse rein zufällig zu finden, wenn n unabhängige Tests mit völlig irrelevanten Parametern durchgeführt werden ($p_i \leq 0{,}05$)

Anzahl der Tests	Wahrscheinlichkeit (%) für mindestens x signifikante Zufallsbefunde									
n	x=1	x=2	x=3	x=4	x=5	x=6	x=7	x=8	x=9	x=10
1	5									
2	9,75	0,25								
3	14	0,73	0,01							
4	19	1,4	0,05							
5	23	2,3	0,12							
6	26	3,3	0,22	0,01						
7	30	4,4	0,38	0,02						
8	34	5,7	0,58	0,04						
9	37	7,1	0,84	0,06						
10	40	8,6	1,2	0,10	0,01					
11	43	10	1,5	0,16	0,01					
12	46	12	2,0	0,22	0,02					
13	49	14	2,5	0,31	0,03					
14	51	15	3,0	0,42	0,04					
15	54	17	3,6	0,55	0,06	0,01				
16	56	19	4,3	0,70	0,09	0,01				
17	58	21	5,0	0,88	0,12	0,01				
18	60	23	5,8	1,1	0,15	0,02				
19	62	25	6,7	1,3	0,20	0,02				
20	64	26	7,6	1,6	0,26	0,03				
25	72	36	13	3,4	0,72	0,12	0,02			
30	79	45	18	6,1	1,6	0,33	0,06	0,01		
35	83	53	25	9,6	2,9	0,72	0,15	0,03		
40	87	60	32	14	4,8	1,4	0,34	0,07	0,01	
45	90	67	39	19	7,3	2,4	0,66	0,16	0,03	0,01
50	92	72	46	24	10	3,8	1,2	0,32	0,08	0,02
60	95	81	58	35	18	7,9	3,0	0,98	0,29	0,07
70	97	87	69	47	27	14	6,0	2,3	0,80	0,25
80	98	91	77	57	37	21	11	4,7	1,8	0,65
90	99	94	83	66	47	29	16	8,1	3,6	1,5
100	99,4	96	88	74	56	38	23	13	6,3	2,8

kann man trotzdem die Aussagekraft der Arbeit einschätzen. Sie zeigt, wie viele signifikante Ergebnisse x bei der Durchführung von n Tests mit völlig bedeutungslosen Parametern zu erwarten sind. Beispiel: Die Wahrscheinlichkeit, drei oder mehr signifikante Ergebnisse zu erhalten, beträgt bei der Durchführung von fünfundzwanzig Tests irrelevanter Parameter immerhin 13 Prozent (Tabelle 40: n = 25, x = 3).

II. Maximale Inzidenzen
Maximale Häufigkeit seltener Ereignisse

Für den Umgang mit «seltenen» Ereignissen ist Tabelle 41 gedacht. Sie gibt für verschiedene Patientenzahlen und Anzahlen zum Beispiel von Nebenwirkungen den einseitigen oberen 95-Prozent-Vertrauensbereich exakt an. Zweck und Anwendung der Tabelle lassen sich am besten an ein paar Beispielen erläutern.

Beispiel 1: Ein neuartiges Therapiekonzept wird getestet. Man hat keinerlei Anhaltspunkte, um beurteilen zu können, wie häufig die Nebenwirkungen sind. In einer Serie von zwanzig Patienten tritt keine Komplikation auf. Das könnte jedoch reiner Zufall sein. Tabelle 41 ist zu entnehmen, dass die Häufigkeit maximal 14 Prozent beträgt (mit 95-prozentiger Sicherheit).

Beispiel 2: Von sechzig Patienten haben zwei Nebenwirkungen erlitten. Nach Tabelle 41 beträgt die Obergrenze des 95 %-Vertrauensbereichs 11 Prozent. Es ist bemerkenswert, dass sie den durchschnittlichen Wert von $^2/_{60} = 0{,}033 = 3{,}3$ Prozent deutlich überschreitet.

Mit der Tabelle kann auch die Mindestanzahl auswertbarer Patienten ermittelt werden, die in Studien zur Bestimmung von Toleranzdosen nötig ist. Dabei führt die Toleranzdosis zu einer vorgegebenen maximal akzeptierbaren Häufigkeit von Nebenwirkungen.

Beispiel 3: Ziel einer Studie ist die Ermittlung der Dosis einer Therapie, die bei maximal 5 Prozent der Behandlungen zu einer bestimmten Komplikation führt. Nach Tabelle 41 werden dazu mindestens sechzig Patienten benötigt. Dieser Wert ist abzulesen neben den 4,9 Prozent der «0 Ereignis»-Spalte. Mit nur fünfzig Patienten ohne Ereignis beträgt die maximale Häufigkeit bereits 5,9 Prozent. Ist nur ein Risiko von 0,1 Prozent akzeptierbar, dann sind mindestens dreitausend Patienten zur Toleranzdosenbestimmung erforderlich.

Die Tabelle wurde berechnet mit der Formel

$$\sum_{K=0}^{E} \binom{N}{K} \times p^K \times (1-p)^{N-K} = 0,05$$

Für E beobachtete unter N möglichen Ereignissen wird die exakte obere Grenze des einseitigen oberen 95-Prozent-Vertrauensbereiches durch dasjenige p angegeben, das die obige Gleichung erfüllt.

III. Medianwert und 95-Prozent-Vertrauensbereich

Der Medianwert ist derjenige, der in der Mitte einer Reihe nach ihrer Größe sortierter Einzelwerte steht. Wenn man die Zahlen 21-30-5-107-3 in die entsprechende Reihenfolge bringt, erhält man 3-5-21-30-107. Der Medianwert ist somit die 21. Bei einer geraden Anzahl von Messdaten ist er der Mittelwert aus den beiden Zahlen, die in der Mitte stehen. Der wichtigste Vorteil des Median- gegenüber dem Mittelwert ist, dass er von extremen Ergebnissen, wie sie zum Beispiel durch einzelne Fehlmessungen entstehen können, weitgehend unbeeinflusst bleibt.

Experimentelle und klinische Daten sind immer nur Stichproben und liefern daher auch nur Schätzwerte für den Mittelwert beziehungsweise Medianwert der Grundgesamtheit, das heißt des «wahren Wertes». Deshalb ist es wichtig, die Zuverlässigkeit dieser Schätzung zu kennen. Ein weiterer großer Vorteil des Medianwertes besteht darin, dass im Gegensatz zum Mittelwert für die Be-

Tabelle 41: Maximale Häufigkeit (das heißt obere Grenze des einseitigen 95-Prozent-Vertrauensbereichs) in Prozent als Funktion der Anzahl der Ereignisse und der Patienten im Risiko

Anzahl der Patienten	\multicolumn{17}{c}{Anzahl der Ereignisse}																
	0	1	2	3	4	5	6	7	8	9	10	12	15	20	30	50	100
1	95	100															
2	78	98	100														
3	64	87	99	100													
4	53	76	91	99	100												
5	46	66	82	93	99	100											
6	40	59	73	85	94	99,2	100										
7	35	53	66	78	88	95	99,3	100									
8	32	48	60	72	81	89	96	99,4	100								
9	29	43	55	66	75	84	91	96	99,5	100							
10	26	40	51	61	70	78	85	92	97	99,5	100						
12	23	34	44	53	61	69	76	82	88	93	97	100					
14	20	30	39	47	55	61	68	74	80	85	90	98					
16	18	27	35	42	49	55	61	67	73	78	83	91	99,7				
18	16	24	32	38	44	50	56	61	66	71	76	85	96				
20	14	22	29	35	41	46	51	56	61	66	70	79	90	100			
25	12	18	24	29	33	38	42	47	51	55	59	66	77	92			
30	9,5	15	20	24	28	32	36	40	43	47	50	57	67	81	100		
35	8,2	13	17	21	25	28	32	35	38	41	44	50	59	72	95		
40	7,3	12	15	19	22	25	28	31	34	36	39	45	52	64	86		
45	6,5	11	14	17	20	22	25	28	30	33	35	40	47	58	79		
50	5,9	9,2	13	15	18	20	23	25	28	30	32	36	43	53	72	100	

																	100
60	4,9	7,7	11	13	15	17	19	21	23	25	27	31	36	45	62	74	91
70	4,2	6,6	8,8	11	13	15	17	18	20	22	24	27	32	39	54	57	81
80	3,7	5,8	7,7	9,5	12	13	15	16	18	19	21	24	28	35	46	48	72
90	3,3	5,2	6,9	8,4	9,9	12	13	15	16	17	19	21	25	31	39	43	65
100	3,0	4,7	6,2	7,6	9,0	11	12	13	14	16	17	19	23	28	33	39	59
150	2,0	3,2	4,2	5,1	6,0	6,9	7,8	8,6	9,5	11	12	13	15		19	27	41
200	1,5	2,4	3,2	3,9	4,6	5,2	5,9	6,5	7,2	7,8	8,4	9,6	12		15	20	31
250	1,2	1,9	2,5	3,1	3,7	4,2	4,7	5,2	5,7	6,2	6,7	7,7	9,1		12	16	25
300	0,99	1,6	2,1	2,6	3,1	3,5	4,0	4,4	4,8	5,2	5,6	6,4	7,6		9,6	14	21
350	0,86	1,4	1,8	2,2	2,6	3,0	3,4	3,8	4,1	4,5	4,8	5,5	6,6		8,2	12	18
400	0,75	1,2	1,6	2,0	2,3	2,7	3,0	3,3	3,6	3,9	4,3	4,9	5,8		7,2	11	16
450	0,67	1,1	1,4	1,8	2,1	2,4	2,7	3,0	3,2	3,5	3,8	4,3	5,1		6,4	9,0	14
500	0,60	0,95	1,3	1,6	1,9	2,1	2,4	2,7	2,9	3,2	3,4	3,9	4,6		5,8	8,1	13
1 000	0,30	0,48	0,63	0,78	0,92	1,1	1,2	1,4	1,5	1,6	1,7	2,0	2,3	2,9	4,1	6,3	12
1 500	0,20	0,32	0,42	0,52	0,61	0,70	0,79	0,88	0,96	1,1	1,2	1,3	1,6	2,0	2,8	4,2	7,9
2 000	0,15	0,24	0,32	0,39	0,46	0,53	0,60	0,66	0,73	0,79	0,85	0,97	1,2	1,5	2,1	3,2	5,9
2 500	0,12	0,19	0,26	0,31	0,37	0,42	0,48	0,53	0,58	0,63	0,68	0,78	0,93	1,2	1,7	2,6	4,8
3 000	0,10	0,16	0,21	0,26	0,31	0,35	0,40	0,44	0,49	0,53	0,57	0,65	0,77	0,97	1,4	2,2	4,0
3 500	0,086	0,14	0,18	0,23	0,27	0,30	0,34	0,38	0,42	0,45	0,49	0,56	0,66	0,83	1,2	1,9	3,4
4 000	0,075	0,12	0,16	0,20	0,23	0,27	0,30	0,33	0,37	0,40	0,43	0,49	0,58	0,73	1,1	1,6	3,0
4 500	0,067	0,11	0,14	0,18	0,21	0,24	0,27	0,30	0,33	0,35	0,38	0,44	0,52	0,65	0,91	1,5	2,7
5 000	0,060	0,095	0,13	0,16	0,19	0,21	0,24	0,27	0,29	0,32	0,34	0,39	0,47	0,59	0,82	1,3	2,4
6 000	0,050	0,079	0,11	0,13	0,16	0,18	0,20	0,22	0,24	0,27	0,29	0,33	0,39	0,49	0,68	1,1	2,0
7 000	0,043	0,068	0,090	0,12	0,14	0,15	0,17	0,19	0,21	0,23	0,25	0,28	0,33	0,42	0,59	0,91	1,7
8 000	0,037	0,059	0,079	0,097	0,12	0,14	0,15	0,17	0,18	0,20	0,22	0,25	0,29	0,37	0,51	0,79	1,5
9 000	0,033	0,053	0,070	0,086	0,11	0,12	0,14	0,15	0,16	0,18	0,19	0,22	0,26	0,33	0,46	0,71	1,4
10 000	0,030	0,047	0,063	0,078	0,092	0,11	0,12	0,14	0,15	0,16	0,17	0,20	0,24	0,29	0,41	0,64	1,2

rechnung seines Vertrauensbereiches *keinerlei Annahmen* über die Verteilung der Grundgesamtheit erforderlich sind. Der Vertrauensbereich gilt auch für mehrgipflige Verteilungen. Es ist allgemein üblich, den 95-Prozent-Vertrauensbereich anzugeben. Das ist der Bereich, der mit 95-prozentiger Sicherheit den wahren Medianwert enthält. Die Popularität des 95-Prozent-Vertrauensbereiches hängt unmittelbar mit der Fünfprozentkonvention des p-Wertes zusammen.

Die Berechnung des Vertrauensbereiches des Medianwerts ist sehr einfach. Sie beruht auf der Kombinatorik und liefert als Ergebnis die Tabelle 42, deren Anwendung wir anhand von drei Beispielen erläutern.

Beispiel 1: Wir haben die fünfzehn Messwerte

$$35\ 47\ 48\ 51\ 55\ 55\ 60\ 66\ 75\ 76\ 87\ 90\ 102\ 135\ 168$$

n = 15 sind x und y jeweils 3. Wir dürfen deshalb die drei größten (168, 135, 102) und die drei kleinsten Messwerte (35, 47, 48) streichen. Die verbleibende Spannweite (51 bis 90) ist der 95-Prozent-Vertrauensbereich.

Beispiel 2: Für die vierzehn Messwerte

$$35\ 47\ 48\ 51\ 55\ 60\ 66\ 75\ 76\ 87\ 90\ 102\ 135\ 168$$

beträgt der Medianwert (75 + 66)/2 = 70,5. Bei n = 14 sind x = 3 und y = 2. Es dürfen auf einer Seite – egal, auf welcher – drei und auf der anderen Seite zwei Messwerte gestrichen werden. Also entfallen entweder vorn 35, 47 und 48 und hinten 168 und 135, sodass die verbleibende Spannweite 51 bis 102 den 95-Prozent-Vertrauensbereich bildet, oder vorn 35 und 47 und hinten 168, 135 und 102, sodass sich ein 95-Prozent-Vertrauensbereich von 48 bis 90 ergibt. Beide Lösungen sind gleichwertig.

Beispiel 3: Für die dreizehn Messwerte

$$35\ 47\ 48\ 51\ 55\ 60\ 66\ 75\ 87\ 90\ 102\ 135\ 168$$

sind x = 3 und y = 1. Es dürfen auf einer Seite drei und auf der anderen Seite ein Messwert gestrichen werden. Zunächst liegt der 95-Prozent-Vertrauensbereich demnach bei 51 bis 135 oder 47 bis 90. Es können aber auch x = 2 und y = 2 entfallen, was zu einem 95-Prozent-Vertrauensbereich von 48 bis 102 führt. Alle drei Lösungen sind gleichwertig.

Für diejenigen Leser, die uns auf die Finger schauen wollen und an der Formel für die Berechnung des Vertrauensbereiches interessiert sind, leiten wir sie anhand eines Beispiels her. Gegeben seien fünf Messwerte. Wie groß ist die Wahrscheinlichkeit, dass der Medianwert der Grundgesamtheit zwischen dem größten und dem kleinsten dieser fünf Messwerte liegt?

Ein Messwert ist mit jeweils 50-prozentiger Wahrscheinlichkeit größer oder kleiner als der echte Medianwert der Grundgesamtheit – das ergibt sich aus der Definition des Medianwerts. (Der Fall, dass einer der Messwerte mit dem Medianwert identisch ist, soll hier vernachlässigt werden.)

Die Wahrscheinlichkeit, dass alle fünf Messergebnisse größer sind als der echte Medianwert, beträgt

$$(1/2)^5 = 1/32$$

Ebenso groß ist die Wahrscheinlichkeit, dass alle fünf kleiner sind als der Medianwert. Für die verbleibende Wahrscheinlichkeit von

$$1 - 1/32 - 1/32 = 30/32 = 0,9375$$

liegt der Medianwert innerhalb der Spannweite. Mit anderen Worten, die Spannweite von fünf Messwerten entspricht dem «93,75 Prozent»-Vertrauensbereich.

Der 95-Prozent-Vertrauensbereich kann erst mit der Spannweite von sechs Messwerten überschritten und somit angegeben werden. Dann ist die Wahrscheinlichkeit dafür, dass alle Messwerte größer beziehungsweise kleiner sind als der Medianwert, $(1/2)^6 = 1/64$. Das heißt, die Wahrscheinlichkeit dafür, dass der Medianwert der Grundgesamtheit in der Spannweite liegt, ist:

Tabelle 42: Wenn n Beobachtungen vorliegen, geordnet vom kleinsten zum größten Wert, so ist der 95-Prozent-Vertrauensbereich für den Median der Grundgesamtheit durch die Spannweite gegeben, die verbleibt, nachdem an einem Ende x und am anderen Ende y Beobachtungen gestrichen wurden.

n	x	y	n	x	y	n	x	y	n	x	y
6	0	0	30	10	5	49	18	15	67	26	22
7	0	0		9	9		17	17		25	25
8	1	0	31	10	8	50	18	17	68	26	24
9	1	1		9	9	51	19	15		25	25
10	1	1	32	10	9		18	18	69	27	23
11	2	1	33	11	9	52	19	17		26	25
12	2	2		10	10		18	18	70	27	25
13	3	1	34	11	10	53	20	14		26	26
	2	2	35	12	9		19	18	71	28	23
14	3	2		11	11	54	20	18		27	26
15	3	3	36	12	11		19	19	72	28	25
16	4	3	37	13	8	55	20	19		27	27
17	4	4		12	12	56	21	18	73	28	27
18	5	2	38	13	11		20	20	74	29	26
	4	4		12	12	57	21	20		28	28
19	5	4	39	13	12	58	22	19	75	29	27
20	5	5	40	14	12		21	21		28	28
21	6	4		13	13	59	22	20	76	30	26
	5	5	41	14	13		21	21		29	28
22	6	5	42	15	12	60	23	19	77	30	28
23	7	4		14	14		22	21		29	29
	6	6	43	15	14	61	23	21	78	31	27
24	7	6	44	16	12		22	22		30	29
25	7	7		15	15	62	24	18	79	31	29
26	8	6	45	16	14		23	22		30	30
	7	7		15	15	63	24	22	80	32	27
27	8	7	46	16	15		23	23		31	30
28	9	7	47	17	15	64	24	23	81	32	29
	8	8		16	16	65	25	22		31	31
29	9	8	48	17	16		24	24	82	33	27
						66	25	24		32	31

n	x	y	n	x	y	n	x	y
83	33	30	98	40	35	112	46	43
	32	32		39	38		45	45
84	33	31	99	40	38	113	47	42
	32	32		39	39		46	45
85	34	31	100	41	36	114	47	44
	33	32		40	39		46	46
86	34	32	101	41	38	115	48	42
	33	33		40	40		47	45
87	35	31	102	42	37		46	46
	34	33		41	40	116	48	45
88	35	33	103	42	39		47	46
	34	34		41	41	117	49	42
89	36	32	104	43	37		48	46
	35	34		42	40		47	47
90	36	34		41	41	118	49	45
	35	35	105	43	40		48	47
91	37	32		42	41	119	50	41
	36	35	106	44	36		49	47
92	37	34		43	41		48	48
	36	36		42	42	120	50	46
93	38	31	107	44	40		49	48
	37	36		43	42	121	50	48
94	38	35	108	44	42		49	49
	37	37		43	43	122	51	47
95	38	36	109	45	41		50	49
	37	37		44	43	123	51	48
96	39	35	110	45	43		50	50
	38	37		44	44	124	52	47
97	39	37	111	46	41		51	49
	38	38		45	44		50	50

$$1 - 1/64 - 1/64 = 62/64 = 0{,}9688 > 95 \text{ Prozent}$$

Wenn nun deutlich mehr Messwerte vorliegen, zum Beispiel acht, dann ist die Spannweite deutlich größer als der 95-Prozent-Vertrauensbereich. In diesem Falle kann einer der Extremwerte gestrichen werden. Um die Wahrscheinlichkeit zu berechnen, dass der Medianwert in der dann noch verbleibenden Spannweite der restlichen sieben Messwerte liegt, muss man zunächst einmal ermitteln, wie groß die Wahrscheinlichkeit ist, dass bei acht Messwerten *genau einer* größer (kleiner) ist als der Medianwert der Grundgesamtheit. Diese Wahrscheinlichkeit beträgt

$$8 \times (1/2)^8 = 8/256$$

Der Vertrauensbereich der Spannweite bei Streichung eines Extremwertes ist dann also

$$1 - 1/256 - 1/256 - 8/256 = 246/256 = 0{,}9609 > 95 \text{ Prozent}$$

Bei mehr Messwerten dürfen dann an beiden Enden immer mehr Extremwerte gestrichen werden, um den 95-Prozent-Vertrauensbereich durch die verbleibende Spannweite zu bestimmen. Wenn P die Wahrscheinlichkeit dafür darstellt, dass die Spannweite der verbleibenden von insgesamt n Messwerten, von denen man an einem Extrem x und am anderen Extrem y Messwerte gestrichen hat, den Medianwert der Grundgesamtheit enthält, so ist P gegeben durch die Formel:

$$P = \frac{\sum_{i=x+1}^{n-y-1} \binom{n}{i}}{2^n}$$

IV. Prüfgröße und Fehler erster Art (p-Wert)

Zur Bestimmung des Fehlers erster Art (p-Wert) aus der Prüfgröße des Vierfeldertests bieten wir drei Möglichkeiten, die Sie wahlweise und ganz nach persönlicher Vorliebe anwenden können.

$$p = \frac{1}{2} \times 10^{-\frac{\chi^2}{3,84}}$$

Diese Faustformel gilt in sehr guter Näherung, wenn die Prüfgröße zwischen 2,0 und 8,0 liegt.

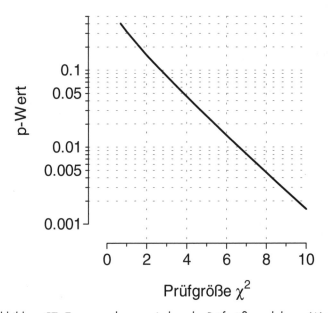

Abbildung 57: Zusammenhang zwischen der Prüfgröße und dem p-Wert. Hier sind einfach die Werte der Tabelle 43 gegeneinander aufgetragen.

Tabelle 43: Tabelle zur Umrechnung von χ^2 in p-Werte (auszugsweise entnommen aus Kendall und Stuart 1961)

χ^2	p	χ^2	p	χ^2	p	χ^2	p
0,0	1,0000	4,0	0,0455	6,0	0,0143	8,0	0,0047
0,1	0,7518	4,1	0,0429	6,1	0,0135	8,1	0,0045
0,2	0,6547	4,2	0,0404	6,2	0,0128	8,2	0,0042
0,3	0,5839	4,3	0,0381	6,3	0,0121	8,3	0,0040
0,4	0,5271	4,4	0,0359	6,4	0,0114	8,4	0,0038
0,5	0,4795	4,5	0,0339	6,5	0,0108	8,5	0,0036
0,6	0,4386	4,6	0,0320	6,6	0,0102	8,6	0,0034
0,7	0,4028	4,7	0,0302	6,7	0,0097	8,7	0,0032
0,8	0,3711	4,8	0,0285	6,8	0,0092	8,8	0,0030
0,9	0,3428	4,9	0,0269	6,9	0,0087	8,9	0,0029
1,0	0,3173	5,0	0,0254	7,0	0,0082	9,0	0,0027
1,1	0,2943	5,1	0,0240	7,1	0,0078	9,1	0,0026
1,2	0,2733	5,2	0,0226	7,2	0,0073	9,2	0,0025
1,3	0,2542	5,3	0,0213	7,3	0,0069	9,3	0,0023
1,4	0,2367	5,4	0,0202	7,4	0,0066	9,4	0,0022
1,5	0,2207	5,5	0,0191	7,5	0,0062	9,5	0,0021
1,6	0,2059	5,6	0,0180	7,6	0,0059	9,6	0,0020
1,7	0,1923	5,7	0,0170	7,7	0,0056	9,7	0,0019
1,8	0,1797	5,8	0,0160	7,8	0,0053	9,8	0,0018
1,9	0,1681	5,9	0,0151	7,9	0,0050	9,9	0,0017
2,0	0,1573						
2,1	0,1473						
2,2	0,1380						
2,3	0,1294						
2,4	0,1214						
2,5	0,1139						
2,6	0,1069						
2,7	0,1004						
2,8	0,0943						
2,9	0,0886						
3,0	0,0833						
3,1	0,0783						
3,2	0,0737						
3,3	0,0693						
3,4	0,0652						
3,5	0,0614						
3,6	0,0578						
3,7	0,0544						
3,8	0,0513						
3,9	0,0483						

V. Auflösung der Manipulationsaufgaben von Seite 170

Milchpreise: Das erste Beispiel ist das einfachste, weil wir uns schon so an diese Art der Manipulation gewöhnt haben. Zunächst berechnen Sie für jedes Jahr die Inflationsrate. Im ersten Jahr Ihres Amtsvorgängers beträgt sie (34/17 − 1) × 100 Prozent = 100 Prozent, weil der Milchpreis von 17 auf 34 Penunzen, also auf das Doppelte gestiegen ist. Dann tragen Sie die Inflationsrate gegen die Zeit auf (Abbildung 58). Bei Ihrem Vorgänger betrug die Inflationsrate immer etwa 100 Prozent. Bei Ihnen hat sie kontinuierlich abgenommen. Mit dieser Grafik können Sie Ihre Wähler leicht davon überzeugen, dass Sie die Geldentwertung in weiteren zehn Amtsjahren vollständig zum Stillstand gebracht haben werden.

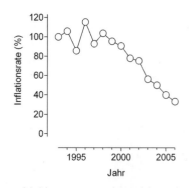

Abbildung 58: Aus den Milchpreisen berechnete Inflationsrate

Zinsen: Dieses Problem ist schon schwieriger zu lösen. Tragen Sie die Zunahme der Zinsen des Bankhauses Schröpf im Vergleich zu der der anderen Bank auf (Abbildung 59). Die Zunahme der Zinsen war beim Bankhaus Schröpf immer höher. Noch deutlicher

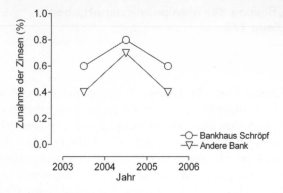

Abbildung 59: Verlauf der Zunahme der Zinszahlungen bei zwei Bankunternehmen

wird der Unterschied, wenn sie die *relative* Zunahme der Zinsen auftragen.

Inflationsrate: Die Lage erscheint hoffnungslos. Dank unserer Beratung ist Ihre Wiederwahl trotzdem so gut wie gesichert. Stellen Sie sich auf den Standpunkt, Prozentrechnung sei ein statistischer

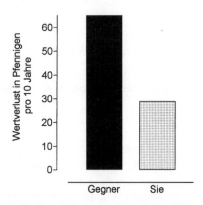

Abbildung 60: Darstellung des Geldwertverlustes

Trick, mit dem Ihr skrupelloser Gegner Ihre Wähler aufs Glatteis führen will. Was schließlich wirklich zählt, sind Mark und Pfennig (Abbildung 60). Beim Amtsantritt Ihres Gegners im Jahre 1986 war die Mark noch 100 Pfennig wert. Als Sie 1996 das Ruder übernahmen, war die Mark im Vergleich zu 1986 nur noch 35 Pfennig wert. Das entspricht einem Kaufkraftverlust von 65 Pfennig in zehn Jahren. Am Ende Ihrer Amtsperiode ist die Mark nur noch 6 Pfennig wert. Dies ist zwar bedauerlich, doch beträgt der Wertverlust nur 29 Pfennig in zehn Jahren, also noch nicht einmal die Hälfte dessen, was Ihr Gegner verschuldet hat. Sie können übrigens guten Gewissens versprechen, Sie würden bei Ihrer Wiederwahl dafür sorgen, dass der Wertverlust in Ihrer folgenden Amtsperiode unter 6 Pfennigen bleibt.

VI. Auflösung des Kartenspiels

Die richtige Lösung lautet «A» und «7». Wenn ich die Karte «A» umdrehe und finde auf der Rückseite eine ungerade Zahl, dann habe ich die Hypothese falsifiziert. Wenn ich die Karte «7» umdrehe und finde auf der Rückseite einen Vokal, dann habe ich die Hypothese ebenfalls falsifiziert. Mit beiden Karten lässt sich somit die Hypothese testen. Die Hypothese sagt nichts darüber aus, was auf der Rückseite von Konsonanten steht. Egal, ob Sie auf der

Tabelle 44: Möglichkeiten zur Widerlegung beziehungsweise Bestätigung der Hypothese beim Kartenspiel im Kapitel «Das Orakel von Elphi».

Karte	Bestätigung möglich	Widerlegung möglich
A	ja	ja
T	nein	nein
4	ja	nein
7	nein	ja

Rückseite von «T» eine gerade oder eine ungerade Zahl finden, mit der Hypothese hat sie nichts zu tun. Ähnliches gilt für die Rückseite von «4». Die Hypothese lautet ja nicht, dass auf der Rückseite von geraden Zahlen unbedingt ein Vokal stehen muss. Unter den Teilnehmern unserer Vorlesung wählten lediglich sieben von siebenundzwanzig die Kombination «A» und «7». Auch dieses Beispiel zeigt, dass es uns häufig schwer fällt, Hypothesen zu falsifizieren. Intuitiv tendieren wir dazu, unsere Annahmen zu bestätigen.

Literatur

Appleton et al.: 20-year survival and smoking status. *American Statistician* 50 (1996), S. 340–341.

Bär, S.: Forschen auf Deutsch, Verlag Harri Deutsch, Frankfurt a. M. 1996.

Barrow, J. D.: Ein Himmel voller Zahlen, Spektrum Akademischer Verlag, Heidelberg 1994.

Beck-Bornholdt, H.-P.; H.-H. Dubben: Experience with continuous hyperfractionated accelerated radiotherapy (CHART). *Int. J. Radiat. Oncol. Biol. Phys.* 23 (1992), S. 678.

Beck-Bornholdt, H.-P.: Clamping and accelerated repopulation in experimental tumors during radiotherapy: Response to Drs. Kummermehr and Trott. *Int. J. Radiat. Oncol. Biol. Phys.* 25 (1993), S. 154–155.

Beck-Bornholdt, H.-P.; H.-H. Dubben: Potential pitfalls in the use of p-values and in interpretation of significance levels. *Radiother. Oncol.* 33 (1994), S. 171–176.

Beck-Bornholdt, H.-P.; H.-H. Dubben: No reliable evidence for accelerated repopulation in tumors during continuous fractionated radiotherapy. In: U. Hagen, D. Harder, H. Jung, C. Streffer (Hg.), Proceedings of the 10th International Congress on Radiation Research, 1996, S. 811–814.

Beck-Bornholdt, H.-P., Dubben, H.-H., Willers, H.: Proliferationsrate und Strahlenempfindlichkeit. Der Irrtum von Bergonié und Tribondeau. *Strahlenther. Onkol.* 173 (1997), S. 335–337.

Beck-Bornholdt, H.-P., Dubben, H.-H.: Konfidenzintervalle und ihre Bedeutung bei der Beurteilung von Resultaten. Qualitätsanalyse der Zeitschrift «Strahlentherapie und Onkologie». *Strahlenther. Onkol.* 176 (2000a), S. 205–210.

Beck-Bornholdt, H.-P., Dubben, H.-H.: Multiple Signifikanztests und ihre Bedeutung bei der Beurteilung von Resultaten. Qualitätsanalyse der Zeitschrift «Strahlentherapie und Onkologie». *Strahlenther. Onkol.* 176 (2000b), S. 344–349.

Beck-Bornholdt, H.-P.; H.-H. Dubben, C. Liertz-Petersen, H. Willers: Hyperfractionation: Where do we stand? *Radiother. Oncol.* 43 (1997), S. 1–21.

Bentzen, S. M.: Time-dose relationships for human tumors: Estimation from nonrandomized studies. In: H.-P. Beck-Bornholdt (Hg.), Current topics in clinical radiobiology of tumors. Springer-Verlag, Heidelberg 1993, Kapitel 2.

Bentzen, S. M.; J. Overgaard: Time-dose relationships in radiotherapy. In: G. G. Steel (Hg.), Basic Clinical Radiobiology. Edward Arnold, London 1993, S. 52.

Bickel, P.; E. A. Hammel, J. W. O'Connel: Sex bias in graduate admissions: Data from Berkeley. *Science* 187 (1975), S. 398–404.

Bobbio, M. et al.: *Lancet* 343 (1994), S. 1209–1211. Sekundär zitiert nach: B. Bornkessel: *Arzneimitteltherapie* 13 (1995), S. 30.

Bogaert, W. van den; E. van der Schueren, J.-C. Horiot, G. Chaplain, M. Devilhena, S. Raposo, J. Leonor, S. Schraub, Ch. Chenal, E. Barthelme, A. Daban, F. Eschwege, D. Gonzalez, J.-W. Leer, H. Hamers, V. Svoboda, A. Rigon, G. Arcangeli, H. Sack, M. de Pauw, M. van Glabbeke: Early results of the EORTC randomized clinical trial on multiple fractions per day (MFD) and misonidazole in advanced head and neck cancer. *Int. J. Radiat. Oncol. Biol. Phys.* 12 (1986), S. 587–591.

Bogaert, W. van den; E. van der Schueren, J.-C. Horiot, M. de Vilhena, S. Schraub, V. Svoboda, G. Arcangeli, M. de Pauw, M. van Glabbeke: The EORTC randomized trial on three fractions per day and misonidazole (trial no. 22811) in advanced head and neck cancer: Long-term results and side effects. *Radiother. Oncol.* 35 (1995), S. 91–99.

Brock, W. A.; V. A. Bhadkamkar, M. Williams, G. Spitzer: Radiosensitivity testing of primary cultures derived from human tumors. In: K. H. Kärcher, H. D. Kogelnik, T. Szepesi (Hg.), Progress in Radio-Oncology, Band III, International Club for Radio-Oncology, Wien 1987, S. 300–306.

Broecker, W. S.: Plötzliche Klimawechsel. *Spektrum der Wissenschaft*, Januar 1996, S. 86–92.

Burnet, N. G.; J. Nyman, I. Turesson, R. Wurm, J. R. Yarnold, J. H. Peacock: Prediction of normal tissue tolerance to radiotherapy from invitro cellular radiation sensitivity. *Lancet* 339 (1992), S. 1570 f.

Burnet, N. G.; J. Nyman, I. Turesson, R. Wurm, J. R. Yarnold, J. H. Peacock: The relationship between cellular radiation sensitivity and tissue response may provide the basis for individualising radiotherapy schedules. *Radiother. Oncol.* 33 (1994), S. 228–238.

Burnet, N. G.; J. Nyman, I. Turesson, R. Wurm, J. R. Yarnold, G. G. Steel, J. H. Peacock: Response to letter re: prediction of normal tissue tolerance from in-vitro cellular radiation sensitivity. *Radiother. Oncol.* 36 (1995), S. 245 f.

Callaham, M. L., Wears, R. L., Weber, E. J., Barton, C., Young, G.: Positive-outcome bias and other limitations in the outcome of research abstracts submitted to a scientific meeting. *J. Am. Med. Assoc.* 280 (1998), S. 254–257.

Chalmers, I.: Underreporting research is scientific misconduct. *J. Am. Med. Assoc.* 263 (1990), S. 1405–1408.

Chargaff, E.: Vermächtnis. Klett-Cotta, Stuttgart 1992. Zitat: S. 238 f.

Charlton, B. G.: Megatrials are based on a methodological mistake. *British Journal of General Practice* 46 (1996), S. 429–431.

Cohen, J.: The earth is round (p < .05). *American Psychologist* 49 (1994), S. 997–1003.

Cox, J. D.; T. F. Pajak, A. Herskovic, R. Urtasun, W. J. Podolsky, H. G. Seydel: Five-year survival after hyperfractionated radiation therapy for non-small-cell carcinoma of the lung (NSCCL): Results of RTOG protocol 81–08. *Am J. Clin. Oncol.* 14 (1991), S. 280–284.

Cox, J. D.; T. F. Pajak, V. A. Marcial, L. Coia, M. Mohiuddin, K. K. Fu, H. M. Selim, R. W. Byhardt, P. Rubin, H. G. Ortiz, L. Martin: Interruptions adversely affect local control and survival with hyperfractionated radiation therapy of carcinomas of the upper respiratory and digestive tracts. *Cancer* 69 (1992), S. 2744–2748.

Datta, N. R.; A. D. Choudhry, S. Gupta, A. K. Bose: Twice a day versus once a day radiation therapy in head and neck cancer. *Int. J. Radiat. Oncol. Biol. Phys.* 17 (Suppl. 1), 1989, S. 132–133 (Abstract).

Davis, D. L.; H. L. Bradlow: Verursachen Umwelt-Östrogene Brustkrebs? *Spektrum der Wissenschaft*, Dezember 1995, S. 38–44.

Denekamp, J.: Changes in the rate of repopulation during multifraction irradiation of mouse skin. *Br. J. Radiol.* 46 (1973), S. 381–387.

Diabetologia: Manuscript guideline. *Diabetologia* 25 (1984), S. 4A. (Sekundärzitat aus Egger & Smith 1998)

Dickersin, K.: The existence of publication bias and risk factors for its occurrence. *J. Am. Med. Assoc.* 263 (1990), S. 1385–1389.

Dickersin, K., Min, Y. I.: Publication bias: The problem that won't go away. *Ann. New York Acad. Sci.* 703 (1993), S. 135–148.

Dickersin, K., Min, Y. I., Meinert, C. L.: Factors influencing publication of research results. Follow-up of applications submitted to two institutional review boards. *J. Am. Med. Assoc.* 267 (1992), S. 374–378.

Dische, S.; M. Saunders: Continuous, hyperfractionated, accelerated radiotherapy (CHART): An interim report upon late morbidity. *Radiother. Oncol.* 16 (1989), S. 67–74.

Dische, S.: Accelerated treatment and radiation myelitis. *Radiother. Oncol.* 20 (1991), S. 1 f.

Dische, S.; M. I. Saunders: Response to Drs. Beck-Bornholdt and Dubben. *Int. J. Radiat. Oncol. Biol. Phys.* 23 (1992), S. 678 f.

Dische, S.; M. I. Saunders: Randomised controlled clinical trials with

CHART. In: U. Hagen, D. Harder, H. Jung, C. Streffer (Hg.): Proceedings of the 10th International Congress of Radiation Research 1996,
S. 863–867.

Di Trocchio, F.: Der große Schwindel. Betrug und Fälschung in der Wissenschaft. Campus, Frankfurt a. M. 1994.

Dörner, D.: Die Logik des Mißlingens. Strategisches Denken in komplexen
Situationen. Rowohlt, Reinbek bei Hamburg 1989.

DTV-Atlas der Astronomie, DTV. München 1973.

DTV-Brockhaus-Lexikon, F. A. Brockhaus, Wiesbaden, und DTV, München 1984.

Dubben, H.-H.; H.-P. Beck-Bornholdt: Prediction of normal-tissue tolerance from in-vitro cellular radiation sensitivity. *Radiother. Oncol.* 36
(1995), S. 245.

Dubben, H.-H.: Local control, TCD_{50} and dose-time prescription habits in
radiotherapy of head and neck tumours. *Radiother. Oncol.* 32 (1994),
S. 197–200.

Dubben, H.-H., Beck-Bornholdt, H.-P.: Was ist power und warum ausgerechnet 80 %. *Strahlenther. Onkol.* 175 (Suppl. 1) 1999, S. 5–7.

Dubben, H.-H., Beck-Bornholdt, H.-P.: Systematic review of publication
bias in studies on publication bias. *Brit. Med. J.* 331 (2005), S. 433 bis
434.

Dubben, H.-H., Beck-Bornholdt, H.-P., Schmidt, A.: Autorenschaft wis-
senschaftlicher Veröffentlichungen. Qualitätsanalyse der Zeitschrift
«Strahlentherapie und Onkologie». *Strahlenther. Oncol.* 177 (2001),
S. 547–553.

Dubben, H.-H., Beck-Bornholdt, H.-P.: Aktuarische Auswertung von Zeit-
Ereignis-Daten und ihre Bedeutung bei der Beurteilung von Resultaten.
Qualitätsanalyse der Zeitschrift «Strahlentherapie und Onkologie».
Strahlenther. Oncol. 176 (2000), S. 547–554.

Dubben, H.-H.: Studies on radiobiological parameters relevant to quantitative radiation oncology. Habilitationsschrift. Fachbereich Medizin,
Universität Hamburg, 1999.

Dubben, H.-H., Krüll, A., Beck-Bornholdt, H.-P.: Split-course radiotherapy: where do we stand? *Strahlenther. Oncol.* 177 (2001), S. 227–239.

Duden – Zitate und Aussprüche. Dudenverlag, Mannheim 1993.

Dupont, H.: La cuiller genuese. *Bulletin Prehisterique Bearnaise* 37 (1996),
S. 45–56.

Easterbrook, P. J., Berlin, J. A., Gopalan, R., Matthews, D. R.: Publication
bias in clinical research. *Lancet* 337 (1991), S. 867–872.

Echt, D. S., Liebson, P. R., Mitchell L. B., et al.: Mortality and morbidity in
patients receiving encainide, flecainide or placebo. *New Engl. J. Med.*
324 (1991), S. 781–788.

Egger, M., Smith, G. D.: Meta-analysis: bias in location and selection of studies. *Brit. Med. J.* 316 (1998), S. 61–66.

Ellis, F.: Dose, time, and fractionation: A clinical hypothesis. *Clin. Radiol.* 20 (1969), S. 1–7.

Farham B., Bradbury, J.: Suspicions raised over breast-cancer-therapy trial [news]. *Lancet* 355 (2000), S. 553.

Feinstein, A. R.; D. M. Sosin, C. K. Wells: The Will Rogers phenomenon. Stage migration and new diagnostic techniques as a source of misleading statistics for survival in cancer. *New Engl. J. Med.* 312 (1985), S. 1604–1608.

Fisher, B.; C. Redmond, R. Poisson, R. Margolese, N. Wolmark, L. Wickerham, E. Fisher, M. Deutsch, R. Caplan, Y. Pilch, A. Glass, H. Shibata, H. Lerner, J. Terz, L. Sidorovich: Eight-year results of a randomized clinical trial comparing total mastectomy with lumpectomy with or without irradiation in treatment of breast cancer. *New Engl. J. Med.* 320 (1989), S. 822–829.

Fisher, B.; S. Anderson, C. K. Redmond, N. Wolmark, D. L. Wickerham, W. M. Cronin: Reanalysis and results after 12 years of follow-up in a randomized clinical trial comparing total mastectomy with lumpectomy with or without irradiation in the treatment of breast cancer. *New Engl. J. Med.* 333 (1995), S. 1456–1461.

Forrow, L.; W. C. William, R. M. Arnold: Absolutely relative: How research results are summarized can affect treatment decisions. *American Journal of Medicine* 92 (1992), S. 121–124.

Fowler, J. F.; M. J. Lindstrom: Loss of local control with prolongation in radiotherapy. *Int. J. Radiat. Oncol. Biol. Phys.* 23 (1992), S. 457–467.

Freemantle, N., M. Calvert, J. Wood, J. Eastaugh, C. Griffin: Composite outcomes in randomized trials – greater precision but with greater uncertainty? *J. Am. Med. Assoc.* 289 (2003), S. 2554–2559.

Freiman, J. A.; T. C. Chalmers, H. Smith, R. R. Kuebler: The importance of beta, the type II error, and sample size in the design and interpretation of the randomized controlled trial. In: J. C. Bailar III, F. Mosteller (Hg.), Medical Uses of Statistics. New England Journal of Medicine Books, Boston MA, USA, 1992, S. 357–373.

Furberg, B., Furberg, C.: All that glitters is not gold – What clinicians need to know about clinical trials (1994), Potata, Winston-Salem, North Carolina.

Gibbons, R., Davis, J. M.: The price of beer and the salaries of priests: analysis and display of longitudinal psychiatric data. *Arch. Gen. Psychiat* 41 (1984), S. 1183–1194. Zitiert nach Skrabanek & McCormick 1995.

Gilbody, S. M., Song, F.: Publication bias and the integrity of psychiatry research. *Psychological Medicine* 30 (2000), S. 253–258.

Gore, S. M.: Statistical thinking and when to stop a clinical trial. In: Calber I. Phillips (Hg.), Logic in medicine. BMJ Publishing Group, London 1995.

Grady, M.; I. Wright, C. Pillinger: Opening a martian can of worms? *Nature* 382 (1996), S. 575 f.

Habermann, E.: Arzneimittel-Allergie. In: G. Fulgraff und D. Palm (Hg.), Pharmakotherapie/klinische Pharmakologie. 9. Auflage, Gustav Fischer Verlag, Stuttgart 1995.

Hagmann M.: Scientific misconduct. Cancer researcher sacked for alleged fraud [news]. *Science* 287 (2000), S. 1901–1902.

Hakim, A. A., Petrovitch, H., Brchfiel, C. M., Ross, G. W., Rodriguez, B. L., White, L. R., Yano, K., Curb, J. D., Abbot, R. D.: Effects of walking on mortality among nonsmoking retired men. *New Engl. J. Med.* 338 (1998), S. 94–99.

Hall, E. J.: Radiobiology for the Radiologist. Lippincott, Philadelphia, 4. Auflage, 1994.

Halpern, D. F.; S. Coren: Handedness and life span. *New Engl. J. Med.* 324 (1991), S. 998.

Hamblin, T. J., Fake! *Brit. Med. J.*, 283 (1981), S. 1671–1674.

Hochberg, Y.: A sharper Bonferroni procedure for multiple tests of significance. *Biometrika* 74 (1988), S. 800–802.

Holm, S.: A simple sequentially rejective multiple test procedure. *Scand. J. Statist.* 6 (1979), S. 65–70. Sekundär zitiert aus: Simes, R. J.: An improved Bonferroni procedure for multiple tests of significance. *Biometrika* 73 (1986), S. 751–754.

Hopewell, S., McDonald, S.: Full publication of trials initially reported as abstracts in the Australian and New Zealand Journal of Medicine 1980–2000. *Int. Med. J.* 33 (2003), S. 192–194.

Horiot, J. C.; R. Le Fur, T. N'Guyen, C. Chenal, S. Schraub, S. Alfonsi, G. Gardani, W. van den Bogaert, S. Danczak, M. Bolla, M. van Glabbeke, M. De Pauw: Hyperfractionation versus conventional fractionation in oropharygeal carcinoma: Final analysis of a randomized trial of the EORTC cooperative group of radiotherapy. *Radiother. Oncol.* 25 (1992), S. 231–241.

Horiot, J. C.: Hyperfractionation is better under well specified circumstances. *Radiother. Oncol.* 29 (1993), S. 355.

Horton, R.: Medical editors trial amnesty. *Lancet* 350 (1997), S. 756.

Huston, P., Moher, D.: Redundancy, disaggregation, and the integrity of medical research. *Lancet* 347 (1996), S. 1024–1026.

Ioannidis, J. P. A.: Effect of the statistical significance of results on the time to completion and publication of randomized efficacy trials. *J. Am. Med. Assoc.* 279 (1998), S. 281–286.

Jager, C. de: Was ist Radosophie? In: G. von Randow (Hg.), Mein para- normales Fahrrad. rororo science, Reinbek 1994.

Jeune, O.: The Genuese sceptre unmasked. In: Dupont (Hg.), The Book of Glamorous Results. McBornelt Publishing, Schwanstetten 1996.

Joiner, M. C.: Hyperfractionation and accelerated radiotherapy. In: G. G. Steel (Hg.), Basic Clinical Radiobiology. Edward Arnold, London 1993.

Jull, A., Chalmers, I., Rodgers, A.: Clinical trials in NZ: does anybody know what's going on? *New Zealand. Med. J.* 115 (2002), S. U269

K. A.: Erhöhtes Leukämierisiko in der Region um La Hague. *Fortschr. Med.* 114 (1996), S. 12.

Kaplan, S. H.; L. M. Sullivan, K. A. Dukes, C. F. Phillips, R. P. Kelch, J. G. Schaller: Sex differences in academic advancement. *New Engl. J. Med.* 335 (1996), S. 1282–1289.

Kendall, M. G.; A. Stuart: The Advanced Theory of Statistics. Band 2. Griffin, London 1961.

Klassen, T. P., Wiebe, N., Russell, K., Stevens, K., Hartling, L., Craig, W. R., Moher, D.: Abstracts of randomized controlled trials presented at the Society for Pediatric Research Meeting. *Arch. Pediatr. Adolesc. Med.* 156 (2002), S. 474–479.

Krämer, W.: So lügt man mit Statistik. Campus, Frankfurt am Main 1994.

Krämer, W., Trenkler, G.: Lexikon der populären Irrtümer. Eichborn Verlag 1996.

Lamont-Doherty Earth Observatory, Palidades, New York, USA, Research Division of Columbia University. Internet-Adresse: http://lola.ldgo.co- lumbia.edu:81/SOURCES/.ICE/.CORE/.VOSTOK/.temp/?help+da- tatables (Stand: 1. Oktober 1996).

Lexchin, J., Bero, L. A., Djulbegovic, B., Clark, O.: Pharmaceutical indu- stry sponsorship and research outcome and quality: systematic review. *Brit. Med. J.* 326 (2003), S. 1167–1177.

Linde, K., Clausius, N., Ramirez, G., Melchart, D., Eitel, F., Hedges, L. V., Jonas, W. B.: Are the clinical effects of homeopathy placebo effects? A meta-analysis of placebo-controlled trials. *Lancet* 350 (1997), S. 834–843.

Lodge, D.: Kleine Welt. Haffmans Verlag, Zürich 1996.

Lowry, S.: Handedness and breast cancer. *Europ. J. Cancer.* 28 A (1992), S. 1293 f.

Marcial, V. A.; T. F. Pajak, C. Chu, L. Tupchong, J. Stetz: Hyperfractiona- ted photon radiation therapy in the treatment of advanced squamous cell carcinoma of the oral cavity, pharynx, larynx and sinuses, using ra- diation therapy as the only planned modality: (Preliminary report) by the Radiation Therapy Oncology Group (RTOG). *Int. J. Radiat. Oncol. Biol. Phys.* 13 (1987), S. 41–47.

Mark Twain: Einige gelehrte Fabeln für gute alte Knaben und Mädchen. In: Der gestohlene weiße Elefant. Diogenes, Zürich 1984.

Matthys, H.; C. de Mey, C. Carls, A. Rys, A. Geib, T. Wittig: Efficacy and tolerability of Myrtol standardized in acute bronchitis. *Arzneimittel-Forschung/Drug Research* 50 (II) (2000), S. 700–711.

Maxeiner, D.; M. Miersch: ÖkoOptimismus. Metropolitan Verlag, Düsseldorf/München 1996.

Mayo, D. G.: Error and the Growth of Experimental Knowledge. University of Chicago Press, Chicago 1996.

McElduff, P., Dobson, A. J.: How much alcohol and how often? Population based case-control study of alcohol consumption and risk of a major coronary event. Brit. Med. J. 314: 1159–1164, 1997.

McKay, D. S.; E. K. Gibson Jr., K. L. Thomas-Keprta, H. Vali, C. S. Romanek, S. J. Clemett, X. D. F. Chillier, C. R. Maechling, R. N. Zare: Search for past life on Mars: Possible relic biogenic activity in Martian meteorite ALH84001. *Science* 273 (1996), S. 924–930.

McMillan, J. I.: Rheumatoid arthritis: a double blind study comparing tolmetin sodium with ibuprofen in patients untreated with either drug previously. *Curr. Ther. Res.* 31 (1982), S. 813–820.

McMillan, J. I.: Tolmetin sodium vs. ibuprofen in rheumatoid arthritis patients previously untreated with either drug: a double blind cross-over study. *Curr. Ther. Res.* 22 (1977), S. 266–275.

Melander, H., Ahlqvist-Rastad, J., Meijer, G., Beermann, B.: Evidence b(i)ased medicine-selective reporting from studies sponsored by pharmaceutical industry: review of studies in new drug applications. *Brit. Med. J.* 326 (2003), S. 1171–1173.

Misakian, A. L., Bero, L. A.: Publication bias and research on passive smoking – comparison of published and unpublished results. *J. Am. Med. Assoc.* 280 (1998), S. 250–253.

Mühlhauser, I., Berger, M.: Surrogat-Marker: Trugschlüsse. *Dt. Ärzteblatt* 93 (1996), C2288–C2291.

Mühlhauser, I., B. Höldtke: Information zum Mammographiescreening – vom Trugschluss zur Ent-Täuschung. *Radiologe* 42 (2002), S. 299–304.

NASA Goddard Institute for Space Studies. Internetadresse: http://www.giss.nasa.gov/data/update/gistemp/graphs/index.html. Stand: 20. 1. 2000.

Olsson, H.; C. Ingvar: Left handedness is uncommon in breast cancer patients. *Europ. J. Cancer* 27 (1991), S. 1694 f.

Pandya, K. J.; G. R. Morrow, J. A. Roscoe, H. Zhao, J. T. Hickok, E. Pajon, T. J. Sweeney, T. K. Banerjee, P. J. Flynn: Gabapentin for hot flashes in 420 women with breast cancer: a randomised double-blind placebo-controlled trial. *Lancet* 366 (2005), S. 818–824.

Parker, R. A.; R. B. Rothenberg: Identifying important results from multiple statistical tests. *Stat. in Med.* 7 (1988), S. 1031–1043.

Penrose, R.: Computerdenken. Spektrum der Wissenschaft, Heidelberg 1991.

Perez CA, Brady LW: Principles and Practice of Radiation Oncology. Lippincott-Raven, Philadelphia, 1998.

Petticrew, M.: Diagoras of Melos (500 BC): an early analyst of publication bias. *Lancet* 352 (1998), S. 1558.

Pollard, P.; J. T. E. Richardson: On the probability of making type I errors. *Psychological Bulletin* 102 (1987), S. 159–163.

Popper, K.: Conjectures and Refutations: The Growth of Scientific Knowledge. Basic Books, New York 1962.

Pschyrembel Klinisches Wörterbuch, 255. Auflage. Walter de Gruyter, Berlin 1993.

Raabe, A., Dubben, H.-H., Beck-Bornholdt, H.-P.: Der Fehler zweiter Art und seine Bedeutung bei der Beurteilung von Resultaten. Qualitätsanalyse der Zeitschrift «Strahlentherapie und Onkologie». *Strahlenther. Oncol.* 176 (2000), S. 491–497.

Randow, G. von: Das Ziegenproblem. Denken in Wahrscheinlichkeiten. Science, Reinbek 1994.

Riggs, B. L., Hodgson, S. F., O'Fallon, W. M., et al.: Effect of fluoride treatment on the fracture rate in postmenopausal women with osteoporosis. *New. Engl. J. Med.* 322 (1990), S. 802–809.

Römpp: CD Chemie Lexikon – Version 1.0. Georg Thieme Verlag, Stuttgart/New York 1995.

Rosen, M., Nystrom, L., Wall, S.: Guidelines for regional mortality analysis: an epidemiological approach to health planning. *Int. J. Epidemiol.* 14 (1985), 292–299. Zitiert nach Skrabanek & McCormick (1995).

Roth, E.: Eugen Roths Tierleben für jung und alt. Ungekürzte Ausgabe. Deutscher Taschenbuch Verlag, München 1977.

Sachs, G.: Die Akte Astrologie. Goldmann Verlag, München 1999.

Sachs, L.: Angewandte Statistik, 5. Auflage, Springer Verlag, Heidelberg/Berlin 1978.

Saunders, M. I.; S. Dische, E. J. Grosch, D. C. Fermont, R. F. U. Ashford, E. J. Maher, A. R. Makepeace: Experience with CHART. *Int. J. Radiat. Oncol. Biol. Phys.* 21 (1991), S. 871–878.

Saunders, M. I.: Continuous, hyperfractionated, accelerated, radiation therapy (CHART). *Radiother. Oncol.* 40, Suppl. 1: S30, 1996.

Scherer E., Sack, H.: Strahlentherapie. Radiologische Onkologie. 4. Auflage, Springer Verlag, Berlin 1996.

Scherer, R., Dickersin, K., Langenberg, P.: Full publication of results initially presented in abstracts – a meta-analysis. *J. Am. Med. Assoc.* 272 (1994), S. 158–162.

Schrader, J., S. Lüders, A. Kulschewski, F. Hammersen, K. Plate, J. Berger, W. Zidek, P. Dominiak, H.-C. Diener, MOSES Study Group: Morbidity and mortality after stroke, eprosartan compared with nitrendipine for secondary prevention: principal results of a prospective randomized controlled study (MOSES). *Stroke* 36 (2005), S. 1218–1224.

Shields, P. G.: Publication bias is a scientific problem with adverse ethical outcomes: the case for a section for null results. *Cancer Epidemiology, Biomarkers & Prevention* 9 (2000), S. 771–772.

Sies, H.: A new parameter for sex education. *Nature* 332 (1988), 495.

Simes, R. J.: Publication bias: the case for an international registry of clinical trials. *J. Clin. Oncol.* 4 (1986), S. 1529–1541. (Sekundärzitat aus Chalmers 1990)

Simes, R. J.: Confronting publication bias: a cohort design for meta-analysis. *Stat. Med.* 6 (1987), S. 11–29. (Sekundärzitat aus Egger & Smith 1998 und Chalmers 1990)

Simkin, M. V., Rowchoydhury, V. P.: Read before you cite! *Complex Syst.* 14 (2003), S. 269–274.

Simon, R.: Design and conduct of clinical trials. In: V. T. DeVita, S. Hellman, S. A. Rosenberg (Hg.), Principles and Practice of Oncology. 4. Auflage, J. B. Lippincott, Philadelphia 1993, S. 418–444.

Skrabanek, P., McCormick, J.: Torheiten und Trugschlüsse in der Medizin. Verlag Kirchheim, Mainz 1995.

Slevin, R. J., Hendry, J. H., Roberts, S. A., Ågren-Cronqvist, A.: The effect of increasing the treatment time beyond three weeks on the control of T2 and T3 laryngeal cancer using radiotherapy. *Radiother. Oncol.* 24 (1992), 215–220.

Sommaruga-Wögrath, S.; K. A. Koning, R. Schmidt, R. Sommaruga, R. Tessadri, R. Psenner: Temperature effects on the acidity of remote alpine lakes. *Nature* 387 (1997), S. 64–67.

Steel G. G.: Basic Clinical Radiobiology. Edward Arnold, London 1993.

Steenland, E., Leer, J., van Houwelingen, H., Post, W. J., van den Hout, W. B. et al.: The effect of a single fraction compared to multiple fractions on painful bone metastases: a global analysis of the Dutch Bone Metastasis Study. *Radiother. Oncol.* 52 (1999), 101–109.

Sterling, T. D.: Publication decisions and their possible effects on inferences drawn from tests of significance – or vice versa. *J. Am. Stat. Assoc.* 54 (1959), S. 30–34.

Stern, J. M., Simes, R. J.: Publication bias: evidence of delayed publication in a cohort study of clinical research projects. *Brit. Med. J.* 315 (1997), S. 640–645.

Stewart, I.: Mathematische Unterhaltungen. *Spektrum der Wissenschaft*, November 1995.

Stuschke, M.; H.-P. Heilmann: Lunge und Mediastinum. In: E. Scherer und H. Sack (Hg.): Strahlentherapie. Springer-Verlag, Heidelberg 1996, S. 683–718.

Sutton, A. J., Duval, S. J., Tweedie, R. L., Abrams, K. R., Jones, D. R.: Empirical assessment of effect of publication bias on meta-analysis. *Brit. Med. J.* 320 (2000), S. 1574–1577.

Sylvester, R.: Phase I, II and III trials: role, description and statutical design. In: N. Rotmensz (Hg.), Data management and clinical trials. S. 9–35, Elsevier 1989.

Thames, H. D.; J. H. Hendry: Fractionation in radiotherapy. Taylor & Francis, London 1987.

The Coronary Drug Project Research Group: Influence of adherence to treatment and response of cholesterol on mortality in the coronary drug project. *New Engl. J. Med.* 303 (1980), 1038–1041.

Thomas, L.: Labor und Diagnose. Indikation und Bewertung von Laborbefunden für die medizinische Diagnostik, 4. Auflage, Die Medizinische Verlagsgesellschaft, Marburg 1992.

TIME Investigators: The trial of invasive versus medical therapy in elderly patients with chronic symptomatic coronary artery disease (TIME trial). *Lancet* 358 (2001), S. 951–957.

Timmer, A., Hilsden, R. J., Cole, J., Hailey, D., Sutherland, L. R.: Publication bias in gastroenterological research – a retrospective cohort study based on abstracts submitted to a scientific meeting. *BMC Medical Research Methodology* 2 (2002), S. 7 and http://www.biomedcentral.com/1471-2288/2/7

Villanueva, P., Peiró, S., Libero, J., Pereiró, I.: Accuracy of pharmaceutical advertisements in medical journals. *Lancet* 361 (2003), S. 27–32.

Vines, G.: Is there a database in the house? *New Scientist* 145 (1995), S. 14 f.

Watzlawick, P.: Wie wirklich ist die Wirklichkeit? Piper, München 1976.

Weber, E. J., Callaham, M. L., Wears, R. L.: Unpublished research from a medical specialty meeting: Why investigators fail to publish. *J. Am. Med. Assoc.* 280 (1998), S. 257–259.

W.H.O. cooperative trial on primary prevention if ischaemic hart disease using clofibrate to lower serum cholesterol: martality follow-up. *Lancet* ii (1980), 379–385.

Willers, H.; H.-P. Beck-Bornholdt: Origins of radiotherapy and radiobiology: Separation of the influence of dose per fraction and overall treatment time on normal tissue damage by Reisner and Miescher in the 1930s. *Radiother. Oncol.* 38 (1996), S. 171–173.

Winkelmann, G.: Bericht über die Entdeckung seltsamer Chiffren auf einem vorgeschichtlichen Werkzeug ungewöhnlichen Materials. *Nürnberger Stadtanzeiger* 27 (1957), S. 131–146.

Withers, H. R.: The EORTC hyperfractionation trial. *Radiother. Oncol.* 25 (1992), S. 229 f.

Withers, H. R., Taylor, J. M. G., Maciejewski, B.: The hazard of accelerated tumor clonogen repopulation during radiotherapy. *Acta Oncol.* 27 (1988), S. 131–146.

Würschmidt, F.; H. Bünemann, C. Bünemann, H.-P. Beck-Bornholdt, H.-P. Heilmann: Inoparable non-small cell lung cancer: A retrospective analysis of 427 patients treated with high-dose radiotherapy. *Int. J. Radiat. Oncol. Biol. Phys.* 28 (1994), S. 583–588.

Register

Aberglaube 260
Abstinenzler, riskant lebender 208 f., 242 f.
abstracts 192, 251, 266 (→ Veröffentlichungen, wissenschaftliche)
Aids 25, 105 (→ HIV-…)
Alkoholabhängigkeit 242
Alkoholkontrolle 46 f., 53–55, 61
→ Vierfeldertest für 53
– wiederholte 46, 54, 61
Anteil / Anzahl, Verwechslung 214, 222
– Herzinfarktrisiko bei Sportlern 222
– Krebstote 217–219
– Nutzfische 215 f.
– Spitzenpositionen in Kinderkliniken 221
– Würstchen / Eier 216 f.
Antibiotika 174, 228
Arbeitszeit, wöchentliche 221
Archimedes 92
Assoziation 172
Astrologie, zur Wissenschaft erhobene 70
Atherton, Michael 212
Auslassen → Daten
Auto (→ Alkoholkontrolle)
– altes 77 f.
– Geschwindigkeit, überhöhte 147–149
– Verkaufszahlen 291

Bahnsen, Jens 267
Beauvoir, Simone de 85
Behandlungsmethode → Therapie
Bellsucht 17–19, 21, 23
Bergsteigerseil 64–67, 69, 156

Bestrahlungspause 112
Bezwoda, Werner 99 f.
Bias 101
Binominalverteilung 133–136, 138, 154
Biopsie 22
Blindstudie 247 (→ Studie, klinische)
Blutprobe 26 ff., 45 (→ HIV-Test)
Blutspende 26
Bohr, Niels 87
Börsenprophet 78 ff.
Bronchialkarzinom 244
Brustkrebs (→ Krebserkrankung)
– Brustentfernung 156
– brusterhaltende Therapie 99
– Chemotherapie 99 (→ Strahlentherapie)
– Erkrankungszunahme 217 f.
– Händigkeit 219 f.
– Ursachen 217
→ Vierfeldertest 220
– Vorsorge 22 (→ Krebsvorsorge)
Bypass-Notoperationen 132 f.
– Arzt, gekündigter 132–135
→ Mortalitätsrate 132 f., 138
– neue Technik 138

Canine Ovorhoe → Bellsucht
CAST-Studie (Cardiac Arrhythmia Suppression Trial) 248
Chargaff, Erwin 100
Churchill, Winston Spencer 229

Clofibrat 239
Cluster-Randomisierung 245 f.
Cochrane Collaboration 114
Computersimulationen 202, 204, 211
– explorative 206
Coronary Drug Project 239 f.

data dredging 72
Daten (wissenschaftliche)
– Analyse, retrospektive 211
– Auslassen von 85, 99
– Aussagekraft 195
– Darstellung 161
– Gleichwertigkeit 166 f.
– → Gruppierung, unzulässige 222, 224, 227
– Interpretation 167, 187, 214
– konsistente 266
→ Manipulation 85, 87, 98, 161, 164, 167, 214
– unsichere 191
– Wiedergabe, adäquate 194
– Zusammenfassung, vereinfachte 230, 233
Datenschiebereien 214
Dechiffrierung 203 f.
Deka-dent 167 f.
Desinformation 80 f.
Diagoras von Milos 101
Di Trocchio, Federico 93, 98
Doktor Sorglos 57 ff., 64, 66
– Bergsteigerseil 64–66
– Fallschirm 57 ff.
– Regenschirm 57 f.
Doppelblindstudie 247

Dörner, Dietrich 211
Dupont, Jean Jacques 204
dupontsche Formel
204–208
Dürrenmatt, Friedrich 46,
81

Einbruchstatistik 162 ff.,
166
Einstein, Albert 165
ELISA 26 f. (→ HIV-Test)
Ellis-Formel 212
Elphi, Orakel von 257 ff.
Endpunkte 69 f., 248 ff.
(→ Surrogat-End-
punkte)
Entschädigungssummen
248
Epidemiologie 72, 172,
184, 187, 242
Ergebnis (wissenschaftli-
ches) 17, 21
– falsch negatives 20–23
– falsch positives 20–23,
65, 67, 69
– Fünfprozentrisiko 46
– ins Gegenteil verkehr-
tes 231
– negatives 17, 230
– nicht signifikantes 138
– richtig positives 17–21
– selten eintreffendes
138, 282, 286
– signifikantes 46, 62, 69,
79, 173, 220, 239, 286
(→ Signifikanz, statisti-
sche)
– übersehenes 141 (→
Übersehwahrschein-
lichkeit)
– verfälschtes 233
– zufällig signifikantes
56, 67, 79, 141, 282 f.
(→ Zufall- …)
Ergebnispräsentation
161, 165 f.
Erwärmung, globale
87–92, 178 ff.
– nördliche Hemisphäre
87
– österreichische Neuge-
borene 179
Erwartungswert 57

Ethikkommission 104 ff.,
116
Evidenzbasierte Medizin
110, 114 f.
Experimente (→ Test)
– Dokumentation 198
– ohne innere Ordnung
256
– teure 83, 116
– wiederholte 82 f., 116 f.
(→ Reproduzieren)

Fakultätfunktion 35, 120
Falsifizierung 256, 263
Faulheitsprinzip 211
Fehlan & Zeige 163 f.
Fehler erster Art 47,
145 f., 268 (→ p-Wert)
– Feuermelder-Analogie
47
Fehler zweiter Art 143,
145 ff., 155, 268, 273
– Abschätzung 199
– Feuermelder-Analogie
146
– Potenzierung 157
– Risiko für 158
– Umgehung 160
– Vernachlässigung 158
Fehlerfortpflanzung, lin-
guistische 192 (→ Stille
Post)
Fehlschluss 143 f.
Feyerabend, Paul 91
Fieberkurve 164 f.
Filiale Coupé 234
Filiale Rostlaube 234
final reports 98
fishing expedition 79
Forschheim 229, 231 f.
Forschung, (bio)medizini-
sche (→ Studien, klini-
sche)
– behinderte 80
→ Datenmanipulation
164
– Erkenntnisse, neue 80
– ethische Probleme 83 f.
– Fehlschlüsse 144
– Interpretationsstreit
258
– Irrtumspotenzial 268
(→ Irrtum)

– mit gezinkten Würfeln
81
Forschungsfinanzierung
99, 276 (→ Veröffentli-
chungen, wissenschaft-
liche)
Freimann, J. A. 144
Freud, Sigmund 276
Fried, Erich 260
Fünf-Jahres-Sterblichkeit
239
Fünfprozenthürde, politi-
sche 152, 154
Fünfprozentniveau 46 f.,
56 ff., 65, 67, 122,
138 f., 146, 152, 270
Fünfzigkomponenten-
auto 77
Fußballbundesliga 118,
127
– Tabelle Saisonende
1995/96 128
– Überraschungen 130
→ Vierfeldertest 129 f.
Fußballergebnisse
– aus statistischer Sicht
122
– Spielverlaufswahr-
scheinlichkeit 121 f.,
131
→ Unterschiede, signifi-
kante 129 f.
Fußballspiel, simuliertes
123 f.

Genuesisches Zepter
202–205
Geschwindigkeit, über-
höhte 147 f.
Gesundheitsepidemiolo-
gie 72 (→ Epidemiolo-
gie)
Glücksspiel 62 f., 118 (→
Lotto)
Goethe, J. W. v. 266
Grönland 89, 92
Großforschung 99 (→
Forschung, biomedizi-
nische; Studie, klini-
sche)
Gruppierung, unzulässige
222 f., 225, 227, 234 f.
(→ Daten)

– Autoverkäufe 234
– Wähleranteile 235 f.
Guareschi, Giovanni 78

Harzer Schädling 85 f.
Hassenkamp, Oliver
161
Häufungen 42 f.
– erwartete 134
– räumliche 42
– unwahrscheinliche 43
– Vergleich von 53
– zeitliche 34 f., 42 f.
– zufällige 39, 45, 192 (→
Zufall)
Hawkins, Coleman 257
Heilungsrate 69, 94, 142,
237 (→ Mortalitäts-
rate; Patientengruppe)
– erhöhte 237
– lokale 94, 96
→ Unterschiede in der
146, 157, 159
– Verschlechterung 144,
156, 158
Henry, W. 180
henrysches Gesetz 179 f.
Herzrhythmusstörungen
248 f.
Hewitt, James 212
HIV-Test 25
→ Ergebnis, falsch negati-
ves 26 f.
→ Ergebnis, falsch positi-
ves 26 f.
HSV (Hamburger Sport-
verein) 121 ff.
– Tabellenrang 129
Hypothese
– Buchstabe / Vokal 260
– Überprüfung 258, 263,
266 (→ Falsifikation)

Immunoblot 27
Immunsystem 174
impact factor 80, 250,
253 ff.
Infektionskrankheiten
174 (→ HIV-Infektion)
Informationsverlust 198
Inhomogenitätskorrela-
tion 184 (→ Korrelatio-
nen)

Intention-to-treat-Ana-
lyse 108, 230, 238, 241
interim reports 251
Interpretationsfehler 199
Irrtümer 15, 17, 257, 268
– Aufdecken 276 (→ Fal-
sifizierung)
– Lachen über 264
– neuartige 47
– Spiele (Vorlesung)
257 f.
– und Wissenschaftsbe-
trug 16
– Vermeidung von 81
Irrtumswahrscheinlich-
keit 58

Jeune, Orst 206, 208

Kaffeebohnen im Kuchen
30 f., 42
Karzinom 24, 99 (→
Krebs-...)
– Heilungschance 24
– unerkanntes 25
Kästner, Erich 202
Kausalität 172, 187 (→
Ursache-Wirkungs-Be-
ziehung)
– Bedingung, hinrei-
chende 174
– Geschlechtsver-
kehr / Schwangerschaft
174
– umgekehrte 178
Kayatz, Peter 220
Kernkraftwerk Krümmel
29, 37
Klimakatastrophe, angeb-
liche 91, 248 (→ Er-
wärmung, globale)
Koch, Robert 173
Kohlendioxid-Konzentra-
tion 179 f.
kompositer Endpunkt 73,
76
Kontrollgruppe, histori-
sche 236 f., 266
Koordinatenachsen 162 f.
– sinnvoll gewählte 165
(→ Daten, Manipula-
tion)
Korrelation 172, 187 (→

Ursache-Wirkungs-Be-
ziehung)
– Beine / Unglücklichsein
172
– Bierpreis / Priesterge-
halt 181
– Gehalt / Körpergröße
173
– Huttragegewohnhei-
ten / Lungenkrebs
184 ff.
– Interpretation von 175
– Knochendichte / Kno-
chenbrüche 249 f.
– Schnabellänge / Körper-
gewicht 182 f.
– Storchenpaare / Gebur-
tenrate 181
– und → Kausalität 187
– zufällige 173
Korrelationskoeffizient
187
Kraus, Karl 64
Krebserkrankung 64 (→
Brustkrebs; Leukämie)
– Linkshänder 187 f.,
214, 219 ff.
– Zunahme 217 ff.
Krebsforschung 177
– Daten, verfälschte 93,
99 f.
– wissenschaftliche Serio-
sität 70
Krebsrisiko, altersbeding-
tes 219
Krebstherapie 93, 236 (→
Radioonkologie; Strah-
lentherapie; Therapie,
neue)
Krebsvorsorge 22

Lady Dis Baseballkappe
212
Lancet 144, 252
Lebenserwartung, geringe
219, 249 f. (→ Mortali-
tätsrate)
Lessing, Doris 265
Lessing, Gotthold
Ephraim 57, 98
Leukämie 29, 42, 43
Leukämierate 33, 38
– erhöhte 33 f.

Leukämieszenario 31–40
– *Auswertungstabelle* 38
– Hamburger Telefon-
buch 38, 40
→ Häufungen, zeitliche
34, 37 f.
– idealisiertes 38
Literatur, klinische 70
Literaturarbeitskreise
265 f.
Lotto 43, 118, 126, 137
(→ Glücksspiel)

maghische Zahlen 205,
208
Mammakarzinom →
Brustkrebs
Mammographie 19, 22 f.,
149 f.
Manipulation 85, 87 (→
Daten)
– Inflationsrate 171
– Milchpreise 170
– Zinsen 171
Marcuse, Ludwig 45
Mark Twain 29, 277
Mastdarmkrebs 25 (→
Krebserkrankung)
mathematische Modelle
202, 211
– praktische Bedeutung
211
Matzbach, Balthasar 164,
175
Maxeiner, Dirk 17, 72
Medianwert 282, 285,
288 f., 292 (→ Mittel-
wert)
Medikament, neues 214,
229, 231 (→ For-
schung, biomedizini-
sche; Studie, klinische)
– Standardmedikament;
Vergleich mit 188,
229 f.
– Toleranzdosis 284 f.
– Verschreibungsverhal-
ten 165 f.
→ Vierfeldertest 53 f.,
148
Meeresspiegel (→ Erwär-
mung, globale)
– ansteigender 91 ff.

– sinkender 92 f.
Megatrials 160
Mehrfachpublikation 107
Mehrfachtests 64, 71, 78,
282
Meinungsforschungsinsti-
tut 152 f.
Merkel, Angela 140
Messwerte → Daten
Metaanalyse 108, 114,
152
Metastasen 94, 96, 244
Miersch, Michael 17,
72
minimaler relevanter Un-
terschied 150 f.
Mittelwert 234, 285 (→
Medianwert)
Modeerscheinung 111
Monte-Carlo-Determina-
tion 206
Mortalitätsrate 132 f.,
138 f.
– Verringerung 166 (→
Überlebensrate)
Mythos 198

Namreh-Snah, Nebbud
202
NASA 203 f.
Nature 252
Naturkonstanten 202,
204 f., 207
Nebenwirkungen 249,
252, 267
*New England Journal of
Medicine* 144, 252
Nordpol 92
NSABP-Studie 99
Nullhypothese 270 f.

Ockham, William von
211
Ockhams Rasiermesser
211
Onkologie 71 (→ Krebs-
forschung; Radioonko-
logie)
Originalarbeit 199 f., 212

Pannenfreiheit 77
Parameter 64 f., 196 (→
Studie)

– Beschränkung auf we-
nige 211
– signifikante 67, 69, 282
(→ Signifikanz, statisti-
sche)
– übersehene 156 (→
Übersehwahrschein-
lichkeit)
– Veränderung 196
Patienten 97, 177 (→ Stu-
die, klinische)
– Anzahl untersuchter
198, 267, 286
– dazuerfundene 99
– mit schlechter Prognose
177
→ Mortalitätsrate 138
→ Überlebensrate 69, 77,
93, 96
– Verhalten 240
– «verschwundene» 266
Patientengruppe 54,
239
→ Heilungsrate 69, 140,
142, 237
– Optimierung der Pro-
gnose 237
– Subgruppe 69, 239
– Umgruppierung 236 f.
(→ Gruppierung, unzu-
lässige)
Paulos, John Allen 79
peer review 71, 110
Per-Protocol-Analyse 108
Permutationen 118 ff.,
125
Placebo 196, 239, 266
Placeboeffekt 196
Poisson, Simon-Denis 35
Poisson-Verteilung 35 f.,
67, 120
Polkappenschmelze
91–93 (→ Erwärmung,
globale)
Popper, Karl 263, 276
Porzellanstadt 230 ff.
Prävalenz 21–25 (→
Wahrscheinlichkeit)
preliminary reports 97 f.,
251
– Pferderennen-Vergleich
98
Proceedings 251

Prüfgröße 54, 56, 158, 282, 292
publication bias 101, 103 ff., 107, 109, 111, 114 ff., 230
Publikationen → Veröffentlichungen, wissenschaftliche
Publikationsflut 192, 265
publish or perish 81
p-Wert 142, 288, 293 f.

Raabe, Wilhelm 265
Radioonkologie 177, 190
– internationale Studie 222 ff.
Radiotherapy and Oncology 71
Randomisierung 147, 224, 266
– stratifizierte 231
Randow, Gero von 79, 258
Regenschirm, nicht ganz sicherer 57 f.
Regressionsanalysen 187
Reproduzierbarkeit 81 f., 100, 127 f. (→ Ergebnisse; Experimente)
Rinderwahnsinn → BSE; Creutzfeldt-Jakob-Syndrom
Risiko, kumulatives 65
Röntgenstrahlen 188
Roth, Eugen 195

Sachs, Gunther 70
Sartre, Jean-Paul 144
Schmoll, Thomas 164
Schneid-und-Flick-Verfahren 70
Schneyder, Werner 152
Schokolinsenexperiment 133 f., 135
→ Bypass-Operation 133 f.
– Verallgemeinerung 135 ff.
Science 252
Science Citation Index 252
Scrapie 39 f. (→ Creutzfeldt-Jakob-Syndrom)

Sehhilfe 167 f.
Selbsttäuschung 229
Signifikanz, statistische 45 ff., 55, 57, 122, 176, 206, 263 (→ Statistik)
– Alkoholsünder 62 (→ Alkoholkontrolle)
→ Fußballspiel, simuliertes 124, 129
– Gewährleistung 62
– Interpretation 270
– Jagd nach 47, 79
– Kohlendioxidgehalt 179
→ Medikament, neues 56
– Sportergebnisse 127 f.
– zufällige 56, 65, 67 f., 282 (→ Zufall)
Signifikanzniveau 63, 80, 153, 266 (→ Fünfprozentniveau)
→ Parameter 65
Signifikanztest 52 (→ Unterschied)
Simpsons Paradoxon 184, 229 ff.
– erster Teil 229
– leicht übersehbares 231
– Raucherstudie 232 f.
– Studienplatz für Frauen 232
– zweiter Teil 231
Skala, gestreckte 163 f.
Snow, John 172
Spinat, Eisengehalt 197
Sprachverwirrung, babylonische 188, 191 f., 194 f. (→ Stille Post)
– Muttersprache Englisch 189 ff.
– unterschiedliche Auffassung 188–190, 195
St. Pauli (Fußballverein) 121 f.
– Tabellenrangfolge 129
– überraschender Sieg 130 f.
stage migration 236 f.
Standardmedikament → Medikament, neues
Standardtherapie 56 →

Therapie, konventionelle
Statistik 29, 156, 173 (→ Signifikanz-…)
– Anwendung, korrekte 80
– Aussagen, nicht haltbare 76
– Gefühl für 36
– Missbrauch 70
– seltener Ereignisse 138
– Systematik 29
→ Zufall 29
statistische Bedeutsamkeit 43
statistische Schwankungen 154, 225
statistische Unsicherheit 133
statistischer Fehler 154
Statistisches Bundesamt 70
Sterberate → Mortalitätsrate
Sterblichkeitsrisiko 239 f., 244
Stille Post 195
– Experiment 196
Strahlenbiologie 91
Strahlendosis 99, 244
Strahlentherapie 95, 177, 184, 212, 251
→ Brustkrebs 155 f.
– in kürzestmöglicher Zeit 177
→ Tumoren 94 f., 212, 252
Stratifizierung 266
Studie 65
– aussagekräftige 266
– Blindstudien 247
– Doppelblindstudien 247
– explorative 266
– kontrollierte 266
– multizentrische 97, 231 f.
→ Parameter 67 f.
– retrospektive 43
Studie, klinische 69, 72, 97, 248 (→ Forschung, biomedizinische; Patienten)

- Auswertung 242 f.
→ Ergebnisse 142, 147, 231
- Fragestellung 160
- historische Kontrolle 237, 266
- Lipidsenker 238
→ Patienten, Anzahl 140, 145 ff., 160, 240 f., 266
- Patientenverteilung 224–227, 238
- randomisierte 147, 224
- sehr große 160 (→ Megatrials)
- vorläufige Berichte 97
- Wiederholung 78
Südpol 92 f.
Surrogat-Endpunkt 248 ff., 255
Surrogatmarker 251

Temperaturverlauf 87
- der letzten 110 000 Jahre 89
Test (→ Experiment)
- prädikativer 19
- statistischer 79
- verdoppelter 69
- wiederholter 18 f.
- zuverlässiger 17, 20
Testergebnis → Ergebnis
Texanischer Scharfschütze 41
Therapie, konventionelle 96
- und neue 94 f., 142, 223
- veraltete 159
Therapie, neue 96 f., 142
- anfänglich vorteilhafte 96
→ Heilungsrate 142
- Nachbeobachtung 97
→ Nebenwirkungen 142, 223 f.
Therapien im Vergleich 144, 156 f., 189 f., 224
- schlechter abschneidende 97, 142, 230
→ Unterschied, signifikanter 142, 145
TIA 76
time lag bias 105

TIME-Studie 74 f.
Toto 118
Transitorisch-Ischämische Attacke 76
Treibhauseffekt 180 (→ Erwärmung, globale)
Tumor
- Behandlungsdauer 177, 184
- geschrumpfter 244
- Hals-Kopf-Bereich 94 f., 97
- lokal nicht geheilter 96 (→ Heilrate)
- operative Entfernung 94, 156
→ Strahlentherapie 94 f., 212, 251
- T-Stadien 64 f., 225–227, 236 f.
- Umgruppierung 236 f. (→ Gruppierung, unzulässige)
Twain, Mark → Mark Twain

Überlebensrate 69, 77, 93, 96 (→ Mortalitätsrate)
- hohe 94
- Zunahme 244
Übersehwahrscheinlichkeit 141, 145, 156, 158, 231
Übertragungsfehler 199
Überzeugungssystem 258
Uhlenbruck, Gerhard 214
Umfragen, repräsentative 153
- statistische Fehler 154 f.
Umgruppierung 214, 234–237 (→ Gruppierung, unzulässige)
Umweltepidemiologie 72 (→ Epidemiologie)
unausgewogene Berichterstattung 101, 113
unfaire Vergleiche 227
Unterschied 146
- gesetzmäßiger 52
- nicht signifikanter 143 f., 157 ff.
- signifikanter 130, 142, 145, 157, 159, 220 f.

- übersehener 145, 158
- zufälliger 52 (→ Zufall)
Ursache 31
- mit Wirkung vertauschte 240, 244
Ursache-Wirkungs-Beziehung 172, 175, 178, 187 (→ Kausalität; Korrelationen)
- Brandschaden / Feuerwehrleute 176 f.
- Läuse / Fieber 176
- Ursache zur Wirkung erhoben 177, 240, 244
- Verweilzeiten im Krankenhaus 177

Verkehrskontrolle → Alkoholkontrolle
Veröffentlichungen, wissenschaftliche 52, 193, 265
- Anzahl als Erfolgskriterium 83, 194 f., 202, 250 ff.
- Arbeitsdauer 253 f.
→ Ergebnisse als Zufallsprodukte 62
- kleinste publizierbare Einheit 251
- nutzlose 79
- Resultate, gefälschte 99 (→ Daten, Manipulation)
- Zitierungen 253 f.
Versuchsfeld
→ Häufungen, zeitliche 43
→ Leukämie 31–39
95 %-Vertrauensbereich 154, 266, 282, 284–290, 292
vibrio cholerae 173
Vierfeldertest 46, 54 ff., 129 f., 137, 158 f., 220, 270, 282, 291
- Formel, allgemeine 53, 158
→ Signifikanz 52
Vogts, Berti 127
Vorsorgeuntersuchung → Krebsvorsorge

Wähleranteil 235
Wahlkampf 152
Wahlprognose 154 f.
Wahrnehmung, selektive 197, 256, 264
Wahrscheinlichkeit 18, 36, 121 f., 131 (→ Würfelexperiment; Zufallswahrscheinlichkeit)
– Absturzgefahr 64 f.
– A-priori- 275
– Autopanne 77 f.
– Erkrankung 18 ff.
→ HIV-Infektion 26 f.
– Kopf/Zahl-Wurf 42
– Mann als Mensch 268
– mehrere zugleich 64
– Multiplikation der Einzelwahrscheinlichkeiten 136
– sechs Richtige im Lotto 43 f.
– statistische 188
→ Tests, medizinische 18 f., 23
→ Unterschiede, übersehene 158
Wahrscheinlichkeitsverteilung 121–125 (→ Poisson-Verteilung)
Wahrscheinlichkeitswert 62
Wanderers Nachtlied 200
Wason, P. C. 267
Watzlawick, Paul 256, 261, 263
West-Grönland-Gletscher 78 f.

Will-Rogers-Phänomen 236
Winkelmann, Goffredo 203 f., 207
Wirklichkeitsanpassung 264
Wirkung → Ursache-Wirkungs-Beziehung
Wissenschaft (→ Forschung, b.; Veröffentlichungen, w.)
– Ergebnispräsentation 161, 166 (→ Ergebnis)
– Fortschritt in der 276
– gefährdete 80
– Glücksspielcharakter 63
– heilige Kuh 46 f.
– Selbstkritik, hinderliche 277
– Übermittlungsfehler 188
wissenschaftliche Diskussion 202, 212
wissenschaftliche Leistung 250 f.
wissenschaftliche Produktivität 252
Wissenschaftsfälschung 99 (→ Daten, Manipulation; Krebsforschung)
Wittgenstein, Ludwig 188
Würfel
– zwanzigseitiger 63
– gezinkter 81
Würfelexperimente 65, 69

→ Brustkrebs 155–159
– Kreuz oder Kreis 62 f.
→ Leukämiesimulation 31–39

Zahlenfolge, erwürfelte 261 ff.
– Erklärungsmodelle 262 f.
– Sicherheitsgefühl 262 f.
Zahnpasta, Wirkung 167 ff.
– «klinisch getestete» 168
– Kariesfälle/Zahnpastamenge 167
Zehnkomponentenauto 77 f.
Zitierungen 252 f.
Zufall 45 f. (→ Signifikanz, statistische; Würfelexperimente)
→ Ergebnis, zufällig signifikantes
→ Leukämie 31
– reiner 263
– und Ursache 31
Zufallswahrscheinlichkeit 45 f., 55 f., 59, 62, 67, 282
– signifikante 61, 142
– nicht signifikante 142 f.
Zündkerzenkabel 91–93, 118 ff.
zusammengesetzter Endpunkt 72, 74 ff.

317

rororo science: Die Titel

- Amdahl, Kenn
  Elektronen gibt es hier nicht
  Elektrizität für coole Köpfe
  60727 1
- Baeyer, Hans Christian von
  **Das All, das Nichts und
  Achterbahn**
  Physik und Grenzerfahrungen
  60357 8
  **Regenbogen, Schneeflocken und
  Quarks**
  Physik und die Welt, die wir täglich
  erleben
  19709 X
- Barrow, John D.
  Ein Himmel voller Zahlen
  Auf den Spuren mathematischer
  Wahrheit
  19742 1
  Die Natur der Natur
  Wissen an den Grenzen von Raum
  und Zeit
  19608 5
- Basieux, Pierre
  Abenteuer Mathematik
  Brücken zwischen Wirklichkeit
  und Fiktion
  60178 8
  **Die Top Ten der schönsten
  mathematischen Sätze**
  60883 9
  Die Welt als Roulette
  Denken in Erwartungen
  19707 3
  Die Architektur der Mathematik
  61119 8

- Beck-Bornholdt, Hans-Peter,
  Dubben, Hans-Hermann
  **Der Schein der Weisen –
  Irrtümer und Fehlurteile im
  täglichen Denken**
  61450 2
- Blech, Jörg
  Leben auf dem Menschen
  Die Geschichte unserer Besiedler
  60880 4
- Braun, Karl-Ferdinand
  **Geheimnisse der Zahl und Wunder
  der Rechenkunst**
  60808 1
- Crick, Francis
  Was die Seele wirklich ist
  Die naturwissenschaftliche Erfor-
  schung des Bewußtseins
  60257 1
- Dawkins, Marian Stamp
  **Die Entdeckung des tierischen
  Bewußtseins**
  19743 X
- Dawkins, Richard
  Das egoistische Gen
  19609 3
- Di Trocchio, Federico
  Der große Schwindel
  Betrug und Fälschung in der
  Wissenschaft
  60809 X
- Dörner, Dietrich
  Die Logik des Mißlingens
  Strategisches Denken in
  komplexen Situationen
  19314 0

- Drösser, Christoph
  Stimmt's?
  Moderne Legenden im Test
  60728 X
  **Stimmt's? Noch mehr moderne
  Legenden im Test**
  60933 9
- Dubben, Hans-Hermann,
  Beck-Bornholdt, Hans-Peter
  **Mit an Wahrscheinlichkeit
  grenzender Sicherheit –
  Logisches Denken und Zufall.**
  61902 4
- Duve, Christian de
  Aus Staub geboren
  Leben als kosmische Zwangs-
  läufigkeit
  60160 5
- Einstein, Albert · Infeld, Leopold
  Die Evolution der Physik
  19921 1
- Genz, Henning
  Die Entdeckung des Nichts
  Leere und Fülle im Universum
  60729 8
  Wie die Zeit in die Welt kam
  Die Entstehung einer Illusion aus
  Ordnung und Chaos
  60731 X
- Gierer, Alfred
  Die gedachte Natur
  Ursprünge der modernen
  Wissenschaft
  60552 X
- Graßmann, Hans
  **Das Top Quark, Picasso und
  Mercedes-Benz**
  oder Was ist Physik?
  60806 5
- Haken, Hermann
  Erfolgsgeheimnisse der Natur
  Synergetik: Die Lehre vom
  Zusammenwirken
  19744 8

- Halpern, Paul
  Löcher im All
  Modelle für Reisen durch Zeit und
  Raum
  60356 X
- Hargittai, István · Hargittai,
  Magdolna
  Symmetrie
  Eine neue Art, die Welt zu sehen
  60358 6
- Hawking, Stephen · Penrose,
  Roger
  Raum und Zeit
  60885 5
- Hawking, Stephen
  Einsteins Traum
  Expeditionen an die Grenzen der
  Raumzeit
  60132 X
  Eine kurze Geschichte der Zeit
  60555 4
  Stephen Hawkings Welt
  Ein Wissenschaftler und sein Werk
  19661 1
- Jaynes, Julian
  Der Ursprung des Bewußtseins
  19529 1
- Kaku, Michio
  Im Hyperraum
  Eine Reise durch Zeittunnel und
  Paralleluniversen
  60360 8
- Kippenhahn, Rudolf
  Verschlüsselte Botschaften
  Geheimschrift, Enigma und
  Chipkarte
  60807 3
- Kröber, Karl Günter
  Das Märchen vom Apfelmännchen
  Band 1: Wege in die Unendlichkeit
  60881 2
  Das Märchen vom Apfelmännchen
  Band 2: Reise durch das malumiti-
  sche Universum
  60882 0

- Linke, Detlef B.
  Hirnverpflanzung
  Die erste Unsterblichkeit auf Erden
  60135 4
- Lurija, Alexander R.
  Das Gehirn in Aktion
  Einführung in die Neuro-
  psychologie
  19322 1
- Mérö, Làszlo
  Die Logik der Unvernunft
  Spieltheorie und die Psychologie
  des Handelns
  60821 9
- Monka, Michael · Tiede, Manfred
  · Voß, Werner
  Gewinnen mit Wahrscheinlichkeit
  Statistik für Glücksritter
  60730 1
- Neubauer, Dieter
  **Demokrit läßt grüßen: Eine andere
  Einführung in die Anorganische
  Chemie**
  60550 3
- Nørretranders, Tor
  Spüre die Welt
  Die Wissenschaft des Bewußtseins
  60251 2
- Peitgen, Heinz-Otto · Jürgens,
  Hartmut · Saupe, Dietmar
  Bausteine des Chaos
  Fraktale
  60250 4
  Chaos
  Bausteine der Ordnung
  60551 1
- Pössel, Markus
  Phantastische Wissenschaft
  Über Erich von Däniken und
  Johannes von Buttlar
  60259 8
- Poundstone, William
  Im Labyrinth des Denkens
  Wenn Logik nicht weiterkommt:
  Paradoxien, Zwickmühlen und
  die Hinfälligkeit unseres
  Denkens
  19745 6

- Randow, Gero von (Hg.)
  Der Fremdling im Glas und weitere
  Anlässe zur Skepsis, entdeckt im
  «Skeptical Inquirer»
  19665 4
  Mein paranormales Fahrrad
  und andere Anlässe zur Skepsis,
  entdeckt im «Skeptical Inquirer»
  19535 6
- Randow, Gero von
  Roboter
  Unsere nächsten Verwandten
  60553 8
  Das Ziegenproblem
  Denken in Wahrscheinlichkeiten
  19337 X
- Schnabel, Ulrich · Sentker, Andreas
  Wie kommt die Welt in den Kopf?
  Reise durch die Werkstätten der
  Bewußtseinsforscher
  60256 3
- Sossinsky, Alexei
  Mathematik der Knoten
  Wie eine Theorie entsteht
  60930 4
- Trefil, James
  Physik in der Berghütte
  Von Gipfeln, Gletschern und
  Gestein
  19382 5
- Tudge, Colin
  Letzte Zuflucht Zoo
  Die Erhaltung bedrohter Arten in
  Zoologischen Gärten
  60361 6
- Turkle, Sherry
  Leben im Netz
  Identität in Zeiten des Internet
  60069 2
- Watson, James D.
  Die Doppelhelix
  Ein persönlicher Bericht über die
  Entdeckung der DNS-Struktur
  60255 5
- White, Michael · Gribbin, John
  Stephen Hawking: Die Biographie
  19992 0